O GLUST
I GLUST

I Hanna

LLWYD OWEN

O GLUST
I GLUST

y Lolfa

Argraffiad cyntaf: 2022
© Hawlfraint Llwyd Owen a'r Lolfa Cyf., 2022

*Mae hawlfraint ar gynnwys y llyfr hwn ac mae'n
anghyfreithlon llungopïo neu atgynhyrchu unrhyw ran ohono
trwy unrhyw ddull ac at unrhyw bwrpas (ar wahân i adolygu) heb
gytundeb ysgrifenedig y cyhoeddwyr ymlaen llaw*

Cynllun y clawr: Sion Ilar
Ffoto yr awdur: Carys Huws

Rhif Llyfr Rhyngwladol: 978 1 80099 209 2

Dymuna'r cyhoeddwyr gydnabod cymorth ariannol
Cyngor Llyfrau Cymru

Cyhoeddwyd ac argraffwyd yng Nghymru
ar bapur o goedwigoedd cynaliadwy gan
Y Lolfa Cyf., Talybont, Ceredigion SY24 5HE
e-bost ylolfa@ylolfa.com
gwefan www.ylolfa.com
ffôn 01970 832 304
ffacs 01970 832 782

"Mae dial yn weithred angerddol,
tra bod dialedd yn weithred o gyfiawnder."

Samuel Johnson

Prolog: Y Milwr Amyneddgar

Y flwyddyn dwy fil a phedair. Camp Condor. De-ddwyrain Iraq. Rhanbarth Maysan. Nepell o ddinas Amarah, ar lannau Afon Tigris. Haul tanbaid. Tywod sych. Gwersyll llychlyd. Pebyll caci. Syched parhaus. Tonnau o wres yn crynu ar y gorwel. Cylion a mân-wybed fel cymylau cecrus yn yr aer. Yn ymosodol ac yn annifyr. Dyddiau o ddiflastod. Patrolio. Ffrwydrad o wrthdaro. Ad-drefnu. Realiti bywyd Catrawd Swydd Stafford, flwyddyn gyfan ar ôl cychwyn y rhyfel diweddaraf yn y Gwlff. Mewn cyfnod cymharol dawel, heb fawr o ryfela ar hyn o bryd, ddim yn y rhan hon o'r wlad, ta beth, a gyda'r rhan fwyaf o'i gyfoedion yn cysgodi rhag yr haul a'r pryfed, eisteddai un milwr ar wahân, ar gadair blastig o dan unig balmwydden y gwersyll. Mewn pabell gyfagos, gallai glywed chwyrnu dwfn un o'i gyd-sowldiwrs. Mewn un arall, lleisiau'n codi'n gystadleuol o amgylch y bwrdd cardiau. Yn y pellter, *Salat al-'asr*, galwad i weddïo diwedd y prynhawn ym mosg y dref agosaf. Crensiodd y tywod gronynnog rhwng ei ddannedd. Gwagiodd ei drwyn o'r llysnafedd graeanog. Breuddwydiodd am goncrit cadarn a hinsawdd diflas ei filltir sgwâr. Cymylau llwyd. Glaw mân. Gwynt main. Ysbeidiau heulog yn yr haf, yn hytrach na gwres ffwrnes beunyddiol. Yn llaw dde'r milwr, cyllell. Yn y llaw chwith, carreg hogi lwyd wedi'i threulio. Defod ddyddiol. Cysylltiad cysefin â'i deulu. Gyda'i gyndeidiau. Disgleiriai'r llafn yn nhanbeidrwydd y prynhawn wrth i'r swsial hypnotig ei swyno. Meddyliodd y milwr am y bobl yr oedd wedi'u difa ar faes y gad yn ystod y ddegawd ddiwethaf, cyn troi ei olygon at y rhai oedd yn aros amdano adref. Nid oedd yn gwybod a oedd y rheini a laddodd hyd yma yn haeddu eu ffawd ai peidio, jyst gwneud ei waith oedd e. O ganlyniad, ni deimlai unrhyw emosiwn am ei weithredoedd. Ond gwyddai yn iawn bod y rheini ar ei gach-restr yn haeddu *popeth* oedd i ddod. Anadlodd y milwr yn ddwfn, wrth i'w hwynebau fflachio yn llygad ei feddwl. Yn ei atgofion. Roedden nhw mor fyw ag erioed, ddegawd ers iddo'u gweld nhw ddiwethaf. Cododd y gyllell ac archwilio'r llafn. Ni allai fod yn finiocach. Dychwelodd y gyllell i'w gwain, cyn codi a mynd i chwarae cardiau.

1 : Tywel

Tair blynedd ar ôl iddi ddod yn agos at farw ar lethrau euraidd Mynydd Parys, ffarweliodd Sally Morris â'i mam, Kitty, oedd yn sefyll o flaen ei byngalo bach yn Amlwch, Sir Fôn, gyda dagrau yn disgleirio ar ei bochau wrth i Ben Marks bwyso'n ysgafn ar y sbardun ac anelu trwyn yr *Huyndai Kona* hybrid tua'r de. Canodd y corn ddwywaith wrth droi'r cornel, a diflannodd Kitty o'r golwg. Trodd Sally yn ei sedd gan sychu deigryn bach o gornel ei llygad.

"Ti'n olréit?" gofynnodd Ben, gan osod ei raw o law ar ei choes yn dyner.

"Ydw," atebodd Sally, wrth i Fynydd Parys ymddangos ar y gorwel; y cerrig wedi colli'u sglein heddiw, diolch i'r tywydd garw a'r cymylau llwyd-ddu uwchben. "Jyst mynd yn hen ma' hi."

"Fel ni gyd," medd Ben, gan dynnu ei law oddi ar jîns ei gariad er mwyn llywio'r car o amgylch unig dwmpath troi y dref.

Anwybyddodd Sally ei sylw. "Ti'n sylwi mwy ar y newidiadau pan ti ddim yn gweld rhywun yn aml." Dyma'r eilwaith yn unig i Sally weld ei mam yn ystod y chwe mis diwethaf, a'r tro cyntaf i Ben fynd gyda hi. Yn wir, dyma'r tro cyntaf i *unrhyw* ddyn gadw cwmni iddi ar y bererindod. Gyda Ben yn dychwelyd i'r barics ben bore, cyn gadael y fyddin a symud mewn gyda Sally'n barhaol, roedd *rhaid i'w* mam gwrdd â fe, felly cymrodd Sally bedwar diwrnod o wyliau, gan adael ei phartner gwaith, Dafydd Benson, o dan oruchwyliaeth DI Rolant Price, dirprwy arweinydd Adran Dditectifs Heddlu Gerddi Hwyan.

"Gwir," medd Ben, gyda gwên yn goglais corneli ei geg.

"Beth?" Trodd Sally i edrych arno.

"Dim!" daeth yr ateb, ond nid oedd Sally'n hapus â hynny.

"Dwêd, Ben. Dere!" mynnodd Sally gan afael yn ei geilliau'n chwareus, er y byddai trwch y denim yn achub ei chariad rhag unrhyw niwed parhaol.

Trodd y wên fach yn llond lle o ddannedd gwynion. "O'n i'n *mynd* i ddweud bod ti 'di heneiddio degawd pan es i ffwrdd ddwetha, ond sa i mor siŵr nawr."

Gwasgodd Sally tan fod ei chariad yn gwingo.

"Jôôôôôôôôôôôôôôôc!!!!!!" sgrechiodd Ben, fel plentyn ar chwyrligwgan, yn hytrach na'r milwr profiadol oedd e go iawn.

Gyda'r mynydd copr yn ymgodi ar ochr dde'r ffordd, eisteddodd Sally yn ôl yn ei sedd unwaith eto, gan adael i'w meddyliau grwydro. Yn gyntaf, ac yn ôl y disgwyl, dychwelodd at y noson dyngedfennol pan gafodd ei thaflu dros glogwyn serth gan Max Edwards a'i dad, Billy Ray; dau ddihiryn a ddiflannodd oddi ar wyneb y ddaear maes o law, a hynny cyn i Sally adael yr ysbyty ar ôl adfer o'i hanafiadau. Roedd ganddi syniad go lew beth ddigwyddodd iddynt, er nad oedd wedi rhannu ei hamheuon gydag unrhyw un, rhag ofn y byddai hynny'n cael effaith andwyol ar ei gyrfa. Hunanol? Heb os. Ond ar ôl torri ei choes dde, ei braich chwith a dwy asen, a cholli ei chof tymor-byr am wythnosau'n dilyn y digwyddiad, nid oedd yn mynd i beryglu ei dyfodol dros ddau fastard milain oedd wedi ceisio ei lladd. Roedd y digwyddiad yn dal i'w haflonyddu'n aml, gan effeithio ar ei phatrwm cwsg. Er nad oedd ei sifftiau gwaith yn helpu gyda hynny chwaith. Taerai Ben ei bod hi'n dioddef o PTSD, ond gwrthododd Sally bob cymorth, er nad oedd hi cweit yn gwybod pam.

Meddyliodd am Luned a Lee nesaf. Cwpwl ifanc o ogledd-ddwyrain Ynys Môn oedd wedi cael eu tynnu mewn i'r trobwll tywyll. Gwyddai trwy ei mam eu bod nhw bellach yn byw yn Aberaeron, a gobeithiai'n arw eu bod nhw'n hapus o hyd. Yna, fflachiodd gwên awgrymog Brychan Troed yr Aur, brawd Luned, o flaen ei llygaid ac atseiniodd ei wahoddiad awgrymog yn ei phen. Petai Sally a Ben heb gwrdd yn y cyfamser, byddai Sally'n sicr o fod wedi cysylltu ag ef. Ffaith oedd hynny, yn hytrach na rhywbeth yr oedd hi'n difaru.

Ac yn olaf yn ei horiel hunllefus roedd Jac Edwards. Treisiwr cyfresol. Cyffuriwr diegwyddor. Cyn-dditectif. Carcharor cyfredol. Byddai Sally'n cael hunllefau cyson am ddychweliad Jac, er nad oedd i fod i gael ei ryddhau o'r jêl am bedair blynedd arall.

Yn dilyn yr holl helbul, dychwelodd Sally i'r gwaith, gan ymuno ag Adran Dditectifs Heddlu Gerddi Hwyan ac, ar ôl blwyddyn o dan adain brofiadol DS Gethin Robbins, roedd hi bellach yn bartner i Daf Benson, hen ffrind o'i phlentyndod y gallai gofio'i boenydio ar faes chwarae'r ysgol gynradd.

Parhau i bendwmpian wnaeth Sally, wrth i Ben ei chludo tuag adref; tonnau tangnefeddus yr A470 yn ei suo i gysgu a grwndi isel yr injan fel trac sain i'w hatgofion. Cartref Sally oedd eu cyrchfan, er y byddai Ben yn symud mewn yn barhaol cyn diwedd y mis, ar ôl iddo wneud cais llwyddiannus i ymddeol o'r fyddin, a hynny ar ôl gwasanaethu am ddeng mlynedd ar hugain. Golyga hynny bensiwn llawn a'r rhyddid i wireddu breuddwydion. Yn achos Ben: ysgrifennu nofel a dechrau bragu cwrw. Roedd hynny'n siŵr o swnio'n hurt i eraill, ond gwyddai Sally y byddai Ben yn llwyddo, beth bynnag y byddai'n penderfynu gwneud. Dyna'r fath o foi oedd e. Penderfynol. Peniog. Heb sôn am amyneddgar. Roedd Ben yn bedwar deg chwech oed. Pymtheg mlynedd yn hŷn na Sally. Ond roedd hi wastad wedi ffafrio dynion aeddfed. Wedi'r cyfan, roedd angen rhoi cyfle i'w meddyliau bach ddal i fyny gyda'i hun hithau. Cefnder Caroline Corcoran, hen ffrind ysgol iddi, oedd e. Roedd gan Sally ryw frith gof o'i weld yn ei lifrai ym mharti deunaw Caz, ond niwlog oedd yr atgof. Ar ôl blynyddoedd heb weld ei gilydd, croesodd llwybrau'r ddwy ym maes parcio Morrisons un dydd Sadwrn: Sally'n cario llond bag o brydau parod a Caz yn ceisio cadw ei thri o blant bach o dan reolaeth. Mynnodd Caz eu bod yn cwrdd am goffi – unrhyw beth i ddianc o'i chartref am awr – a'r diwrnod canlynol, cyn gorffen ei skinny latte, cyfaddefodd Sally mor anodd oedd hi i ddod o hyd i gariad, gan roi'r bai yn benodol ar ei gwaith. Gwelodd Sally lygaid ei hen ffrind yn pefrio ar glywed hynny, a'r tro nesaf y daeth Ben yn ôl o'r barics am benwythnos, trefnodd Caz eu bod nhw'u dau yn dod draw am farbeciw. Tasgodd y gwreichion ar unwaith: yn emosiynol, yn feddyliol ac yn gorfforol. A dyma nhw, rhyw ddeunaw mis yn ddiweddarach, yn barod i gymryd y cam nesaf.

Er iddo fyw dramor am gyfnodau estynedig yn ystod ei yrfa, gan brofi gwres y frwydr yn Bosnia a Croatia ar ddiwedd y ganrif ddiwethaf, ac yn Irac ychydig yn ddiweddarach, erbyn hyn treuliai Ben y rhan fwyaf o'i amser yn Aberhonddu, yn gwneud gwaith gweinyddol cysylltiedig â gweithgareddau'r fyddin ar safleoedd ymarfer Mynydd Epynt a Maenorbŷr. Roedd e'n ystyried gadael y fyddin cyn iddo gwrdd â Sally, ond hi oedd y sbardun a'i ddarbwyllodd i fynd amdani. Roedd y set-up yn siwtio'r ddau ohonynt yn iawn ar hyn o bryd, heb os; gydag absenoldeb Ben yn sicrhau bod y fflamau'n ffrwydro bob tro y byddai'n dod adref i'w gweld. Ac er y gwyddai Sally y byddai popeth yn newid cyn hir, roedd hi'n edrych ymlaen i'w gael o gwmpas y lle yn barhaol. Roedd hi'n barod i setlo lawr, dyna'r gwir. Ac er nad oedd hynny o reidrwydd yn golygu dechrau teulu ar unwaith – yn enwedig o ystyried cwyno parhaus Daf Benson am y diffyg cwsg a chostau cynyddol magu plant – roedd Sally, heb os, yn agored i hynny rhywbryd yn y dyfodol. Nid oedd hi a Ben hyd yn oed wedi siarad am y peth, felly pwy a ŵyr? Yn ogystal, roedd Sally'n uchelgeisiol iawn o ran ei gyrfa ac yn llygadu'r uchelfannau, hyd yn oed heddiw, er mai megis dechrau gweithio fel ditectif oedd hi.

Wrth i'r cwpwl bweru dros y Bannau, lledaenodd y cymylau bygythiol oedd yn hongian drostynt ers oriau, gan adael i'r haul dywynnu dros y tir. Roedd y gwanwyn ar gyrraedd, er na fyddai Amlwch yn gwybod dim am hynny am bythefnos arall. Wedi picio i'r archfarchnad i gasglu'r hanfodion – llaeth, bara, caws, bacwn, wyau – cyrhaeddodd y cwpwl gartref Sally toc wedi chwech o'r gloch. Er nad oedd hi wedi gyrru o gwbl, roedd y daith wedi echdynnu'r holl egni o'i chorff. Gyda'i sifft nos – y gyntaf o dair – yn dechrau am wyth, ystyriodd gau ei llygaid am awr fach, ond tynnu gwynt trwy ei ddannedd a wnaeth Ben ar glywed hynny.

"Cawod sydd angen arnot ti, dim cwsg. Fe 'na i goffi i ti nawr 'fyd."

Gadawodd Sally i'r dŵr ei thylino, a theimlodd ei chyhyrau yn llacio yn y stêm. Yn unol â'i addewid, daeth Ben â choffi melys iddi, yn syth o'r peiriant *Delonghi* gafodd hi'n anrheg Nadolig ganddo, er mai fe oedd y snob coffi a dweud y gwir. Yfodd yr hylif ewynnog a golchodd bob modfedd o'i chorff.

Camodd o'r gawod a gwisgo gŵn gwyn gwlanog amdani.

"Golcha dy ddannedd!" galwodd Ben arni o'r stafell wely drws nesaf. Gwenodd Sally ar hynny, gan wybod yn iawn beth oedd i ddod. Hi, gobeithio! Ac ar ôl pedwar diwrnod hesb yng nghartref ei mam, heb anghofio'r ffaith y byddai Ben yn diflannu o'i bywyd am fis, cyn iddi gyrraedd adref o'i sifft nos yn y bore, roedd Sally'n edrych ymlaen i ffarwelio gyda'i chariad yn y ffordd draddodiadol.

Camodd Sally i'r ystafell wely gan wenu ar yr hyn oedd yn aros amdani. Yn gyntaf, y tywel trwchus oedd wedi'i osod yn daclus ar ochr y duvet. Ar ôl bod cyhyd yn y fyddin, roedd Ben wedi gwirioni braidd gyda chyflwr ei wely. Yn ail, edrychodd i gyfeiriad Ben, oedd yn pwyso yn erbyn y sil ffenest, yn noethlymun, gyda'i gefn tuag ati, er mai rhan uchaf ei gorff yn unig oedd ar ddangos i'r byd tu allan. Roedd ei din mor dynn â feis haearn bwrw, heb owns o fraster yn agos ato. Treuliai oriau yn y gampfa bob wythnos, ac roedd y dystiolaeth i'w gweld o'i blaen. Trodd a'i hwynebu, gan ddangos iddi ei fod yn barod. Doedd dim amheuaeth am hynny o gwbl.

"Stedda," mynnodd y mynydd, a gwnaeth Sally yn unol â'i orchymyn. Ar ôl blynyddoedd yn chwarae rhan goruchafwraig amharod gyda Phrif Arolygydd Heddlu Gogledd Cymru, roedd hi wrth ei bodd bellach yng nghwmni dyn go iawn. Alffa oedd yn gyfforddus gyda'i safle yn y byd. Ac ar y funud yma, ei safle oedd ar ei bengliniau, yn uniongyrchol rhwng ei choesau agored.

Tynnodd ei gŵn, ac eistedd yn y man priodol. Y man y paratôdd Ben ar ei chyfer, hynny yw. Gwyliodd Ben ei gariad yn gwneud, cyn cerdded tuag ati'n araf, gan syllu i fyw ei llygaid. Rholiodd Sally ei 'sgwyddau. Tonnodd ei gwallt gwlyb tua'r gwely. Ni allai Ben gredu ei lwc. Roedd Sally y tu hwnt i'w holl freuddwydion. Ddeunaw mis yn ôl, roedd e wedi rhoi'r gorau i obeithio y câi gyfle i gwrdd â menyw hanner cystal â hi. Unrhyw fath o fenyw, a dweud y gwir. Ar ôl bywyd yn y lluoedd arfog, roedd hi bron yn amhosib cwrdd ag unrhyw un nad oedd hefyd yn gwasanaethu. Wrth gwrs, roedd e wedi trochi ei fodiau, fel petai, a hynny'n ddigon aml ar hyd y blynyddoedd, ond nid oedd erioed wedi cwympo mewn cariad. Dim fel hyn, ta beth. Roedd e mewn dyled i'w gyfnither am byth. Penliniodd ar y carped trwchus. Mwythodd groen porslen ei gariad, gan weld y pigau bach yn codi dros ei chorff creithiog. Pwysodd yn agos ati. Anadlodd ei phersawr. Cyfuniad cynnil o sitrws a basil. Cusanodd hi'n dyner ar ei gwefusau i gychwyn, cyn crwydro'n araf i lawr ei gwddf, trwy ei chwm bronnog a dros wastatir ei bola, cyn cyrraedd pen ei daith. O fewn eiliadau, roedd Sally'n gwingo mewn pleser pur mewn ymateb i lapiadau pendant a meistrolgar tafod Ben. Gafaelodd yn ei wallt byr brown. Brathodd ei thafod rhag sgrechian dros bob man. Moriodd yn ei sudd ei hun. A diolchodd yn dawel i'r tywel oedd yn gorwedd o dan fochau ei thin, am ei hachub rhag gorfod newid y gwely cyn mynd i'r gwaith, a hynny cyn i unrhyw un gysgu ynddo.

Awr yn ddiweddarach, gadawodd Sally, gan gusanu Ben yn galed ar ei geg. Roedd hi wedi dechrau bwrw glaw eto. Glaw mân. Glaw gwlyb. Camodd i'w char, gan nad oedd digon o amser ganddi i gerdded yr hanner milltir, a chwifio ar y milwr yn pwyso ar ffrâm y drws yn gwisgo dim byd ond pâr o siorts. Taflodd Ben sws i'w chyfeiriad, yna cau'r drws a mynd i'r gegin i sgleinio'i sgidiau cyn dychwelyd i'r barics.

2: Clapfwrdd

O'r diwedd, mae'r amser wedi dod i weithredu. I ymddial. I wneud yn iawn am yr hyn ddigwyddodd. Deng mlynedd ar hugain o dywyllwch a thor-calon. Deng mlynedd ar hugain o aros. O unigedd. Tri degawd o alaru. O grio. O gynllunio. O gynllwynio. O baratoi. Bellach, maen nhw, y drwgweithredwyr, yn ddigon hen, yn ddigon gwanllyd, i dalu'r gosb eithaf, tra fy mod i'n gryfach nag erioed ac yn barod i dalu'r pwyth yn ôl. Breichiau fel boncyffion. Meddwl miniog. Lladdwr hyfforddedig. O'r cysgodion, gwyliaf yr hen ddyn yn croesi'r ffordd. Ar yr un amser yn union bob wythnos. Fel cloc. Fel wats. Fel pensiynwr unig heb unrhyw beth gwell i'w wneud. Ei goesau joci moch yn grwm fel dau gryman yn ei drowsus glas tywyll. Rwy'n un gyda'i symudiadau. Ei arferion. Rwyf wedi bod yn ei wylio. Ei lech-hela. Ei ddilyn. Ers misoedd maith. Ers blynyddoedd bellach. Cuddio yn y cysgodion, yn aros am fy nghyfle. I daro. I ymosod. I dalu'r pwyth yn ôl. Gydag amynedd sant yn gydran ganolog o fy arfdy dieflig, rwy'n bwriadu rhyddhau holl ellyllon Uffern yn y man. Datgloi eu cadwynau a'u rhyddhau er mwyn carthu'r ysgeler dynol. O dan fantell o dywyllwch, gyda'r strydoedd yn dawel, yn ddifywyd, teimlaf y dafnau cyntaf o law yn oer ar fy mochau. O gysgod fy nghwfwl, gwyliaf fy mhrae. Cyn camu trwy giât y capel, mae'r hen ddyn yn troi ei ben ac yn edrych i fyny ac i lawr y stryd o dai teras diflas; ei nodweddion pedwar-ugeinmlwydd yn gogwyddo fel cwyr toddedig dros gadernid parhaus ei benglog. Er nad yw'n gallu fy ngweld i, mae'r pili-palod fel pla prysur yn fy mol. Rhewaf. Anadlaf yn ddwfn mewn ymgais i'w tawelu. Toddaf i'r düwch, fel lafa dynol. Gwyliaf. Gwelaf yr hen ŵr yn diflannu rownd y cornel. Caf ôl-fflach i'r noson dyngedfennol, sy'n disodli unrhyw dosturi rwy'n ei deimlo. Mae'r atgof yn tawelu unrhyw chwant i ohirio'r hyn sydd ar ddod. Nid hen ddyn ffeind yw hwn. O, na. Dyma'r Diafol mewn trowsus melfaréd. Creadur bwystfilaidd yn gwisgo cardigan. Gwelaf lond ceg o ddannedd cam yn disgleirio tu ôl i gamera fideo sgwâr, a'r mwynhad mwyaf elfennol wedi'i adlewyrchu yn ei lygaid. Gwefrau cyntefig. Cyffro ciaidd. Anogaeth. Cyfarwyddyd. Un llaw yn dal y camera, a'r llall yn mwytho ei ddyndod. Mae'r olwg anobeithiol, llawn cywilydd, yn llygaid cyffur-niwlog y ddioddefwraig, yn fflachio yn fy isymwybod. Yn atseinio ar hyd y blynyddoedd. Anadlaf yn ddwfn mewn ymgais i waredu'r delweddau. Trof fy sylw at y dur miniog ym mhoced fy nghot. Llafn y gyllell finiog. Yn ddiogel yn ei gwain. Fy arf dewisol. Hen ffrind wedi'i hogi tan fod y cledd mor farwol â chatana'r samwrai. Trysor teuluol. Unig drysor fy nhad annwyl. Mae'r glaw yn dal i gwympo. Yn fân ond yn wlyb ar y diawl. Edrychaf i fyny ac i lawr y stryd. Gwyliaf gath ddu yn croesi'r tarmac. Lwc dda, medden nhw. Cymeraf un anadl ddofn arall, cyn mynd ar ei ôl. Heliwr ar drywydd haliwr. Croesaf y stryd a cherdded heibio i brif fynedfa'r capel. Dilynaf y llwybr at ddrws y festri. Rownd y bac. Mas o olwg y byd. Er gwaethaf presenoldeb y camera cylch cyfyng cyfagos, nid wy'n poeni, gan fy mod yn gwybod mai un ffug ydyw. Dymi. Dim bygythiad. Fel sydd wedi bod yn wir amdanaf i erioed, rwy'n anweledig.

Anhysbys. Ysbryd. Nwy. Yn ôl y disgwyl, nid yw'r drws wedi'i gloi. Ymddiriedus fu Cristnogion erioed. Neu esgeulus. Ond mae drws yr Iôr wastad ar agor. Hyd yn oed i bechadur fel fi. Oedaf. Rwyf eisoes yn gwisgo menig latecs er mwyn osgoi gadael marc, tra bod gorchudd rwber dros wadnau fy sgidiau. Sleifiaf i mewn, heb wneud unrhyw sŵn. Tynnaf y gyllell o'm poced a'i dal yn fy llaw. Gwerthfawrogaf ei phwysau. Arwydd o ansawdd. Anadlaf. Pwyllaf. Gwrandawaf. Dilynaf y sŵn a dod o hyd i'r hen ddyn, yr hen ddiafol, yn dosbarthu llyfrau emynau yn y capel, yn barod ar gyfer oedfa'r bore. Trwy gil drws y festri, gwyliaf e wrthi. Cefn cam a bysedd esgyrnog. Trwyn main a llygaid dienaid. Ar y wal, ger y pulpud, croga Iesu ar y groes. Ond nid yw ei bresenoldeb yn cael unrhyw effaith arnaf. Nid wy'n gredwr. Ni fyddech chi ychwaith, petaech wedi gweld yr hyn a welais i. Yng ngwres y frwydr ac yn uffern bersonol fy ngorffennol. Gyda'i dasg ar ben, mae'r hen ddyn yn camu at y rhes flaen ac yn eistedd i ddweud pader. Mae'n plygu ei ben ac yn cau ei lygaid. Dyma fy nghyfle. Clywaf y glaw fel bwledi ar ffenestri'r capel. Mae cledrau fy nwylo'n chwyslyd o dan y menig tenau. Oerwlyb. Anwybyddaf y wefr a gafael yn dynn yn y gyllell. Yna, fel mwg, rwy'n nadreddu i'r capel ac yn hwylio'n gyflym tuag ato; fy nghamau yn fud ar y carped browngoch, fy nghalon yn carlamu gan atseinio rhwng fy nghlustiau. Iesu Grist yw'r unig dyst. Yn reddfol, ac yn unol â'r cynllun sydd wedi bod yn mudferwi ynof ers blynyddoedd, codaf ben yr hen ddyn trwy afael yn ei wallt tenau, seimllyd, ac, heb oedi am hyd yn oed hanner eiliad, holltaf ei wddf o glust i glust, gan wneud i'w waed dasgu a phistyllio dros y fedyddfaen o'n blaen. Safaf yno am sbel. Fel delw. Y gwallt yn dal yn fy ngafael a fy ffroenau yn llenwi ag aroglau metelig y gwaed. Nid dyma'r person cyntaf i fi ladd, ond mae gwahaniaeth mawr rhwng diweddu bywyd ar faes y gad – saethu gelyn o hanner can llath – a hollti gwddf fel hyn. Mae fy stumog yn troi wrth i'w enaid ei adael. Y pili-palod bellach yn ystlumod fampiraidd. Terodactyliaid rheibus. Teimlaf blwc o euogrwydd am yr hyn rwyf newydd ei wneud, ond claddaf yr emosiwn o dan haenen o gyfiawnder. O sicrwydd. Gollyngaf ei wallt a syllu ar y llanast. Gyda fy nwylo'n crynu, estynnaf y clapfwrdd o boced fy nghot. Tegan ydyw, yn hytrach nag un go iawn. Oedaf ac ystyried a oes gwir angen ei adael yma o gwbl. Ai ffwlbri llwyr yw gwneud rhywbeth o'r fath? Cloriannaf. Ystyriaf. Gwthiaf y clapfwrdd i geg y diawl, cyn cefnu ar y gysegrfa a thoddi'n ôl i gysgodion tywyllaf Gerddi Hwyan.

Un lawr.

Tri i fynd.

3: Drws Clo

Cymerodd hi ddeuddeg mlynedd i Magi ddod i'r casgliad bod ei rhieni'n bobl anhapus. Ac yn bobl anhapus iawn hefyd. Tan hynny, roedd hi'n meddwl eu bod nhw'n iawn. Yn OK. Ddim cant y cant bodlon, efallai, ond ddim yn hollol anobeithiol chwaith. Bedair blynedd yn ddiweddarach, yn y flwyddyn 1994, nid oedd unrhyw beth wedi newid. Wel, na, nid oedd hynny cweit yn wir ychwaith. Os rhywbeth, roedd pethau wedi gwaethygu. Roedd y ddau ohonynt yn dristach nag erioed.

Mis Mehefin oedd hi, ond er gwaethaf y tywydd braf hirhoedlog a'r rhyddid oedd yn dod law yn llaw â gorffen ei harholiadau TGAU, eistedd ar ei gwely oedd Magi, wedi'i hamgylchynu gan bosteri o'i harwyr cerddorol, i gyd wedi'u torri'n ofalus o dudalennau cylchgronau fel *Smash Hits* a *Just Seventeen* a'u glynu at y waliau gyda *Blu Tack*. Gwyddai fod ganddi chwaeth gerddorol plentyn flynyddoedd yn iau na hi, ond doedd dim ots ganddi o gwbl. Efallai bod ei chyfoedion wedi symud ymlaen i wrando ar Oasis, Blur, Nirvana neu The Prodigy, ond syllai Take That, Marty Pellow a Wet Wet Wet, New Kids on the Block, Mariah Carey ac East 17 arni o'r waliau, gan ei helpu i freuddwydio am fywyd gwell.

I freuddwydio am ddianc o Erddi Hwyan.

Achos dyna oedd ei nod.

Ar ôl blynyddoedd o gael ei bwlio gan ei chyfoedion,

doedd dim amheuaeth bod Magi yn blentyn unig. Doedd dim ffrindiau ganddi. Ar wahân i'r rhai rhithiol oedd yn gorchuddio waliau ei hystafell wely. Ond erbyn hyn, doedd dim *angen* ffrindiau go iawn arni chwaith. O'i phrofiad hi, ac yn seiliedig ar yr hyn a welodd ac a glywodd yn yr ysgol, peth bregus iawn oedd cyfeillgarwch. Gallai perthnasau hirsefydlog chwalu mewn eiliadau, oherwydd dim byd mwy na gair croes, safbwynt anghyson neu weithred annisgwyl.

Roedd Magi'n ferch dal, gydag ysgwyddau llydan a breichiau boncyffiog y byddai bob amser yn eu gorchuddio o dan lewys hir. Yn wir, roedd hi wedi bod ben ac ysgwyddau yn uwch na'i chyfoedion, ers dyddiau cynnar yr ysgol gynradd. O ganlyniad, roedd hi'n darged hawdd i fwlis. Cofiai'r plant eraill yn ei galw'n bob math o enwau creulon – Bendi (as in Bendigeidfran), Chewy, Raff (byr am jiráff) a Tiny, ymhlith nifer o rai gwreiddiol eraill – cyn setlo ar Hulk yn ail flwyddyn yr ysgol uwchradd. Mae'n siŵr y gallai Magi fod wedi lleddfu'r bwlio trwy ymuno â thîm pêl-rwyd neu hoci'r ysgol, ond gwrthododd wneud. Pam dylai hi gyfrannu at lwyddiant y clic o ferched oedd yn gwneud ei bywyd yn boen? Teimlodd ryddhad pur ar ôl gorffen ei arholiadau. Bwriadai fynd i goleg chweched dosbarth y dref ym mis Medi, ac yna i ffwrdd i'r brifysgol. Pa brifysgol, doedd dim ots ganddi. Cyn belled â'i bod yn ddigon pell i ffwrdd o fan hyn. Gwyddai ei bod wedi gwneud digon i basio'i arholiadau TGAU. Roedd hi wedi gwneud y gwaith caib a rhaw. Pen lawr. Swotio. Chwysu. Dysgu. Cyn chwydu'r cyfan yn ôl i fyny yn ystod yr arholiadau, yn daclus ac yn drefnus, heb adael dim byd i siawns. Roedd hi'n dyheu am fod yn athrawes, yn bennaf er mwyn amddiffyn plantos anffodus fel hi rhag tafodau gwenwynig eu cyfoedion. Arch-arwres o flaen bwrdd du, yn barod i achub holl Hulks bach y byd. Nid oedd ei rhieni'n gymwys i wneud dim; ac roedd hi'n benderfynol na fyddai'n dilyn yr un llwybr â nhw, a chael ei maglu mewn cylch dieflig o ddiffyg gwaith. Byddai ei mam a'i thad yn gweithio'n ysbeidiol. Yn gwneud digon i dalu'r bils ar ddiwedd bob mis. Glanhau tai pobl gefnog. Peintio a thwtio eiddo. Torri lawntiau. Garddio. Clirio. Gwarchod plant. Gweithio ym mar y clwb pêl-droed lleol. Y math yna o beth. Bywydau anhrefnus oedd, heb os, yn cyfrannu at eu hanhapusrwydd. Nid oedd Magi'n gallu deall pam eu bod nhw'n aros gyda'i gilydd, er ei bod yn amau mai "er ei lles hi" oedd y prif reswm. Roedd hi'n amlwg i bawb bod eu perthynas ar chwâl. Nid oedden nhw hyd yn oed yn hoffi ei gilydd mwyach. Ar ôl gwrando ar y gweiddi, dyfalai fod ei mam yn gaeth i gyffuriau, er nad oedd hi'n gwybod mwy na hynny. O brofiad, gwyddai ei bod yn dioddef o iselder, oedd yn dod i'r amlwg ar ffurf creithiau hunan-niweidio ar ei breichiau; tra bod pwysau'r byd, yn ddigon dealladwy o ystyried, yn eistedd ar ysgwyddau ei thad, gan ei gladdu – yn gorfforol ac yn emosiynol – o dan haenau o hunan-atgasedd a thristwch llethol. Edrychodd ar y ffoto ohonynt mewn ffrâm oedd yn hongian yng nghanol yr enwogion. Delwedd wedi'i thynnu ar ddiwrnod eu priodas. Y ddau'n gwenu fel giatiau a'r cariad yn tywynnu o'r llun. Roedd bol ei mam mas draw, diolch i bresenoldeb cynesgorol Magi, ond eto roedd hi'n edrych fel tywysoges yn ei ffrog laes wen, yn hytrach na'r wrach ddieflig a fyddai'n gweiddi ar ei thad druan; heb rybudd ac, fel arfer, heb reswm.

Er gwaethaf eu ffaeleddau, roedd Magi'n dal i'w caru nhw. Yn enwedig ei thad. Roedd perthynas arbennig ganddyn nhw a gwyddai'n iawn gyda phwy y byddai hi'n byw petai ei rhieni yn ysgaru. Gobeithiai y byddai ei mam yn cael cymorth proffesiynol ryw bryd. Cyn iddi wneud rhywbeth stiwpid. Cyn ei bod yn rhy hwyr.

Hyd yn oed uwch ben ei hoff gân gyfredol, sef 'Love Is All Around' gan Wet Wet Wet, oedd yn chwarae trwy'r clustffonau ar ei *Walkman*, ar ôl iddi ei recordio oddi ar y Top 40 ar y radio nos Sul, gallai glywed lleisiau plant yr ardal yn chwarae ar y llecyn gwair tu allan i'w chartref ar ystad tai cyngor Y Wern, a'r fan hufen iâ yn eu denu gyda'i seiren aflafar. Prif nod y chwaraeydd tapiau personol – ei phrif anrheg Nadolig y flwyddyn gynt – oedd boddi sŵn cweryla cyson ei rhieni, er nad oedd yn effeithiol iawn a dweud y gwir. Yn bennaf achos tôn llais hynod ymosodol ei mam, ond hefyd oherwydd waliau tenau'r tŷ cyngor. Ac unwaith eto heddiw, methiant oedd y teclyn fel modd o fasgio'r lleisiau croch lawr stâr. Trodd y sain i fyny tan fod tympan y glust yn dirgrynu, ond hyd yn oed wedyn clywodd y drws ffrynt yn ffrwydro wrth i un ohonynt – ei mam, tasai'n rhaid iddi ddyfalu – adael y tŷ fel taran.

Tynnodd y clustffonau a gwrando. Tawelwch. Cododd o'i gwely a mynd ar drywydd ei thad, gan ddod o hyd iddo yn y sied ar waelod yr ardd, yn tendio i'w fwydod. Dyma 'le hapus' ei thad. Seintwar. Cysegrfan. Ei loches o'r byd ac o'i berthynas gyda'i wraig. Ogof laith lawn offer pysgota. Plyciodd ffroenau Magi wrth gamu i'r sied, wrth i'r aroglau daearol ei chwipio'n ôl i'w phlentyndod. Roedd pedair gwialen a phedair rhwyd lanio o wahanol feintiau yn hongian ar un wal a blychau di-rif llawn offer pysgota wedi'u pentyrru o dan y ffwrwm waith a'r ffenest ar flaen y caban bach pren. Roedd wyneb y fainc wedi'i orchuddio gan daclau, bachau, riliau, llithiau, pwysau plwm, bobs, carreg hogi a nifer o bethau eraill na allai Magi eu henwi, tra roedd pabell wedi'i lapio'n dynn mewn un cornel a dwy gadair blygadwy a llond llaw o orffwysbrennau gwydrffeibr yn pwyso ar y cynfas. Ar y wal gyferbyn â'r gwiail, safai pedwar tanc pysgod gwydr, ar silffoedd dur rhydlyd, er mai pridd a sbarion bwyd oedd yn eu llenwi, yn hytrach na dŵr. Gallai Magi gofio helpu ei thad i sefydlu ei 'fferm' pan oedd hi tua chwech neu saith oed, ac roedd y creaduriaid llysnafeddog yn dal i'w chyfareddu hi hyd heddiw. O bryd i'w gilydd, byddai'n mynd i bysgota gyda'i thad o hyd, er nad oedd hi mor frwd erbyn heddiw. Oriau maith yn eistedd ar lannau afonydd a llynnoedd yr ardal. Boreau cynnar wedi'u lapio mewn niwl, gyda'r haul yn treiddio trwy'r tarth ac yn ei draflyncu ymhell cyn amser cinio. Gwefr y bachu. Rhuthr y frwydr. Boddhad y glanio. Roedd Magi hyd yn oed yn giamstar am dynnu perfedd y pysgod a'u digennu, yn barod ar gyfer eu coginio ar lan y dŵr. Doedd dim byd gwell na bwyta brithyll wedi'i gwcan ar dân agored, a gweld ei thad yn gwenu wrth gnoi. Rhywbeth prin iawn y dyddiau hyn.

"Ti'n OK?" sibrydodd Magi, wrth wylio'r creaduriaid silindrig dall yn palu a gwthio trwy'r carthion.

Trodd ei thad i'w hwynebu. Roedd ei lygaid yn goch a'i enaid yn deilchion. Camodd Magi ato a'i gofleidio. Mwythodd ei gefn a'i glywed yn sibrwd "Sori" yn ei chlust.

*

Nos Sadwrn. Parti diwedd tymor Clwb Pêl-droed Gerddi Hwyan. Codwyd yr adeilad deulawr briciau coch, oedd bellach wedi pylu fel rhyw glaf clefyd melyn o frics a morter, ar ddechrau'r wythdegau, ac nid oedd y tu allan na'r tu fewn wedi cael unrhyw sylw ers hynny. Roedd yr un hen grysau yn hongian mewn fframiau hen ffasiwn ar waliau'r bar ar y llawr cyntaf, a'r un hen hysbysebion – nifer ohonynt yn hyrwyddo busnesau oedd ddim hyd yn oed yn bodoli bellach – yn plicio ac yn gwywo ar y tu fas. Gydag ystafelloedd newid ar y llawr gwaelod, roedd y ffenestri mawr ar flaen llawr uchaf yr eiddo, ynghyd â'r balconi lled-llawn, yn cynnig golygfa wych o'r cae, er nad oedd hwyl y tîm wedi dod yn agos at gyfiawnhau'r fista dros y misoedd diwethaf. Profodd y clwb dymor aflwyddiannus arall, er nad oedd hynny'n mynd i atal yr aelodau a'r chwaraewyr – hen a newydd – rhag dathlu heno. Unrhyw esgus, dyna'r gwir. Ers gorffen ei harholiadau, roedd Magi wedi bod yn helpu ei mam y tu ôl i'r bar ar benwythnosau. Roedd ei thad yn weithgar yn y clwb hefyd, yn torri'r gwair ac yn peintio'r llinellau gwynion. Y math yna o beth. Roedd y cysylltiad teuluol yn ymestyn yn ôl yn bell, gan mai dyma lle dechreuodd ei thad ei 'yrfa'. Yn ôl y chwedl, daeth e'n "agos iawn" at fod yn chwaraewr proffesiynol. Fel miliynau eraill o amgylch y wlad. Cwpwl o dymhorau anhygoel i'r clwb lleol yn denu sgowts o Gaerdydd ac Abertawe. Gwahoddiadau i fynychu treialon. Gwneud argraff fawr, blah, blah, blah. Ond yn y diwedd, chwalwyd pob gobaith gan anaf gwael i'w benglin, ac er iddo chwarae i'r clwb trwy gydol ei ugeiniau, ni chafodd ail gyfle ar y llwyfan mawr. Er syndod, nid oedd e'n chwerw am y peth o gwbl. Ddim fel ei mam, oedd yn ei feio ef am chwalu ei gobeithion hi o fod yn gyfoethog a byw bywyd rhydd o broblemau. Ym marn Magi, dyma oedd wrth wraidd ei chwerwder a'i chasineb tuag ato.

Roedd Magi wrth ei bodd yn gweithio tu ôl i'r bar. Teimlai fel oedolyn yno. Fan hyn, roedd ei thaldra o fantais iddi, oherwydd roedd yn edrych yn llawer hŷn na'i hoedran. Yn enwedig ar ôl i'w mam ei helpu gyda'i cholur. Roedd ei mam o hyd yn ceisio edrych ar ei gorau. Colur trwchus. Gwallt hir melyn, cyrliog, wedi'i ddofi gan hanner can o hairspray.

Sgertiau byr, topiau tynn. Bangyls di-rif neu lewys hir yn cuddio'r creithiau ar ei breichiau. Lliw haul o siop Tantastic yn ardal Pwll Coch y dref. Roedd y ddwy'n edrych yn debycach i chwiorydd a dweud y gwir, ac roedd aelodau'r clwb pêl-droed wrth eu boddau pan fyddai Milly a Magi yn tynnu eu peints. Er y llewyrch allanol, gallai Magi weld y tristwch tragwyddol yn llygaid ei mam. Yr anobaith. Y tor-calon. Y düwch dwfn, parhaus. Y gwactod oedd yn mynd law-yn-llaw â chaethineb a dibyniaeth. Ers cychwyn yn y clwb roedd Magi hefyd wedi clywed y sibrydion maleisus am ei mam. Wrth gwrs, nid oedd hi eisiau credu gair, er nad oedd hynny'n hawdd gan bod ei mam yn fflyrtio gyda phob dyn oedd yn dod ar ei chyfyl. Ar wahân i'w thad.

Gyda stop tap yn agosáu, roedd y clwb pêl-droed yn dechrau gwagio. Roedd y bar yn dawel o'r diwedd, a Magi yn ysu am gael mynd adref, ond doedd dim gobaith o hynny eto. Yn hytrach, crwydrodd y llawr yn casglu gwydrau gwag, ei hesgidiau'n glynu at y leino gludiog; gorchudd oedd wedi bod ar lawr ers dechrau'r wythdegau, o edrych ar y patrymau. Gyda'i dwylo'n llawn, trodd i gerdded yn ôl at y bar, gan weld Iori Tomos, capten y clwb oedd bellach yn gyfforddus yn ei bedwardegau, yn plygu dros y derw gan sibrwd yng nghlust ei mam. Roedd ei thad yn eistedd gerllaw, gyda'i gefn at yr olygfa, yn syllu allan o'r ffenest fawr, lawr am y cae tywyll, yn breuddwydio am yr hyn y gallai fod wedi ei gyflawni, efallai. Gwelodd ei mam yn nodio ei phen, ac Iori'n troi yn ôl at ei gyd-chwaraewyr gyda gwên lydan ar ei wyneb. Ym mhrysurdeb yr hanner awr nesaf, ar ôl i'r gloch last orders ganu, anghofiodd Magi am y digwyddiad, tan iddi sylwi bod ei mam wedi diflannu o du ôl i'r bar. Sganiodd yr ystafell am y bouffant penfelyn, ond doedd dim arwydd ohoni yn unman.

Yna, o gornel ei llygad, gwelodd hi'n camu o'r tŷ bach anabl, gan sythu ei sgert. Roedd ei bochau wedi gwrido a'i gwallt braidd yn anniben. Dychwelodd ei mam at y bar ac ailafael yn ei gwaith; ei llygaid yn wydrog ac yn wyllt, a'i thafod fel chwyrligwgan yn ei cheg.

"Hold the fort!" ebychodd Magi. "Fi'n bosto," esboniodd wrth wasgu heibio, gan weld y panig yn llygaid ei mam. Brasgamodd Magi at y tŷ bach anabl a thynnu ar y bwlyn. Yn ôl y disgwyl, roedd y drws ar glo, a gwyddai'n reddfol beth oedd ei mam wedi bod yn ei wneud eiliadau yn unig yn ôl. Roedd rhywun yn dal mewn yna, a gallai ddyfalu'n iawn pwy ydoedd. Dim ei thad, yn amlwg, achos roedd e'n dal i eistedd wrth y ffenest yn yfed ar ei ben ei hun, yn gwybod dim am odineb diweddaraf ei wraig.

4: Cryndod

Parciodd Sally ei char ym maes parcio'r orsaf heddlu, y drws nesaf i un ei phartner, Dafydd Benson. Mewn gwrthgyferbyniad llwyr â hybrid newydd sbon Sally, hen VW Golf oedd ganddo; y gragen yn dolciau i gyd a mwy o rwd ar yr isffram na rheiliau'r *Titanic*. Gyda'r nos wedi cau a'r glaw mân yn dal i ddisgyn, caeodd Sally sip ei siaced, cyn cloi'r car a cherdded i gyfeiriad drws cefn yr orsaf, lle agorodd DS Paul de Wolfe y porth iddi.

"Hei Sally."

"Iawn, Paul?"

Roedd gweddill y tîm yn ei alw'n 'Wolfie', ond ni allai Sally wneud hynny. Roedd defnyddio llysenwau ar oedolion braidd yn blentynnaidd, yn ei barn hi. Yr unig eithriad oedd Mike Smith, aka 'Bybls', technegydd yr orsaf heddlu, ond roedd e'n edrych fel cymeriad cartŵn, felly nid oedd Sally'n teimlo fel ffŵl yn gwneud.

"Shwt shifft?" gofynnodd.

Cododd Paul ei 'sgwyddau'n ddifater. "Tawel. Dim byd newydd wedi dod mewn. Dim byd sy'n methu aros tan fory, ta beth. Ni 'di bod yn dal lan gyda'n gwaith papur. A'th Geth adre rhyw hanner awr yn ôl."

Cyfeirio at DS Gethin Robbins oedd e, cyn-bartner Sally yn ystod ei blwyddyn gyntaf gyda'r adran dditectifs. Paul oedd partner Daf yn ystod yr un cyfnod.

"Wel, gobeithio neith hi aros fel 'ny," medd Sally, cyn camu trwy'r drws ac esgyn y grisiau at yr ail lawr a lleoliad yr adran dditectifs.

Ar ôl codi dau goffi o'r peiriant ar y ffordd, camodd i'r swyddfa gynllun-agored ac edrych ddwywaith wrth weld Daf yn eistedd yn ei gadair, ei gefn wedi crymu a'i dalcen wedi'i blannu ar y ddesg. Doedd neb arall yn bresennol ar y llawr yma, er bod digon o iwnifforms ar ddyletswydd lawr stâr ac allan ar y bît. Dyletswydd y ditectifs ar benwythnosau, yn enwedig yn ystod y siffftiau nos, oedd bod wrth law, rhag ofn y byddai achos mwy na'r arfer yn torri. Rhywbeth y tu hwnt i feddwon yn ymladd tu fas i dafarndai'r dref, partïon allan o reolaeth, damweiniau ffordd sylfaenol neu achosion domestig. Fel dwedodd Paul de Wolfe, cyfle gwych i ddal lan gyda'r gwaith papur. Yn sydyn, fflachiodd delwedd ym mhen Sally. Torf fawr o bobl gynddeiriog y tu allan i gartref teulu Nicky Evans ar ystad tai cyngor Y Wern. Rai blynyddoedd yn ôl bellach, cafodd Nicky druan ei herwgipio, gyda'r dref gyfan yn glafoerio eisiau dal y dihiryn. Roedd Sally mewn iwnifform ar y pryd, yn gwbl ddibrofiad a heb syniad sut i ddelio â'r sefyllfa. Ar ôl misoedd o fynd i nunlle, Rolant Price, dirprwy cyfredol yr adran dditectifs, faglodd y llofrudd yn y pen draw, er afles ei gyflwr meddyliol a chorfforol.

Rhoddodd Sally'r cwpan coffi polystyren ar y ddesg, nesa i ben Daf, ac roedd aroglau'r hylif yn ddigon i'w ddihuno. Sythodd ei gefn ac agor ei lygaid led y pen. Syllodd ar Sally am eiliad, cyn dylyfu gên yn ddramatig.

"Fuckin' hell, fi'n knackered," datganodd. "Diolch," ychwanegodd, gan godi'r cwpan at ei geg a sipio'r Jafa tywyll yn betrus.

Eisteddodd Sally wrth ei desg a dihuno ei chyfrifiadur. Ar

wahân i'w cornel bach nhw o'r swyddfa, a gâi ei oleuo gan sgwaryn unigol yn y nenfwd, roedd gweddill yr ystafell mewn tywyllwch; desgiau eu cydweithwyr yn boddi o dan waith papur a'r hysbysfwrdd canolog yn wag, fel oedd wedi bod ers wythnosau bellach, ers i Gethin a Paul ddatrys yr achos mawr diwethaf i effeithio ar y dref, sef rhwydwaith gyffuriau o dros Glawdd Offa oedd yn ceisio sicrhau troedle yn yr ardal. Fel gweddill yr adran, cyfrannodd Sally a Daf at yr archwiliad, er mai Robbins a de Wolfe hawliodd ran helaeth o'r clod.

"Shwt o'dd dy fam?" gofynnodd Daf o nunlle.

"Mynd yn hen, ond ddim yn rhy ddrwg fel arall. Ti 'di gweld eisie fi?"

"Dim rili," gwenodd Daf ar ei bartner, er nad oedd hynny'n wir o gwbl. Roedd y dyddiau diwethaf wedi bod yn heriol tu hwnt, gan nad oedd e eisiau i DI Price weld faint o amser oedd e'n treulio yn pendwmpian ar ei ddesg. O ganlyniad, roedd e hyd yn oed yn fwy blinedig nag arfer. "Beth o'dd hi'n meddwl o Ben?"

Roedd Daf a Ben wedi cwrdd, ac wedi clicio, pan wahoddwyd Sally ac ef am swper yng nghartref Daf a'i bartner, Kelly, rai misoedd ynghynt. Roedd y ffordd y gwnaethant fondio yn dal i diclo Sally, ond doedd dim modd gwadu pŵer llond bol o gyrri cartref, lagyrs cryf ac ôl-gatalog Metallica.

Gwenodd Sally cyn ateb, gan gofio'r ffws wnaeth ei mam o Ben. "Roedd hi wrth ei bodd gyda fe. Siaradodd hi fwy gyda Ben na fi…"

"Ond ma hynny'n beth da, nag yw e?"

Nodiodd Sally. "Wrth gwrs bod e. Ac mae hi wrth ei bodd ei fod e'n symud mewn 'da fi."

"I bet!" gwenodd Daf. "Siŵr bod hi'n edrych mlaen i gwrdd â'i hwyrion…"

Ysgydwodd Sally ei phen. "No way! Dim ar ôl gweld beth sy 'di digwydd i ti ers i Rhys gyrraedd."

"Gewn ni weld," atebodd Daf, cyn gorffen ei goffi a rhoi ei ben ar y ddesg unwaith eto.

★

Daeth yr alwad toc wedi hanner nos. I gychwyn, diolchodd Sally am iddi dorri ar ddiflastod y sifft, er y byddai ei hagwedd yn newid yn gyfan gwbl pan fyddai'n dod wyneb yn wyneb â'r dioddefwr. Tair awr o lenwi ffurflenni ac ysgrifennu adroddiadau. Pedwar coffi chwerw. Un pecyn o greision. Undonog oedd y gair, ac roedd dylyfu gên parhaus ei phartner yn gwneud dim i helpu.

Teithiodd y ditectifs i ardal Pwll Coch y dref yng nghar Daf; taclusrwydd mewnol y cerbyd yn gwrthgyferbynnu'n llwyr â'r llanast ar y tu fas. Nid oedd y peth yn gwneud unrhyw synnwyr i Sally, er ei bod yn falch nad oedd crombil y cerbyd yn dwlc 'fyd.

"Be wedon nhw 'to?" gofynnodd Daf, gan mai Sally atebodd yr alwad.

"Dim lot. Corff wedi'i ganfod yng Nghapel Horeb. Dau iwifform wedi ymateb."

"Pwy ffeindiodd e?"

"Y lanhawraig."

"Unrhyw beth arall?"

"Oes. Enw. Peter James. Un o hoelion wyth y capel, yn ôl Mrs Porter."

"Mrs pwy?"

"Porter. Y lanhawraig."

Parciodd Daf ei gar ar y stryd dywyll, lle safai'r capel ar

gornel rhes o dai teras. Camodd y ditectifs o'r car ac edrych i fyny ac i lawr y stryd. Doedd dim arwydd bod unrhyw beth o'i le. Dim torf o bobl wedi ymgasglu tu fas i'r drws. Dim car heddlu gyda'i olau'n fflachio.

"Rhaid bod yr iwnifforms yn aros amdanon ni tu fewn," dyfalodd Sally, cyn arwain y ffordd, a cherdded heibio i brif fynedfa'r capel gan ddilyn y llwybr at ddrws y festri. Rownd y bac. Wrth fynd, gwiriodd y ddau dditectif a oedd camerâu cylch cyfyng yn gwylio'r stryd neu'r capel. Er mawr syndod, nid oedd unrhyw gamerâu i'w gweld ar y stryd, er bod un camera wedi'i anelu at ddrws y festri.

Cyn i Daf agor y drws cefn UPVC i Sally, gwisgodd y ditectifs fenig latecs am eu dwylo a sliperi plastig am eu traed. Roedd tri unigolyn yn aros amdanynt yn y festri oer: PCs Robin Pierce a Taliah Patel yn sefyll ar eu traed, a chaseg o fenyw mewn gŵn wisgo wlanog yn eistedd ar gadair blastig anghyfforddus gerllaw, sef Mrs Porter, y lanhawraig a ddaeth o hyd i'r corff. Hyd yn oed yng ngolau isel y festri, roedd yr arswyd yn amlwg yn llygaid y tri.

"Iawn?" gofynnodd Daf wrth y plismyn. Nodiodd y ddau ar y ditectif, er nad oedden nhw'n edrych yn 'iawn' o gwbl.

Camodd Sally at y lanhawraig. "Mrs Porter?"

Edrychodd y fenyw ganol oed i fyny a nododd Sally bod ei dwylo'n crynu ar ei chôl. "Miss," meddai.

"Sori. Miss Porter, rwy'n deall mai chi ddaeth o hyd i'r corff a galw'r heddlu."

Nodiodd Miss Porter, gan nad oedd yn gallu siarad. Gwelodd Sally fod ei llygaid yn llawn dagrau, er nad oedden nhw wedi torri i'r lan eto, felly aeth yn ei blaen mewn llais tyner. "Allwch chi aros fan hyn am funud? Bydd angen i chi roi datganiad clou cyn mynd adre." Nodiodd ei hateb a llyncu'n galed. Trodd Sally at yr iwnifforms. "PC Pierce, allwch chi gymryd datganiad Miss Porter plis?" Edrychodd â thosturi ar y lanhawraig unwaith eto. Nid oedd yn siŵr a fyddai'n gallu gwneud hynny hyd yn oed, ond byddai'r ffeithiau sylfaenol yn gwneud y tro am nawr. Cyfarthodd ar y plismon arall: "PC Patel, ffoniwch SOCO."

"Wedi gwneud, ma'am," atebodd y blismones syfrdan.

"Gwych. Ble mae'r corff?"

"Yn y capel."

Safodd Daf wrth ei hymyl, yn ffidlan gyda'i fenig latecs. Gwiriodd Sally ei nodiadau, a chofio nad oeddent yn cynnwys unrhyw beth o werth. "Beth allwn ni ddisgwyl, PC Patel?"

"Rhaid bod e'n reit erchyll, o edrych ar y tri ohonoch chi," ychwanegodd Daf, yn gwbl ddi-dact. Gwgodd Sally ar ei phartner, er na sylwodd.

"Hen ddyn. Saithdegau hwyr. Wythdegau cynnar falle. Ma fe'n eistedd ym mlaen y capel gyda'i wddf wedi'i hollti." Gwag-gyfogodd y blismones ifanc wrth gofio'r olygfa.

"Ti'n OK?" gofynnodd Sally, gan roi llaw ar ei hysgwydd.

Nodiodd PC Patel. "'Dyma'r corff marw cyntaf i fi weld. Bydda i'n iawn."

"Ti'n dod?" gofynnodd Daf, gan gerdded i gyfeiriad y gegin ar ben draw'r festri. Yn sydyn, stopiodd a throi yn ôl at PC Patel gyda golwg syn ar ei wep. "Pa ffordd?" gofynnodd eto.

"Trwy'r drws 'na," pwyntiodd PC Patel at y drws ar ochr dde'r gegin. "Dwi 'di gadael y golau 'mlaen."

Diolchodd Daf iddi ac arwain y ffordd, gyda Sally'n dynn wrth ei sodlau. Agorodd Daf y drws a chamu i mewn i'r gysegrfa, gan adael Sally yn sefyll wrth y drws. Cyn dilyn, oedodd ac anadlu'n ddwfn. O ystyried yr ofn pur oedd wedi'i ysgythru ar wynebau'r iwnifforms a Miss Porter, roedd hi'n disgwyl y gwaethaf. A mwy. Camodd i'r capel. Safodd yno, yng nghefn yr addoldy, ac edrych ar yr olygfa o'i blaen. Rhesi o gorau pren; gyda digon o le i tua hanner cant o bobl eistedd. Roedd y brif fynedfa, o'r stryd, ar y wal gyferbyn â'r drysau ar gau. Nid oedd Horeb yn gapel crand mewn unrhyw ffordd. Nid oedd oriel yma hyd yn oed. Pliciai'r paent oddi ar y waliau a llenwodd ffroenau Sally gyda mwsg lleithder a hen lyfrau emynau. Ym mlaen y capel, safai pulpud llwm, gyda cherflun pren o'r Iesu wedi'i groeshoelio ar y wal y tu ôl iddo. Ac o flaen y pulpud, yn eistedd yn swp yn y sêt fawr, roedd corff. Heblaw am y gwaed oedd wedi tasgu dros y carped a'r fedyddfaen, byddai Sally wedi taeru mai dweud pader dawel oedd yr hen ddyn, a dyfalai fod y llofruddiaeth wedi digwydd yn go ddiweddar gan nad oedd y corff wedi dechrau drewi eto, er byddai'n rhaid aros am gadarnhad y patholegydd, wrth gwrs.

Yn araf, cerddodd y ditectifs at y corff ym mlaen y capel. Sganiodd Sally'r olygfa ehangach, rhag ofn y byddai rhywbeth yn dal ei sylw ond, ar wahân i'r gelain, nid oedd unrhyw beth yn ymddangos allan o le.

"Blydi hel!" sibrydodd Sally pan gyrhaeddodd y corff a gweld yr holl waed oedd wedi tasgu o'r hollt yn ei wddf.

"'Scuse the pun," medd Daf mewn ymateb, gan ennyn edrychiad angheuol wrth ei bartner.

"Sori," sibrydodd, gan gydnabod ei fod wedi croesi llinell.

Cyrcydiodd Sally wrth ochr y corff er mwyn ei astudio'n agosach, heb gyffwrdd dim. Brwydrodd i gadw'r bustl rhag codi. Y chwd rhag ffrwydro a difetha lleoliad y drosedd. Byddai hynny'n anfaddeuol. Cododd law fanegog at ei cheg a gwelodd Daf yn gwag-gyfogi o gornel ei llygad. Roedd hi wedi gweld cyrff meirw o'r blaen, roedd hynny'n rhan o'r job, ond dim un wedi'i gigyddio mewn gwaed oer fel hyn. O'r cefn, roedd y corff yn edrych yn gwbl normal. Hen ddyn wedi eistedd am orig fach, efallai i weddïo neu i gofio ffrindiau coll. Ond o'r tu blaen, roedd hi'n stori wahanol. Er bod ei ben yn pwyso ymlaen, roedd yr hollt yn ei wddf i'w weld yn glir. O'r agen, roedd hi'n ymddangos bod holl waed y corff wedi cael ei wagio dros fron, bol a choesau'r gelain. Parhâi'r gwaed tywyll, gludiog i ddripian yn araf o'r corff a'r côr, gan gronni ar garped tenau'r capel, o dan draed y gelain. Roedd hynny'n awgrymu'n gryf bod y ddwy arteri garotid wedi'u torri; oedd yn ei dro yn awgrymu bod y llofrudd yn unigolyn cryf, gan nad oedd hollti trwy groen, cnawd, gwythiennau ac arterïau yn dasg hawdd o bell ffordd.

"Ma'r hollt 'na'n berffaith," medd Daf, trwy ei fysedd.

"Un ergyd," medd Sally, gan nodio. "Un sleis unionsyth."

"Dwfn 'fyd," medd Daf. "Sa i 'rioed wedi gweld y fath waed."

"Na fi."

Tynnodd Sally feiro o'i phoced a'i ddefnyddio i godi pen y dioddefwr. Syllodd y ddau ar fasg angau gwelw Mr James, gyda'i lygaid difywyd ar agor led y pen. Ystyriodd Sally eu cau, gan fod ei rythiad llethol yn aflonyddu ei henaid, ond penderfynodd beidio, a gadael i'w ben bwyso 'mlaen yn llipa unwaith yn rhagor.

"Ma' hwnna bach yn weird," medd Daf, gan bwyntio at y clapfwrdd oedd yn gorwedd yng nghanol y gwaed, wrth draed y dioddefwr.

"Ti'n meddwl?" Atebodd Sally'n goeglyd.

Daeth sŵn o gyfeiriad y drws cefn. Roedd y swyddogion SOCO wedi cyrraedd. Cododd Sally a Daf er mwyn mynd i gwrdd â nhw. Anelodd Daf yn syth am y festri, tra camodd

Sally at brif fynedfa'r addoldy, drws pren cadarn oedd yn arwain at y stryd o dai teras tu hwnt. Roedd y drws ar glo. Dyfalodd nad oedd unrhyw un yn defnyddio'r fynedfa hon, ar wahân i ar ddyddiau Sul. Gwnaeth nodyn i wirio hynny'n hwyrach. Yna dwrdiodd ei hun am beidio â gwirio cyflwr y drws cefn, sef y drws i'r festri, cyn darbwyllo'i hun y byddai'r iwnifforms wedi ei hysbysu petai rhywun wedi torri mewn. Gorfodi'r drws clo i agor, hynny yw. Daeth i gasgliad cychwynnol bod y llofrudd un ai wedi camu mewn trwy ddrws agored, wedi datgloi'r drws gydag allwedd ei hun, neu bod y dioddefwr wedi agor y drws iddo a'i adael i mewn, oedd yn awgrymu bod y ddau yn adnabod ei gilydd. Efallai. Nododd y cyfan yn ei lyfr bach a mynd i siarad gyda swyddogion lleoliad y drosedd.

*

Am bedwar o'r gloch y bore, eisteddodd DS Morris a DS Benson gyferbyn â DI Rolant Price, dirprwy arweinydd Adran Dditectifs Heddlu Gerddi Hwyan, yn ei swyddfa hynod daclus, ond hynod foel. Rhyngddynt, ar ddesg bren oedd yn cynnwys gliniadur wedi'i gau a dim byd arall o ran offer cysylltiedig â'i waith, safai tri choffi ffres o'r peiriant; yr ager yn codi ohonynt, gan hudo Sally oedd yn ei chael hi'n anodd peidio â syllu ar y stêm. Yn ofer, cododd ei llaw at ei cheg er mwyn cuddio'r ffaith ei bod hi'n dylyfu gên, gan achosi i Daf ddilyn a gwneud yr un peth. Am unwaith, roedd DI Price hyd yn oed yn edrych braidd yn shibwchaidd. Yn hytrach na siwt slic a chrys wedi'i smwddio tan fod pob ton a rhych wedi diflannu o'r defnydd, gwisgai bâr o jîns glas a hwdi du dros grys-T gwyn. Nid oedd Sally erioed wedi ei weld yn ei ddillad bob dydd, tra roedd y bagiau du oedd yn bolio o dan ei lygaid yn adrodd cyfrolau. Cofiodd Sally fod ganddo yntau hefyd blantos bach adref, er nad oedd yn gwybod eu hoedran. Nid oedd hi'n gwybod eu henwau na'u rhyw ychwaith, gan nad oedd ganddynt berthynas fel 'na o gwbl. Ar ôl caff gwag o gusan gyda DI Price, rhyw chwe blynedd yn ôl bellach, ar ddechrau ei hamser yn gweithio i Heddlu Gerddi Hwyan, perthynas broffesiynol oedd gan Sally a Rol erbyn hyn. Y job oedd unig ffocws eu rhyngweithiadau, ac roedd hynny'n siwtio'r ddau i'r dim, gan fod plismona yn fwy na gwaith iddynt; roedd yn alwedigaeth. Roedd lletchwithdod y gorffennol wedi hen ddiflannu, a'i pharch tuag ato fel plismon, fel ditectif, fel dyn, yn ddi-ben-draw ar ôl ei waith arwrol yn hela a maglu'r llofrudd cyfresol, Matty Poole, y dyn a laddodd y ferch ysgol, Nicky Evans.

Sipiodd DI Price ei goffi du, gan adael i'r ystafell ddod yn ôl i ffocws. Rhyw awr yn gynharach, cafodd ei ddihuno o drwmgwsg hyfryd gan yr Arolygydd Paul Foot, Arweinydd Sifft yr orsaf, a wnaeth ei hysbysu o'r corff yng Nghapel Horeb. Sleifiodd o'r gwely a gwisgo dillad y diwrnod cynt, gan geisio'i orau i beidio â styrbio ei wraig, Lowri, oedd yn chwyrnu wrth ei ochr, a'u meibion, Arwel, oedd yn bump oed, a Dyfed, oedd yn ddwy. Roedd hyd yn oed Dyfed yn cysgu trwy'r nos bellach, ond byddai Rol mewn trafferth mawr petai'n ei ddihuno, cyn gadael y tŷ a diflannu i'r gwaith, gan adael i Lowri ddelio â'r adladd. Nid oedd wedi derbyn neges destun goeglyd wrth ei wraig yn 'diolch' iddo am ddihuno'r bois a hithau, felly roedd e'n amau iddo gael get-awê.

Syllodd ar y ddau dditectif dibrofiad yn eistedd ar ochr arall y ddesg. Dibrofiad, ond llawn brwdfrydedd. Wel, dyna ddisgrifio Sally Morris i'r dim, tra roedd bron pawb yn yr orsaf wedi sylwi bod safon gwaith Dafydd Benson wedi dioddef braidd ers i'w fabi cyntaf gyrraedd rai misoedd ynghynt. Cydymdeimlai Rol yn llwyr gydag ef, oherwydd gallai gofio artaith y flwyddyn gyntaf fel rhiant yn gwbl eglur. Gwyddai fod DS Morris yn dala'r slac yn dynn o ran eu partneriaeth; yn llenwi'r bylchau ac yn gwneud ei gorau i sicrhau nad oedd unrhyw un yn sylwi ar esgeulustod anfwriadol ei phartner. Gallai weld Sally Morris yn cyrraedd brig yr adran ryw ddydd. Roedd hi'n dditectif naturiol, wrth reddf, tra roedd ei gwaith papur o'r radd flaenaf.

Cyn dechrau siarad, agorodd DI Price ei liniadur, er mwyn gwirio'i nodiadau. "Ges i'r basics wrth Inspector Foot. Hen ddyn, Peter James, wedi'i ladd, ei lofruddio, yng Nghapel Horeb. Ei wddf wedi'i hollti gan gyllell. Neu gleddyf. Rhyw fath o offeryn miniog." Edrychodd ar y ditectifs. "'Na gyd sydd gyda fi, so beth arall allwch chi ychwanegu?"

Agorodd Sally ei llyfr nodiadau. Roedd hi eisoes wedi nodi prif bwyntiau'r iwnifforms a gyrhaeddodd leoliad y drosedd mewn ymateb i alwad Miss Porter, ar ôl i'r plismyn ifanc ychwanegu'r manylion at system ddigidol yr orsaf. "Cofnodwyd galwad Miss Margaret Porter, glanhawraig y capel, am dri munud wedi canol nos. Yn ôl ei datganiad, a roddwyd i PC Robin Pierce toc wedi un y bore, gwelodd olau yn dod o'r capel pan aeth hi i'r toiled, yn ei thŷ sydd dros y ffordd i'r capel, sef rhif saith deg chwech Stryd y Capel. Yn ôl Miss Porter, nid oedd hynny'n anarferol. Byddai Mr James, y dioddefwr, yn mynd i'r capel bob nos Sadwrn i dwtio ac i ddosbarthu'r llyfrau emynau yn barod ar gyfer oedfa bore Sul. Roedd Mr James yn ei wythdegau ac o bryd i'w gilydd byddai'n anghofio diffodd y golau cyn gadael. Aeth Miss Porter, sydd ag allwedd i'r capel, at y drws cefn, sef y drws sy'n arwain yn syth i'r festri. Nid oedd y drws wedi'i gloi."

"Ydy hynny'n anarferol?" gofynnodd DI Price.

"Ydy. Yn ôl Miss Porter, er y byddai Mr James yn gadael y golau ymlaen o bryd i'w gilydd, ni fyddai byth yn anghofio cloi'r drws ar ei ôl."

"No forced entry chwaith," ychwanegodd Daf.

Edrychodd DI Price a DS Morris arno, gan ystyried a oedd unrhyw arwyddocâd i'w eiriau.

"Ydyn ni'n gwbod a oedd Mr James yn cloi'r drws ar ei ôl wrth iddo fynd o gwmpas ei fusnes?" gofynnodd DI Price.

"Na," medd Sally.

"OK. Beth am lynu at y ffeithiau am nawr," medd DI Price. "Bydd digon o gyfle gyda ni i ddyfalu a damcaniaethu maes o law."

Gwingodd Daf yn ei sedd, felly ailgydiodd Sally yn yr esbonio. "Yn ôl datganiad Miss Porter, gwyddai'n syth fod rhywbeth o'i le. Disgrifiodd ryw naws…"

"Ffeithiau!" ebychodd DI Price.

"Sori," medd Sally. "Aeth hi'n syth at brif ystafell y capel, oherwydd mai dyna ble roedd y golau, a gwelodd y corff cyn gynted ag agorodd hi'r drws. Ffoniodd hi'r orsaf yn syth ac, o fewn deg munud, roedd PCs Robin Pierce a Taliah Patel wedi cyrraedd, gyda ninnau yn dynn ar eu sodlau."

Sipiodd DI Price ei goffi wrth ystyried geiriau DS Morris. "Unrhyw beth arall… arwyddocaol? CCTV, er enghraifft?"

"Mae 'na gamera wedi'i anelu at ddrws y festri," cododd Daf ei lais, mewn ymdrech i gyfrannu.

"Ond eto," torrodd Sally ar draws. "Yn ôl datganiad Miss Porter, nid yw hi'n credu ei fod yn gweithio."

"Pam?"

Gwiriodd Sally ei nodiadau. "Sa i'n siŵr. Nath hi ddim ymhelaethu."

"Newn ni ofyn iddi pan ewn ni i'w gweld hi," ychwanegodd Daf.

"Gwnewch yn siŵr eich bod chi," medd DI Price, gan ysgogi Sally i wneud nodyn arall yn ei llyfr.

"Clapfwrdd!" ebychodd Daf.

"Beth?" Edrychodd DI Price arno fel petai wedi colli ei ben yn llwyr. Trodd at Sally i weld a allai hi roi ateb call iddo.

"Clapfwrdd," ategodd, gan godi ei 'sgwyddau ar amwysedd y datganiad. "Roedd yna glapfwrdd…"

Ystumiodd Daf glapfwrdd gyda'i ddwylo, cyn ychwanegu: "Scene three. Take one!"

Unwaith eto, edrychodd DI Price arno'n syn, cyn troi'n ôl at DS Morris.

"Ie, un o'r rheina. Fel chi'n gweld ar gynyrchiadau teledu a ffilm. Roedd e'n gorwedd wrth draed y dioddefwr, mewn pwll o waed."

"Weird," medd DI Price.

"So ni'n siŵr ei fod e'n berthnasol eto," ychwanegodd Daf.

"Bydd SOCO'n gallu cadarnhau un ffordd neu'r llall, ond *rhaid* bod rhyw arwyddocâd iddo," medd Sally, gan wneud i'w phartner wingo unwaith eto.

Nodiodd DI Price ar hynny. "Ok. Felly dyna'r ffeithiau sylfaenol. Beth nawr? Beth nesaf?"

Prawf oedd hwn, gwyddai Sally hynny ar unwaith. Dyma'r achos mawr cyntaf iddi hi a Daf ei fachu, ac roedd DI Price eisiau gweld a oeddent yn barod i'w arwain, heb oruchwyliaeth Robbins a de Wolfe.

"Yn gyntaf, cysylltu â'r next of kin. Mae ei chwaer yn byw mewn cartref preswyl yn y dref, felly dyna'r dasg gyntaf," aeth Sally amdani, yn benderfynol o ddangos i'r uwch swyddog ei bod hi'n barod i gamu at y marc, er na allai ddweud yr un peth am ei phartner. "Mae Miss Porter wedi ID-o'r dioddefwr, er y byddwn yn gwahodd ei chwaer i ddod i weld y corff, er mwyn cadarnhau hynny'n swyddogol."

Gwiriodd Sally ei nodiadau cyn parhau.

"Siarad gyda'r gweinidog. Mynd o ddrws i ddrws yn yr ardal leol, yn enwedig ar hyd Stryd y Capel. Gwirio'r camerâu cylch cyfyng. Cwestiynu Miss Porter yn fwy manwl. Aros am adroddiad y patholegydd. Olion bysedd. DNA. Math yna o beth. Gwirio'r cronfeydd data cenedlaethol am unrhyw achosion tebyg, sydd heb gael eu datrys."

Edrychodd Sally i fyny a gweld bod DI Price yn nodio'i ben arni.

"Cynhwysfawr iawn, DS Morris. Dwi moyn i chi arwain yr achos. Ydych chi'n barod i wneud hynny?"

Pefriodd llygaid Sally a diflannodd y poer o'i cheg. Llyncodd yn galed. "Ydw, syr. Diolch."

"Grêt. Cofiwch bod fy nrws i ar agor o hyd. Unrhyw bryd."

Gyda hynny, gadawodd y ditectifs swyddfa DI Price. Llusgodd Daf ei gorff yn llesg i gyfeiriad ei ddesg, tra aeth Sally i'r toiledau ar hyd y coridor, lle dyrnodd yr awyr yn llawn balchder ar ôl i'r drws gau y tu ôl iddi.

5: Canlyniadau

Aeth dau fis heibio ers i rai o amheuon Magi am ei mam gael eu cadarnhau yn y clwb pêl-droed ond, mewn twist bach rhyfedd, roedd pethau rhwng Milly a Declan fel petaent yn llawer gwell ers noson y parti. Nid oeddent yn gweiddi hanner cymaint ar ei gilydd ac nid oedd ei thad yn cuddio yn y sied mor aml. Ni allai Magi ddeall y peth o gwbl, ond nid oedd hi'n cwyno, cofiwch. Roedd Declan yn dal i gysgu ar y soffa, ond o leiaf roedd y ddau ohonynt yn gallu treulio amser yn yr un ystafell heb gecru, diawlo a slamo drysau. Fodd bynnag, nid oedd Magi'n amau am eiliad bod ei mam wedi newid; yn wir, roedd hi wedi dod i'r casgliad mai'r gwir reswm am y gosteg oedd bod y tymor pêl-droed wedi dod i ben ac felly nid oedd Milly'n treulio cymaint o amser y tu ôl i'r bar ac, o ganlyniad, yng nghwmni Iori Tomos a'i gronis.

Roedd y misoedd diwethaf wedi llusgo braidd i Magi. Roedd hi wedi helpu ei mam i lanhau ambell dŷ, ac wedi mynd o siop i siop o amgylch y dref yn chwilio am swydd ran-amser, heb lwyddiant. Yn wahanol i'w chyfoedion a'i chyd-ddisgyblion, hyd yn oed y rheini oedd yn byw ar ystad Y Wern, ni allai Magi gofio mynd ar ei gwyliau erioed. Dim hyd yn oed i Fae Trecco neu Benrhyn Gŵyr. Byddai ei chymdogion ar y ddwy ochr yn treulio pythefnos yn y Costas neu'r Caneris bob haf, er nad oedd gan oedolion yr aelwydydd swyddi rheolaidd ychwaith. Ni allai ddeall sut roedden nhw'n gallu fforddio'r fath foethusbeth. I basio'r amser, byddai Magi'n mynd am droeau hir ar ei phen ei hun; i Borth Hwyan a Choedwig Afan, gan droedio hen lwybrau'r glowyr ac aros am bicnic yn edrych i lawr tua'r arfordir a breuddwydio am ddyfodol gwell. Aeth i nofio yn y môr yn Rest Bay ar ddiwrnod hynod o grasboeth ddiwedd Gorffennaf, ond gwelodd griw o ddisgyblion o'i hysgol yn chwerthin am ei phen yn ei gwisg nofio, felly ni ddychwelodd i'r traeth, hyd yn oed yn ystod gwres mawr mis Awst. Yn lle hynny, byddai Magi'n trochi yn afonydd a llynnoedd yr ardal, gan doddi i fyd natur, a diflannu i'r dŵr. Un diwrnod, gyda'r tymheredd dros dri deg gradd, aeth i nofio yn Afon Llynfi, gwpwl o filltiroedd i'r de o Langynwyd. Roedd hi'n gyfarwydd â'r rhan yma o'r afon, ar ôl pysgota yno gyda'i thad. Lle da i ddal brithyll brown ac ambell i eog, os oeddech chi'n lwcus. Seiclodd yr holl ffordd o Erddi Hwyan, gan dorri chwys difrifol yn ystod y daith chwe milltir, cyn plymio i'r dŵr crisial a threulio gweddill y dydd yn gwylio pobl yn cerdded ar hyd y llwybr cyhoeddus cyfagos, heb unrhyw syniad ei bod hi yno.

O'r diwedd, cyrhaeddodd y diwrnod mawr i Magi. Diwrnod derbyn ei chanlyniadau TGAU. Toc wedi deg y bore, cerddodd yng nghwmni ei rhieni o ystad Y Wern i'r ysgol. Yn wahanol i nifer o'i chyfoedion, nid oedd cael ei gweld gyda'i rhieni yn destun chwithdod. Heb ffrindiau i gymysgu â nhw, ac ar ôl blynyddoedd o gael ei phoenydio, roedd croen Magi mor drwchus ag un rheino, a doedd hi ddim yn becso am eu geiriau gwag o gwbl bellach. Er, o ystyried gwisg ei mam y bore hwn, efallai nad oedd hynny gant y cant yn wir ychwaith. Ar ôl wythnosau o dywydd braf, roedd lliw haul naturiol wedi disodli arlliw Wotsitaidd arferol Milly, ac roedd y cyfan ar ddangos heddiw, diolch i'r ffaith ei bod yn gwisgo sgert ddenim fer, fest wen a thop shiffon llewys hir. Heb fwriadu gwneud, roedd Magi a'i thad wedi gwisgo dillad tebyg iawn i'w gilydd; sef pâr o siorts llac, lliw caci, a chrys-T gwyn. Yr unig wahaniaeth oedd bod crys Magi'n arddangos y gair 'Levis' ac un ei thad yn datgan ei gariad at Efrog Newydd, er nad oedd erioed wedi bod ar gyfyl y lle. Bob tro y gwelai Magi bobl yn cerdded o gwmpas Gerddi Hwyan yn gwisgo crysau gydag enwau dinasoedd neu daleithiau neu beth bynnag arnynt – I♥NY, Paris, UCLA, y math yna o beth – byddai'n meddwl tybed a oedd pobl yn y llefydd hynny'n gwisgo crysau gyda Gerddi Hwyan, Porthcawl neu Bort Talbot arnynt. Gwyddai fod hynny'n annhebygol, wrth gwrs, ond byddai dychmygu rhyw hen foi yn San Francisco yn gwisgo crys gydag I♥Maesteg arno wastad yn gwneud iddi wenu.

Roedd yr ysgol, wrth gwrs, yn llawn bwrlwm; gyda chyffro, disgwyliadau a siom yn crogi yn yr aer. Gadawodd Magi ei rhieni yn smocio wrth y brif fynedfa, gan wneud ei ffordd i'r neuadd i gasglu ei chanlyniadau. Pasiodd cwpwl o ddisgyblion yn dyrnu'r awyr ac yn cofleidio'i gilydd yn dynn, ac un arall yn ceisio'i orau i atal y dagrau rhag llifo i lawr ei ruddiau. Dyna oedd realiti'r bore hwn; roedd y llinell rhwng llwyddiant a methiant yn denau iawn. Ac er gwaethaf ei hyder cynharach, roedd y pili-palod yn cael parti ym mol Magi wrth iddi aros ei thro.

"Paid edrych mor ofnus, Magi," medd Mr Osbourne, ei hathro dosbarth, wrth ei gweld yn cyrraedd blaen y ciw. Pasiodd amlen iddi, gyda'i henw arno. Gwenodd yr athro moel arni a wincio.

Cipiodd Magi'r amlen a chamu i ochr y neuadd i'w hagor. Er gwaethaf gwên Mr O, roedd ei bysedd yn crynu'n wyllt wrth iddi geisio rhwygo'r sêl. Tynnodd y rhestr o ganlyniadau a sganio'r cynnwys yn syth, cyn ffocysu ar y pethau pwysig. Darllenodd y wybodaeth deirgwaith, jyst i wneud yn siŵr. Fel trydan, tonnodd y balchder drwyddi. Trodd a gwthio'i ffordd yn ôl at ei rhieni. Erbyn iddi gyrraedd, roedd dagrau o lawenydd a rhyddhad yn llifo i lawr ei bochau, a gwnaeth hynny i'w rhieni feddwl bod rhywbeth o'i le. Gwenodd arnynt a dal y llythyr i fyny o'i blaen. Cipiodd ei thad y papur o'i gafael a sganio'r wybodaeth, cyn gafael yn dynn ynddi a chusanu'r hylif hallt. Heb edrych ar y manylion, ymunodd ei mam yn y goflaid. Nid oedd Magi wedi teimlo'r fath gariad ers blynyddoedd, a gwnaeth hynny iddi grio fwy fyth.

Y noson honno, aeth Magi a'i rhieni i Maccys am swper i ddathlu ei llwyddiant. Tra bod ei chyfoedion allan yn meddwi yn nhafarndai'r dref, roedd Magi yn mwynhau bod ym mynwes ei mam a'i thad. Ond er gwaethaf y cyfeillgarwch arwynebol, roedd Magi'n ymwybodol iawn o'r islif o ddrwgdybiaeth ac amheuon oedd yn ffrwtian tu ôl i'r ffasâd.

"Tair B a saith C," medd ei mam, trwy lond ceg o sglods tenau a saws barbeciw.

"Ni 'di magu genius, Mil," ychwanegodd ei thad, gan gnoi ei Big Mac a phoeri darnau bach dros bob man.

Gwelodd Magi ei mam yn gwingo mewn ymateb i hynny ond, am unwaith, ni feirniadodd ei gŵr.

"Beth yw'r plan?" gofynnodd ei mam.

"Ti dal moyn bod yn athrawes?"

Hylldremiodd Milly ar draws y bwrdd plastig. Nid oedd hi'n gwybod dim am ddyhead gyrfaol ei merch, ac roedd hynny'n amlwg yn ei brifo. Byddai Magi a'i thad yn siarad am bopeth o dan haul pan fydden nhw'n mynd i bysgota, ac roedd hi'n amlwg wedi datgelu ei huchelgais wrtho ryw dro.

"Ydw. Coleg chweched yn gyntaf, wedyn coleg go iawn…"

"Ti 'di meddwl ble?" gofynnodd ei thad, gan fod ei mam yn dal i wgu.

Yn bell o fan hyn, meddyliodd Magi, er nad dyna beth ddywedodd hi, wrth reswm.

"Dim eto. Rhaid i fi basio Lefel As fi gynta."

"A be ti'n meddwl astudio?" gofynnodd ei thad.

"Saesneg, busnes a daearyddiaeth," atebodd Magi, fel bwled.

"Ni *mor* prowd o' ti, Mags," medd ei mam, gan gydio yn ei llaw.

Cochodd bochau Magi, felly llenwodd ei cheg gyda byrger a bynsen. "Diolch," mwmiodd.

Ar y ffordd adref, cerddodd y triawd heibio i dafarn y Felin yn ardal Pwll Coch y dref. Roedd y lle o dan ei sang, a'r ardd gwrw goncrit yn llawn pobl ifanc dan oed, un ai'n dathlu eu llwyddiant neu'n boddi eu gofidiau. Adnabu Magi lond llaw o'r dathlwyr – bechgyn o'i blwyddyn hi – felly plygodd ei phen yn y gobaith na fyddent yn ei gweld. Yn anffodus, diolch i'w thaldra a gwisg ei mam, nid oedd unrhyw obaith o hynny. Chwibanodd un ohonynt ar ei mam, cyn i'w lleisiau godi mewn cytgord.

Hulk! Hulk! Hulk! Hulk! Hulk! Hulk! Hulk! Hulk! Hulk! Hulk! Hulk! Hulk! Hulk! Hulk! Hulk!

Y noson honno, aeth Magi i'r gwely i gyfeiliant ei rhieni yn gweiddi'n groch yn y lolfa lawr stâr. Ar ôl treulio diwrnod cyfan yng nghwmni ei gilydd, roedd y llifddorau wedi agor a'r casineb yn rhydd. Gyda'i chlustffonau am ei phen, ni allai glywed yn iawn beth roeddent yn ei ddweud, a'r peth olaf y gallai gofio oedd y drws ffrynt yn cau'n glep, wrth i'w mam ddiflannu i'r nos unwaith eto.

★

Gydag arbenigedd unigolyn sydd wedi bod wrthi ers blynyddoedd, tociodd Magi degyll y brithyll brown yn gwbl ddidaro. Holltodd ei chyllell trwy'r cnawd tyn yn ddiymdrech, ei dwylo bellach yn disgleirio o dan orchudd y cennau arian. Symudodd y llafn at dwll tin y brithyll, cyn torri llinell unionsyth ar draws y bogel. Yna, palodd ei bawd a'i mynegfys yn ddwfn i wddf y pysgodyn, a thynnu'r stumog yn rhydd o'r gelain. Gwnaeth perfedd y pysgodyn sŵn tebyg i pan fyddech chi'n gwthio *Play-Doh* 'nôl i'r twba. Neu rech wlyb. Rinsiodd y corff marw yn y bwced dŵr brwnt oedd yn eistedd ar y gwair, ar lan Afon Llynfi, rhwng cadeiriau gwersylla ei thad a hithau. Gyda haul canol dydd yn denu chwys o'i chroendyllau, gwthiodd ei bawd ar hyd asgwrn cefn y brithyll, er mwyn gwaredu gweddill y gwaed. Yn olaf, pen-gliniodd ar y gwair a rinsio'r corff yn nŵr claear yr afon, a'i basio at ei thad, oedd yng ngofal y barbeciw.

Mewn tawelwch, bwytaodd Magi a'i thad eu cinio; cig suddlon y pysgod yn toddi yn eu cegau a'r ddau yn 'mmmmmian' ac yn 'wwwwwian' bob yn ail. Gwnaeth ei thad frechdan, ond dewisodd Magi fwyta dim byd ond cnawd y ddalfa. Diolch i'w mam, gwyddai mai bara oedd un o brif elynion merched fel hi. Roedd wythnos wedi pasio ers iddi dderbyn ei chanlyniadau TGAU a phethau wedi dychwelyd i ryw fath o normalrwydd, ar ôl i'w mam 'ddiflannu' am ddeuddydd. Er i Magi boeni'n arw amdani, gwrthododd ei thad ffonio'r awdurdodau. Gwnaeth hynny Magi'n gandryll i gychwyn, ond ar ôl peth amser, sylweddolodd fod ei thad yn gwybod yn iawn ble'r oedd hi. Daeth hi adref ar y trydydd bore a chario 'mlaen fel petai dim byd wedi digwydd. Roedd hi'n actio'n rhyfedd, heb os, ond dim mwy manig na'r arfer. Ddywedodd ei thad ddim byd, a gwnaeth hynny Magi'n grac.

Gwyliodd ei thad yn cilio'n ôl i'w gragen, gan dreulio'r rhan fwyaf o'i amser yn y sied. Aeth Magi ato un prynhawn a gofyn iddo pam ei fod yn gadael i'w mam ei drin yn y fath ffordd. Yn groes i'w disgwyliadau, gwenodd ei thad ar glywed y cwestiwn, a chodi ei 'sgwyddau yn ddifater.

"Fi'n caru hi, Mags," oedd ei ateb, a wnaeth i Magi fod eisiau sgrechen. Nid oedd ganddi unrhyw brofiad yn y maes, wrth gwrs, ond roedd Magi'n gwybod nad oedd hynny hyd yn oed yn ddigon i ddarbwyllo rhywun i aros mewn perthynas mor wenwynig. Tyngodd lw yn y fan a'r lle na fyddai byth yn gadael i'r un peth ddigwydd iddi hi.

Ar ôl clirio ar eu holau, gyrrodd Magi a'i thad am adref, gan gymryd detour bach i Ben Talar; sef ardal pobl gefnog Gerddi Hwyan. Y snobs. Y crachach. Yr uchel-ael. Arhosodd Magi yn y fan, yn gwrando ar y radio, wrth i'w thad fynd i siarad â pherchennog y tŷ crand, gan ei fod yn dechrau gweithio yno ar y dydd Llun canlynol. Clirio'r ardd, neu rywbeth fel 'na. Diolchodd Magi fod y fan mewn cysgod, gan fod haul y prynhawn ar ei anterth yn awr.

"Iawn, Magi?" Torrodd llais ar draws ei breuddwydion lliw dydd.

Trodd i edrych ar yr wyneb cyfarwydd trwy ffenest agored y fan. "Ydw," atebodd, gan edrych ar Ben Marks, un o'i chyfoedion yn yr ysgol, yn sefyll o'i blaen yn gwisgo lifrai'r fyddin, heb grych yn agos atynt. Sgleiniai ei 'sgidiau fel dwy chwilen ar ei draed. Mwya sydyn, cododd ton o bersawr pysgodlyd o'i hamgylch, gan wneud iddi wingo yn ei sedd fel brithyll mewn rhwyd lanio. Yn wahanol i nifer o'i chyd-ddisgyblion, nid oedd Ben erioed wedi bod yn gas wrthi. Dim i'w hwyneb, o leiaf. A dweud y gwir, ni allai gofio siarad gyda fe o gwbl.

"Shwt nest di yn dy arholiadau?" gofynnodd.

"Saith C, tair B."

"Brilliant," gwenodd Ben arni, yn gwbl ddiffuant. "Be ti'n mynd i neud nawr?"

"Coleg chweched. Wedyn uni, I s'ppose. Beth amdanot ti?"

"Deg A," atebodd Ben gyda balchder amlwg.

"Wow! Ma' hwnna'n amazing!" ebychodd Magi. "So, pam ti'n mynd i'r armi?"

Cododd Ben ei 'sgwyddau. "Traddodiad teuluol, I guess. Hen ddad-cu. Dad-cu ar y ddwy ochr. Dad. Wncwls." atebodd. "Fi off heddiw. Dyna pam fi'n gwisgo'r iwnifform."

"Falch clywed," medd Magi. "O'n i'n meddwl bod ti jyst yn mental am funud f'yna!"

Chwarddodd Ben ar hynny ac, mewn amrant, dychmygodd Magi eu bywydau yn plethu wrth ymestyn tua'r dyfodol. Roedd e'n edrych *mor* olygus yn ei wisg, fel Tom Cruise yn *Top Gun*, ond daeth lleisiau eu tadau o amgylch ochr y tŷ i dorri ar ei blys.

"Wela i chi dydd Llun, Mr Marks," medd ei thad, wrth gamu i'r car a thanio'r injan. "A phob lwc, Ben," ychwanegodd, gan droi'r fan ar y dreif llydan. Cododd Magi ei llaw ar Ben, a saliwtiodd ef yn ôl arni'n goeglyd.

Gyda gwaith go iawn i'w gadw'n brysur, ac allan o gylchdro ei wraig, am wythnos gyfan, sgwrsiodd ei thad yn ddi-stop yr holl ffordd adref, ond nid oedd Magi'n gwrando arno, gan ei bod hi'n dal i freuddwydio am Ben Marks a'i goleri caled. Diolch i fileindra cyffredinol ei chyd-ddisgyblion, roedd Magi wedi colli allan ar unrhyw fath o gyfeillgarwch yn ystod ei hamser yn yr ysgol, ac roedd hynny'n ei chandryllio'n awr, yn dilyn ei sgwrs gyda Ben. Roedd yr holl eiriau gwenwynig wedi erydu unrhyw hyder oedd ganddi er y gobeithiai y byddai hynny'n newid maes o law, pan fyddai'n dechrau mynychu coleg chweched dosbarth y dref. Wedi'r cyfan, meddyliodd, ni allai fod yn waeth na'r ysgol uwchradd.

Parciodd ei thad y fan ar y dreif o flaen y tŷ ac arweiniodd Magi'r ffordd rownd y bac, gan gario llwyth o offer i'r sied. Trodd y cornel a gweld ei mam yn torheulo'n hanner porcyn ar y patio, cyn i'w sylw gael ei hoelio gan ben ôl noeth yn diflannu dros y ffens gefn. Edrychodd Magi ar ei mam, ond ei hanwybyddu wnaeth hithau, cyn codi ei magasîn ac esgus nad oedd dim byd wedi digwydd.

Unwaith eto'r noson honno, aeth Magi i gysgu i gyfeiliant ei rhieni'n gweiddi ar ei gilydd, ond ni ddiflannodd Milly i'r fagddu y tro hwn. Yng nghanol nos, dihunodd Magi a gweld ei mam yn eistedd ar ochr ei gwely, yn mwytho'i gwallt yn dyner ac yn crio a mwmian yn dawel iddi ei hun. Gyda golau'r landin yn treiddio i'r stafell, ymwthiai'r creithiau amrwd o'i helinoedd. Prawf o'i phoen. O'i hanhapusrwydd cynhenid. Am hanner eiliad, ystyriodd Magi godi er mwyn rhoi cwtsh iddi, ond y gwir oedd nad oedd hi'n gwybod sut i ddelio â'i mam pan fyddai mewn llesmair fel hyn. Roedd rhan ohoni'n teimlo dim byd ond tosturi tuag ati; tra bod rhan arall yn ei hofni i'r craidd. Caeodd ei llygaid ac esgus cysgu trwy'r cyfan.

6: Cwmwl Tywyll

Aeth Sally adref pan gyrhaeddodd DS Richard King a DC Tej Williams yr orsaf ar gyfer y sifft gynnar, tra dewisodd Daf roi ei ben ar ei ddesg am gwpwl o oriau, gan honni y câi fwy o lonydd yno nag adref. Ar ôl esbonio'r sefyllfa i King a Williams, trefnodd y partneriaid i gwrdd yn ôl yn y capel ganol dydd, er mwyn cael sgwrs gyda'r gweinidog. Cyn mynd, gofynnodd Sally iddynt wirio HOLMES, cronfa ddata troseddau heddlu'r Deyrnas Unedig, am unrhyw achosion tebyg i lofruddiaeth Peter James oedd heb gael eu datrys. Ar ben hynny, trefnodd Sally fod dau iwnifform yn mynd o ddrws i ddrws ar hyd Stryd y Capel i ofyn a welodd unrhyw un unrhyw beth amheus neu allan o'i le y noson flaenorol. Nid oedd yn disgwyl datguddiadau mawr, ond roedd rhaid dilyn y gweithdrefnau i'r llythyren, yn enwedig yn awr ei bod hi'n arwain ei hachos cyntaf. Protestiodd i gychwyn, pan orchmynnodd DI Price ei bod yn mynd adref i adfer ar ôl noson fwyaf ei gyrfa fel ditectif, ond yn y pen draw, gwyddai y byddai bach o gwsg yn gwneud byd o les iddi. Roedd ei phatrwm sifft ar chwâl, ond roedd Sally'n hyderus y gallai oroesi ar ynni nerfol am wythnos o leiaf.

Trodd a throsodd a throdd unwaith yn rhagor. Cyn dechrau eto. Ac eto. Ac eto. Teimlai ei gwely mor wag heb Ben ynddo. Yn enwedig ar ddiwedd y bore, gyda'r haul yn tywynnu trwy'r bylchau yn y llenni, gan ei gwneud yn amhosib setlo, hyd yn oed gyda chymorth y plygiau clust a'r mwgwd cysgu. Doedd y ffaith ei bod yn gallu arogli ei chariad ar y cynfasau yn helpu dim ychwaith. Siaradodd gydag ef ar ei ffordd adref o'r orsaf, a gallai glywed y balchder yn ei lais, pan rannodd ei newyddion.

"Byddi di'n blydi brilliant, Sal, sdim dowt 'da fi am hynny."

Gwenodd Sally wrth gofio'i bositifrwydd a theimlo'n ffodus bod eu llwybrau wedi croesi. Yn wahanol i bob dyn a chrwt a bachgen y buodd gydag ef yn y gorffennol, Ben oedd y cyntaf i'w deall hi go iawn. Yn enwedig o ystyried y ffordd y byddai ei hatgofion o'r noson honno ar lethrau Mynydd Parys yn ei haflonyddu. Roedd Ben yn dioddef pethau tebyg ar ôl ei amser yn y fyddin, lle profodd wres y frwydr ar ddau gyfandir. Roedd e wedi lledgyfeirio at rai o'r profiadau mwyaf erchyll, er nad oedd wedi ymhelaethu. Ond nid oedd Sally'n poeni dim bod eu perthynas wedi'i gwreiddio mewn PTSD oherwydd, er y cymhlethdodau isymwybodol, roedd y ddau wedi clicio ar y lefel oedd yn cyfri go iawn – bywyd bob dydd, hynny yw – fel petaent wedi bod yn aros i gwrdd â'i gilydd erioed.

O'r diwedd, rhyw ddeng munud cyn i'w larwm ganu, cwympodd Sally i gysgu, a rhuodd yr hunllefau i'w haflonyddu. Ôl-fflachiadau o'r noson dyngedfennol. Dwylo Max Edwards yn gafael ynddi. Yn ei chodi a'i thaflu dros y dibyn. Creigiau miniog yn rhuthro i gwrdd â'i chorff llipa, cyn ei chwalu. Lleuad arian yn rhwygo trwy gymylau duon. Sŵn ei hesgyrn yn hollti yn y nos. Yr un hen ddelweddau. Yr un canlyniadau. Canodd y larwm a chododd Sally ar ei heistedd, fel tost yn tanio, gan deimlo'r chwys yn glynu at ei thalcen a'i chefn. Gludodd ei chroen at y dwfe, felly cododd a chamu i'r gawod, lle sgwriodd y chwys o'i chnawd a'i chreithiau, er nad oedd modd gwaredu'r atgofion yn yr un modd.

Sychodd ei chorff a'i gwallt cyn agor ei wardrob gwaith ac edrych ar ei chynnwys. Pedwar pâr o drowsus du a thri phâr nefi-blŵ. Dim rhy dynn, dim rhy lac. Perffaith ar gyfer rhedeg a chicio a llamu a dringo, a hefyd ar gyfer eistedd wrth ddesg am oriau maith. Saith crys smart mewn saith lliw gwahanol. Ond dim byd llachar ychwaith. Jyst gwahanol arlliwiau o wyn a llwyd a glas golau. Pedair siaced daclus, i gyd-fynd â gweddill ei gêr, a thair siwmper gwddf siâp V, mewn lliwiau diymhongar. Ac ar waelod y cwpwrdd, pedwar pâr o sbardiau unlliw du, heb logo na brand yn agos atynt. Jyst fel Ben, roedd Sally hefyd yn gwisgo lifrai. Dewisodd drowsus du a chrys a siaced lwyd. Brwsiodd ei gwallt cigfran-ddu syth a'i glymu'n gwt y tu ôl i'w phen. Defnyddiodd golur yn gynnil. Bach o sylfaen ar ei bochau, gan bod ei chroen porslen yn ffinio ar fod yn dryloyw, twtsh o finlliw ar ei gwefusau a'r mymryn lleiaf o fasgara. Gwisgodd ei sgidiau a dychwelodd i'r gwaith.

Er ei bod yn gynnar, roedd Daf yn aros amdani ar y stryd tu fas i Gapel Horeb.

"Ges i ffyc-ôl o gwsg," datganodd, gan edrych ar ei bartner.

"Na fi," medd Sally, er fod yr olwg ar wyneb Daf yn datgan i'r byd nad oedd yn ei chredu.

"Fi newydd weld y ddau iwnifform sydd wedi bod yn mynd o ddrws i ddrws."

"A?"

"Dim lot o iws, a dweud y gwir. Ma'n nhw newydd fynd 'nôl i'r orsaf. Bydd y manylion ar HOLMES erbyn i ni gwpla fan hyn."

Cyn anelu am grombil y capel, tarfu llais main ar draws

myfyrdodau Sally. "Ditectif Morris! Ga i air clou os gwelwch yn dda?"

Trodd Sally a dod wyneb yn wyneb ag Anusha Rasool, newyddiadurwraig leol, oedd yn gwthio meic i'w hwyneb. Yn debyg i bob newyddgi a gyfarfu Sally erioed, roedd Ms Rasool yn geg i gyd ac yn byrlymu â hyder annirnad.

"Dim sylw," atebodd Sally heb oedi.

"Fi 'di gweld y corff yn gadael," parhaodd Ms Rasool. "Lliain wen dros ei wyneb. Allwch chi rannu enw'r dioddefwr gyda fi?"

"Dim sylw," ailadroddodd Sally, gan gerdded i gyfeiriad y glwyd oedd yn arwain at gefn y capel.

"Allwch chi gadarnhau mai llofruddiaeth rydych chi'n archwilio?"

Camodd Sally a Daf heibio i PC Becky Lewis, cwnstabl ifanc oedd ar ddyletswydd wrth y glwyd, at ddiben atal unigolion fel Anusha Rasool rhag tresmasu, gan anwybyddu cwestiwn olaf y newyddiadurwr. Roedd DI Price eisoes wedi paratoi datganiad, a fyddai'n cael ei ryddhau i'r wasg maes o law. Dogfen amwys tu hwnt, oedd yn cynnwys y lleiaf posib o fanylion.

Roedd y swyddogion SOCO yn dal yn brysur wrth eu gwaith yn y capel, ond roedd Dr Charlotte Stevens, Patholegydd Swyddfa Gartref Heddlu De Cymru, yn aros amdanynt yn y festri, ac wrthi'n diosg ei throswisg wen cyn dychwelyd i elordy Ysbyty Tywysoges Cymru ym Mhen-y-bont ar Ogwr, er mwyn cofrestru'r corff a chynnal archwiliad post mortem manwl.

Roedd Sally wedi cwrdd â Dr Stevens lond llaw o weithiau yn ystod y ddwy flynedd ddiwethaf, ond teimlai fod angen cyflwyniad swyddogol y tro hwn, o ystyried ei safle cyfredol.

"Dr Stevens," medd Sally, gan gamu ati a chynnig ei llaw. "DS Sally Morris, a dyma fy mhartner, DS Dafydd Benson."

Ysgydwodd y meddyg ddwylo'r ditectifs. "Chi sy'n arwain yr achos?" gofynnodd i Daf.

"Nage," atebodd yntau, ac anelu ei fawd i gyfeiriad ei bartner.

"Fi sy'n arwain yr achos," medd Sally, gan deimlo pwl o falchder wrth wneud.

"Sori," cochodd Dr Stevens mewn cywilydd.

"Dim problem," gwenodd Sally, cyn claddu'r mater a symud ymlaen. "Oes rhywbeth wedi dod i'r amlwg yn dilyn eich archwiliad cychwynnol o'r corff in situ?"

O dan ei throswisg, roedd dillad Dr Stevens yn adlewyrchu gwisg Sally bron yn union. Lliwiau di-fflach a dim byd fyddai'n denu sylw. Dyna oedd realiti bod yn fenyw mewn maes mor batriarchaidd â phlismona. Roedd Dr Stevens fymryn yn hŷn na Sally, a'i gwallt wedi'i dorri'n gwta.

"Dim byd arwyddocaol, yn anffodus," medd y meddyg. "Dwi ar ddeall i chi weld y corff eich hun bore 'ma."

"Do," cadarnhaodd Sally. "Sa i 'rioed wedi gweld cymaint o waed."

"Alla i gredu. Ond, er gwaethaf hynny, doedd dim unrhyw arwydd o frwydr. Un toriad taclus, yn syth ar draws gwddf y dioddefwr. Torrwyd y rhydweli garotid, a dyna beth wnaeth i'r gwaed dasgu fel 'na. Er oedran y dioddefwr, mae gwneud hynny yn awgrymu peth cryfder, o ran y llofrudd, hynny yw..."

"Dyn, felly?" medd Daf, gan ddenu edrychiad dirmygus wrth ei bartner.

Nodiodd y patholegydd. "Mwy na thebyg. Yn fy marn i, roedd Mr James eisoes yn eistedd pan ymosodwyd arno.

Gweddïo. Meddwl. Myfyrio. Beth bynnag. Jyst yn eistedd lawr am hoe fach, efallai. Pwy a ŵyr? Roedd e'n hen ddyn, wedi'r cyfan. Cripiodd y llofrudd i fyny o'r tu ôl iddo, heb i Mr James ei weld na'i glywed, a boom! Dim sgwrs. Dim gair. Dim rhybudd."

Unwaith eto, nodiodd Sally a Daf ar y doctor.

"Dyfalu ydw i, wrth gwrs, ond sdim byd arall o werth gyda fi ar hyn o bryd. Na. Sori. So hynny'n wir. Ma'r llofrudd yn ffafrio'i law dde, gan fod yr hollt yn ddyfnach ar ochr chwith gwddf y dioddefwr."

"Unrhyw olion bysedd?" gofynnodd Daf.

"Llwyth," gwenodd y meddyg. "Yn bob man. Ar y drysau, ar y meinciau, y pulpud, y llyfrau emynau. Ond beth chi'n disgwyl? Capel yw e. Man cyhoeddus."

"A dim olion ar y dioddefwr?"

"Dim un. Sy'n awgrymu'n gryf bod y llofrudd yn gwisgo menig."

"Beth am wallt neu groen o dan yr ewinedd?"

"Dim byd o gwbl. Fel wedes i, does dim awgrym bod Mr James wedi brwydro am ei fywyd. Ar wahân i'r clwyf, sdim marc arno fe."

"Time of death?" gofynnodd Daf.

"O ystyried cyflwr y corff a'r amser y daeth y lanhawraig o hyd iddo," pendronodd y patholegydd. "Unrhyw bryd rhwng wyth ac un ar ddeg o'r gloch."

"Beth am y clapfwrdd?" gofynnodd Sally. Roedd angen *rhywbeth* arni i gychwyn yr archwiliad, er nad oedd yn disgwyl llawer.

"Ie. Diddorol, yn dyfe? Rhyfedd hefyd. Lle'r oedd hwnnw pan weloch chi fe?"

"Ar y llawr," atebodd Sally.

"Rhwng ei draed," ychwanegodd Daf.

Nodiodd Dr Stevens ei phen ar hynny. "Ond nid f'yna oedd e i gychwyn."

"Na?"

"Na. Des i o hyd i'r un math o baent yng ngheg Mr James ag sydd ar y clapper. Ar ei ddannedd, i fod yn fanwl gywir. Lle gwthiodd y llofrudd e i'w geg, siŵr o fod. Ond dyfalu ydw i eto, wrth gwrs."

"Ma' hynny'n awgrymu bod y llofrudd ishe i ni ddod o hyd iddo fe," cynigodd Sally.

"Heb os," cytunodd Dr Stevens, gan gasglu ei phethau yn barod i adael. "A falle bod rhyw arwyddocâd i'r dyddiad sydd arno fe."

"Pa ddyddiad?"

"Tri deg un. Deg. Un naw naw pedwar."

Brwydrodd Daf y chwant i ddweud *Halloweeeeeeeeeen* mewn llais sbwci, a gwnaeth Sally nodyn o'r dyddiad, cyn diolch i'r doctor ac anelu am swyddfa'r gweinidog, er mwyn parhau gyda'r ymholiadau.

Roedd swyddfa'r Parchedig Douglas Morgan wrth ddrws cefn y festri. Cnociodd Sally ac aros am ateb.

"Mewn," daeth y gwahoddiad.

Agorodd Daf y drws ac ystumio ar Sally i fynd o'i flaen. Plyciodd ei ffroenau ar gamu i'r swyddfa. Hen lyfrau, llwch a lleithder. Y triawd sanctaidd. Roedd yr ystafell fach yn cynnwys hen ddesg bren, cadair droelli ledr, lle eisteddai'r gweinidog, dwy gadair bren anghyfforddus yr olwg, silff lyfrau yn drwch o air yr efengyl a wardrob gaeedig. Roedd carped tenau yn gorchuddio'r llawr a chwpwl o ffotograffau yn hongian ar y wal. Yn un o'r fframiau, roedd llun o'r parchedig ei hun, flynyddoedd ynghynt, yn gwenu fel giât wrth sefyll yng nghwmni'r Archesgob Desmond Tutu, pan ymwelodd hwnnw â Sioe Llanelwedd ym 1986. Roedd y llall yn cynnwys delwedd o'r wawr yn torri dros Fynydd Sinai.

Yn araf, cododd yr hen ddyn ac estyn ei law ar draws y ddesg i'r ditectifs gael ei hysgwyd. Heb syndod, roedd hi mor llipa â lliain sychu llestri. Ar ôl eistedd a chydymdeimlo â'r hen fugail am golli un o'i braidd, chwiliodd Sally am gwestiwn call i gychwyn y sgwrs. Gwelodd Daf ei bod yn ffwndro, felly camodd i'r adwy trwy ofyn: "Mr Morgan, maddeuwch i mi am fod mor ddiseremoni, ond allwch chi feddwl am *unrhyw* un fydde eisiau gwneud y fath beth i Mr James?"

"A oedd ganddo unrhyw elynion?" ychwanegodd Sally, gan nodio'n gynnil ar Daf, er mwyn diolch iddo.

Pwysodd y gweinidog yn ôl yn ei gadair ledr gyda golwg bell ar ei wyneb. Roedd ei lygaid yn disgleirio a'r crychau yn palu'n ddwfn i groen ei dalcen. Gwthiodd law fain trwy ei wallt tenau, arian. Gwenodd yn chwithig ar y ditectifs ac ysgwyd ei ben wrth ateb. "Heb fod eisiau dilorni'r meirw mewn unrhyw ffordd," oedodd cyn parhau, gan bwyso a mesur pob gair cyn siarad. "Ond... wel... sut alla i ddweud...?"

Pwysodd Sally ymlaen yn ei chadair, fel petai eisiau estyn i geg y gweinidog a thynnu'r geiriau allan.

"Darganfu Mr James yr Iôr yn hwyr yn ei fywyd..."

"Nid oedd e wedi bod yn aelod yn hir?" gofynnodd Sally.

"Rhyw ugain mlynedd erbyn hyn," atebodd Mr Morgan. "Bach yn hirach, falle. Roedd Mr James yn... yn beth fyddai'r Sais yn ei alw'n 'reformed character'."

Nododd Sally'r geiriau yn ei llyfr bach.

"Yn ôl y sôn, a rhaid i chi werthfawrogi mai ail-law yw'r holl honiadau hyn, roedd Mr James yn arfer bod yn... yn..."

Unwaith eto, oedodd y gweinidog wrth bysgota am y geiriau cywir. "Does dim ffordd neis o ddweud hyn..."

"Dweud beth, Mr Morgan?"

"Roedd e'n fwli. Yn athro ysgol digyfaddawd a milain. Yn hyfforddwr pêl-droed heriol a chas. Yn ôl y sôn."

"A phwy oedd wedi sôn am hyn wrthoch chi?" gofynnodd Daf.

"Nifer o bobl. Gan gynnwys rhai o aelodau'r capel. Ni chafodd groeso cynnes gan bob un. Ac fe soniodd Mr James ei hun hefyd. Roedd e'n agored am ei ffaeleddau. Yn gwybod sut un oedd e."

"Ydych chi'n cofio pwy yn union a leisiodd eu pryderon?"

Sugnodd y parchedig aer trwy ei ddannedd, cyn ysgwyd ei ben yn araf. "Roedd hi mor hir yn ôl. Mae cynifer o bobl wedi mynd a dod ers hynny. Mynd yn bennaf. Mae aelodaeth y capel wedi pylu cymaint erbyn hyn."

"Os gofiwch chi unrhyw beth, Mr Morgan, allwch chi'n ffonio ni ar unwaith?"

"Wrth gwrs, wrth gwrs."

"Ble'r oedd e'n dysgu?" gofynnodd Sally, ei beiro yn barod.

"Ysgol Uwchradd Gerddi Hwyan," atebodd y parchedig. "Glywes i iddo adael o dan gwmwl. Cwmwl tywyll."

"Beth ddigwyddodd?"

"Honiadau o fwlio. O gam-drin."

"Cam-drin?" Cododd Sally ei phen o'i phapur.

"Ie. Ond, dim cam-drin rhywiol, cofiwch. Bwrw plant, poenydio. Y math yna o beth."

"Beth ddwedodd yr aelodau hyn wrthoch chi?"

"Mynegi eu pryderon. Cwestiynu a ddylai'r capel roi croeso i ddyn o'r fath."

"A beth oedd eich ymateb chi?"

Gwenodd Mr Morgan arnynt, a phwyntio at ddarn o frodwaith amaturaidd yr olwg oedd yn hongian mewn ffrâm ar y wal. Craffodd Sally ar y geiriau er mwyn deall y neges.

"Y mae trugaredd a maddeuant gan yr Arglwydd ein Duw, er inni wrthryfela yn ei erbyn."
Daniel 9:9

"Un o brif negeseuon y Beibl yw maddeuant," medd y Parchedig. Nid oedd angen iddo ymhelaethu ar hynny.

Ond er bod Sally'n derbyn bod Duw a'r gweinidog yn ei chael hi'n hawdd i faddau i eraill, nid oedd hynny'n wir ym mhob achos, yn enwedig ymhlith y meidrolion.

"Ydych chi'n adnabod ei chwaer?" gofynnodd Sally, gan mai Gina James oedd y nesaf ar ei rhestr o bobl i'w holi.

Diflannodd y wên a chymylodd ei wyneb. "Yn anffodus, gadawodd Gina'r capel ar yr union adeg yr ymunodd Peter â ni."

"Pam?"

"Doedden nhw ddim yn ffrindiau, rhowch hi fel 'na."

"A welsoch chi unrhyw beth amheus?"

"Amheus?"

"O ran ymddygiad Mr James."

Ysgydwodd y gweinidog ei ben. "Naddo. Dim o gwbl. Roedd Peter yn benderfynol o newid. O gladdu'r gorffennol. O fod yn berson gwell. A gwnaeth e hynny trwy dderbyn yr Iesu i'w fywyd. Er nad oedd e'n berson cymdeithasol iawn, do'dd e byth yn methu gwasanaeth. A bydde fe'n dod 'ma bob nos Sadwrn i ddosbarthu'r llyfrau emynau. Roedd hynny'n rhyw fath o ddefod iddo."

Siglodd Mr Morgan ei ben yn brudd, ei lygaid yn wlyb ac yn wydrog. "Maddeuwch i mi," meddai. "Roedden ni'n ffrindiau. Efallai ei fod e wedi pechu yn y gorffennol, ond roedd e wedi newid. Roedd e'n ddyn da erbyn hyn. Yn ddisgybl ffyddlon. So'r peth yn gwneud unrhyw synnwyr."

Nodiodd y ditectifs ar yr hen ddyn ar ochr arall y ddesg, heb wybod yn iawn beth i'w wneud na'i ddweud nesaf.

"Doedd e ddim yn haeddu hyn!" ebychodd, gan bwyntio i gyfeiriad y capel.

Cododd y partneriaid a pharatoi i adael. "Beth am y camera cylch cyfyng, wrth y drws cefn?" gofynnodd Sally cyn mynd.

"Dummy," atebodd Mr Morgan. Ystumiodd o amgylch ei swyddfa. "Fel gallwch weld, mae coffrau'r hen le 'ma wedi bod yn wag ers blynyddoedd, a doedd dim digon o arian gyda ni i osod a chynnal camerâu go iawn."

Aeth Sally a Daf yn syth o Gapel Horeb i gartref preswyl Gwêl y Don yn ardal Pwll Coch y dref. Pa 'don', nid oedd Sally'n siŵr, achos roedd y môr tua phymtheg milltir o'r fan hyn. Tywyswyd y ditectifs i ystafell breifat Gina James gan ofalwr gwrywaidd. Trawyd Sally ar unwaith gan absenoldeb unrhyw ffotograffau o deulu neu ffrindiau, ar y cyd ag aroglau digamsyniol lafant. Crogai'r unigedd yn yr aer. Fel ei brawd, roedd Gina James yn ei hwythdegau ond, er bod ei chorff yn methu, roedd ei meddwl mor finiog â chyllell Stanley.

"Gelynion!?" ebychodd, ar glywed cwestiwn agoriadol DC Benson. "Fi, yn un, reit yn ffrynt y ciw!" ychwanegodd, gyda gwên. "Bastad oedd e. Bastad fuodd e. A bastad yw e nawr, jyst bod e'n fastad marw."

Syllodd Sally ar yr hen fenyw, gan geisio cadw'r wên oddi ar ei gwefusau.

"Beth ddigwyddodd? Rhyngoch chi, hynny yw?" gofynnodd Sally, er mwyn peidio â chilwenu.

"Bwli oedd Peter. O'r cychwyn cyntaf. Dysgodd e bopeth wrth ein tad. Roedd tyfu lan yn ein tŷ ni yn hunllef, credwch chi fi. Dad yn clatsio Mam. Dad yn clatsio fi a fy mrawd. Peter yn fy mhoenydio i. Fy nghuro. Fy arteithio. Yn emosiynol ac yn gorfforol. Allwch chi ddim gweld y creithiau, ond ma'n nhw dal yno. Ar ôl gadael gytre, yn bymtheg oed, nes i bob ymdrech i'w osgoi trwy gydol fy oes. Gan lwyddo hefyd, tan iddo ymddangos yn y capel un dydd Sul, yn honni ei fod e wedi newid."

"Roedd e *wedi* newid, yn ôl Mr Morgan, y gweinidog," cynigiodd Daf.

Wfftiodd yr hen fenyw ar hynny. "Ma unrhyw beth yn bosib, ond yn wahanol i'r Iôr, yr Iesu a Mr Morgan, doeddwn i ddim yn gallu maddau iddo am y ffordd nath e fy nhrin i ar hyd y blynyddoedd."

Er bod gweddill y sgwrs gyda Gina James yn adloniadol tu hwnt, ni allai'r hen ddynes helpu'r heddlu rhyw lawer gyda'u ymholiadau, yn bennaf achos nad oedd hi wedi gweld ei brawd ers blynyddoedd maith. Ar y ffordd allan, cadarnhaodd y dderbynwraig nad oedd Mr James erioed wedi ymweld â'i chwaer.

Teithiodd Sally'n ôl i'r orsaf heddlu ar ei phen ei hun gyda darnau cyntaf y jig-so yn troelli yn ei phen, er nad oedd ffurf bendant i'r pos eto.

7: Taflegryn

Gyda dechrau'r tymor academaidd ar y gorwel, a'r angen am ddillad newydd, mint, yn anorchfygol, doedd dim angen ail wahoddiad ar Magi pan gynigiodd ei thad wythnos o waith iddi, yn ei helpu i glirio gardd gefn rhieni Ben Marks. Doedd dim gwisg ysgol gan y coleg chweched dosbarth, wrth reswm, felly byddai angen o leiaf pum owtffit newydd ar Magi, yn y gobaith y byddai hynny'n ddigon i osgoi denu sylw ei chyfoedion, ac ennyn eu dirmyg. Ar ôl cael amser reit echrydus yn ystod ei gyrfa ysgol, roedd hi'n benderfynol o fanteisio i'r eithaf ar y bennod newydd hon. Doedd hi ddim yn bwriadu gweddnewid ei hun mewn ffordd eithafol ychwaith – lliwio'i gwallt yn borffor neu ei dorri'n fyr, cael trwyndlws neu datŵ, y math 'na o beth – ond roedd angen dillad newydd arni, a byddai'n gallu mynd i siopa ym Mhen-y-bont ar y penwythnos, diolch i'r £20 y dydd y byddai'n ei gael am ei gwaith caled yr wythnos hon. Roedd ei dyheadau am y tymor newydd yn syml: gwneud ei gwaith orau a allai a gwneud ambell ffrind ar hyd y ffordd. Doedd hynny ddim yn ormod i ofyn, does bosib?

Roedd y tywydd yn braf, diolch i'r haf bach Mihangel a oedd wedi troi Gerddi Hwyan yn fôr o fests a throwsusau byrion, crwyn coch-binc a sbectols haul, ac er bod y gwaith yn gorfforol ac yn galed, roedd hefyd yn foddhaol tu hwnt. Ar glywed ei thad yn disgrifio'r job yr wythnos gynt, ni allai

Magi ddychmygu pam y byddai angen pum diwrnod i orffen y gwaith. Tan cyrraedd cartref Mr a Mrs Marks ar y bore dydd Llun, hynny yw. Tan parcio'r fan ar gerrig mân y dreif a cherdded rownd ochr y tŷ anferth, oedd o leiaf bedair gwaith maint cartref Magi, a dod wyneb yn wyneb â difrifoldeb y dasg. Yn ôl ei thad, roedd y perchnogion wedi cyflogi cwmni tirlunio i weddnewid eu gardd. O ofod diflas, disgwyliedig, oedd yn cynnwys borderi a choed, cloddie, sied bydredig, tŷ gwydr adfeiliedig a chwpwl o welyau tyfu llysiau, i lannerch heddychlon ac unigryw, a fyddai'n cynnwys patio mawr, gasebo, gweithdy bach, ystafell ardd, perlysiau di-rif, barbeciw wedi'i adeiladu o glai, pistyll a chyfres o byllau dŵr, borderi i ddenu peillwyr, creigardd a gardd rosod. Yn ôl ei thad, prosiect Mrs Marks oedd hwn mewn gwirionedd. Rhywbeth i'w helpu i anghofio bod ei hunig fab yn reit debygol o gael ei anfon i ryfela yn nwyrain Ewrop. Roedd y prosiect yn mynd i gostio bom, ac roedd Mr Marks yn awyddus iawn i arbed bach o arian cyn cychwyn ac, o achos hynny, dyma gyflogi Declan a Magi i wneud y gwaith caib a rhaw. Y gwaith torri cefn. Am ffracsiwn y gost, yn ôl amcanbris y cwmni tirlunio. Ni wyddai Magi faint oedd ei thad yn ei godi, a doedd dim ots ganddi chwaith. Am ugain punt y dydd, roedd hi'n fwy na hapus dod yn gwmni iddo, ac roedd llond wardrob o ddillad newydd o fewn cyrraedd.

Tua hanner awr wedi wyth ar y bore Llun, gyda'r haul cynnar yn cripian rownd cornel y tŷ, a'r gwlith yn glynu at y glaswellt, safai Magi a'i thad ar y patio llithrig, oedd wedi'i orchuddio gan fwsogl, yn ystyried lle i gychwyn. Yn debyg i'w cartref, roedd gardd y Markses yn anferth. Nid oedd Magi erioed wedi gweld un mor fawr. Dim gyda'i llygaid ei hun, ta beth. Ar y teli, wrth gwrs, ond dim fel hyn, a hynny yng

Ngerddi Hwyan. Ar ôl treulio'i bywyd ar ystad tai cyngor Y Wern, roedd ei gorwelion yn gyfyng, gallai weld hynny'n awr. Byddai modd ffitio cae pêl-droed yn y padog, a doedd hynny ddim hyd yn oed yn cynnwys y traean pellaf o'r tŷ, oedd fel jwngl ac yn ddryswch o ddrain a chwyn.

"Bore da," daeth llais awdurdodol Mr Marks o'r tu ôl iddynt, wrth iddo gamu i'r ardd trwy ddrws yr iwtiliti.

"Bore braf," medd Declan, gan droi a gwenu ar y bós.

Defnyddiodd Mr Marks leitar arian i danio'i bib, oedd yn cyrlio o'i geg fel peipen bedol o dan sinc, cyn pwffian arni am sbel, tynnu'r mwg yn ddwfn i'w fron a chwythu'r cyfan allan drachefn.

"Ydy wir," atebodd o'r diwedd. "Ble chi'n mynd i gychwyn?" gofynnodd Mr Marks, gan lygadu'r ardd.

"Fi'n disgwyl i ni gymryd rhyw dri diwrnod i glirio'r rhan agosaf at y tŷ, fan hyn, a wedyn taclo'r jwngl cyn diwedd yr wythnos."

Nodiodd Mr Marks a chwythu mwg o'i drwyn. Er gwaethaf ei farf daclus lwyd, gallai Magi weld Ben yn glir o gwmpas ei lygaid. "Cynllun da. O'n i'n disgwyl i'r sgip gyrraedd cyn brecwast…"

"Fe ddechreuwn ni glirio a symud pethe rownd i'r blaen, cyn llwytho'r sgip pan ddeiff hi."

"'Na ni. A bydd y cwmni'n dod â sgip wag cyn gynted ag y llenwch chi'r un gynta. 'Na beth wedon nhw, ta beth."

"Grêt," medd Declan, a throi at ei ferch. "Dere, Magi, ewn ni i ôl y menig a'r oferôls."

Nodiodd Magi a dechrau cerdded yn ôl i gyfeiriad y fan. Roedd hi'n dechrau poethi'n barod ac, er ei bod yn gwerthfawrogi'r angen i wisgo troswisg, nid oedd yn edrych mlaen at yr artaith chwyslyd. Wrth droi'r cornel, clywodd Mr

Marks yn gofyn i'w thad a oedd ar gael i beintio tu fewn y tŷ iddo, yn unol â rhyw sgwrs flaenorol, na chlywodd Magi mohoni. Cytunodd ei thad, wrth gwrs, ond aeth y manylion ar goll yn y bore mwyn.

Erbyn bore dydd Iau, roedd Magi a'i thad yn ddwfn yng nghanol y jwngl. Dros y tridiau diwethaf, cliriwyd gweddill yr ardd heb unrhyw drafferth. Gwthiodd Magi'r whilber ddegau, os nad cannoedd, o weithiau o'r ardd gefn, lawr y llwybr ar ochr y tŷ, at y sgip oedd yn aros amdani ar y dreif. Roedd ei chorff yn gwegian a'r oferôls heb atal pob draenen rhag rhwygo ei chroen a denu gwaed i'r wyneb. Ac er gwaethaf ei menig trwchus, roedd ei dwylo'n ymdebygu i golandrau o ystyried yr holl dyllau. Trwy gydol yr wythnos, byddai Mr Marks yn cadw llygad ar eu cynnydd, gan ddod i'r ardd i ofyn am ddiweddariadau cyson gan ei thad. Fodd bynnag, nid oeddent wedi gweld ei wraig o gwbl. Ar y ffordd adref y noson gynt, datgelodd ei thad wrthi bod Mrs Marks yn galaru, o fath, oherwydd bod Ben yn mynd i gael ei anfon i Bosnia cyn y Nadolig. Er nad oedd Magi yn talu lot o sylw i'r newyddion, roedd hi'n amhosib peidio gwybod bod pethau'n wael yn nwyrain Ewrop. Roedd pob bwletin yn cynnwys straeon am farwolaethau a gwrthdaro, delweddau o fomiau'n disgyn, taflegrau'n ffrwydro, adeiladau ar dân, plant yn crio yn y llwch, dinistr dieflig a bywydau ar chwâl, tra roedd y papurau newyddion yn cymryd pob cyfle posib i hyrwyddo ymdrechion 'arwyr' byddin ei Mawrhydi a llu cynnal heddwch y Cenhedloedd Unedig. Ond tan y foment hon, er iddi ei weld yn edrych yn olygus tu hwnt yn ei iwnifform, nid oedd Magi wedi ystyried y byddai Ben yn cael ei anfon i ymladd yn unman. Torrodd ei chalon rhyw fymryn, oherwydd bod posibilrwydd na fyddai byth yn ei weld e eto. Mwyaf sydyn, gallai gydymdeimlo'n llwyr â Mrs Marks.

Ar ôl dwy awr o waith digyfaddawd, gyda'i thad yn torri'r prysgwydd trwchus â machete miniog, a Magi'n codi, llenwi a gwthio'r whilber at y sgip, ymddangosodd Mr a Mrs Marks ar y patio, gan wahodd y gweithwyr i ymuno â nhw am ddiod oer. Diolchodd Declan a Magi am eu haelioni, ac eisteddodd y pedwar yn yr haul; yr oedolion yn siarad yn fân ac yn gwrtais gyda'i gilydd, a Magi'n difaru eistedd ar y fainc, gan ei bod yn gallu teimlo'i chyhyrau yn cloi, a'r cramp yn bygwth ymosod ar grothau ei choesau. Trodd Magi ei sylw at y sgwrs, mewn ymdrech i atal ei chorff rhag methu. Edrychodd ar Mrs Marks am arwyddion allanol o'i gorbryder. Ni welodd yr un, er y gwyddai Magi'n barod fod pawb yn gwisgo mwgwd yn y byd hwn. Dyfalodd ei bod hi'n gyfforddus yn ei phumdegau. Fel ei gŵr. Ond, yn wahanol i dad Ben, oedd wedi cofleidio'i ganol oed fel cardigan wlanog gyfforddus, roedd ei wraig yn parhau i ddal ei gafael ar ei hieuenctid. Wel, roedd hi'n ceisio gwneud, ta beth. Roedd ei gwallt melyn potel wedi'i dorri'n gwta ac yn ffasiynol, a doedd dim arwydd o'i gwreiddiau o gwbl. Gwisgai jîns tyn a chrys siec, gan atgoffa Magi o Dolly Parton. Roedd ei thrwyn smwt yn troi'r mymryn lleiaf, fel porchell, a'i dannedd mor syth â bysellau ar biano. Namyn y rhai du, wrth gwrs. Gwisgai haenen denau o finlliw ar ei gwefusau, a dim bripsyn arall o golur.

"Ydy Garwyn wedi sôn am y gwaith peintio?" gofynnodd Mrs Marks wrth ei thad.

"Ydy," cadarnhaodd Declan. "Pan fydd y tywydd yn troi."

"Canol mis nesaf, mae'n siŵr," ychwanegodd Mr Marks, gan wneud i'w thad nodio.

"Faint o job yw e, chi'n meddwl?"

Sugnodd Mr Marks aer trwy ei ddannedd, wrth ystyried y cwestiwn. "Pump ystafell wely. Dau en suite. Un bathrwm. Landin a lawr y grisiau i'r cyntedd."

"Os allwch chi neud un stafell ar y tro, bydd hynny'n help mawr," medd Mrs Marks.

"Dim problem, beth bynnag sy'n gwneud bywyd yn haws i chi."

"Diolch, Declan," medd Mr Marks. "Dere â cwôt i fi pan gei di gyfle ac fe ewn ni o'r fan yna."

Allan o nunlle, trodd Mrs Marks at Magi. "Fyddi di'n helpu dy dad gyda'r peintio?"

"Sa i'n siŵr," atebodd Magi. "Fi'n dechrau yn y coleg cyn hir, so sa i'n gwbod faint o amser fydd gyda fi."

"A beth wyt ti'n mynd i astudio?"

"Daearyddiaeth, busnes a Saesneg."

"Gwych," medd Mrs Marks.

Teimlodd Magi mor lletchwith, gofynnodd a oedd Mr a Mrs Marks wedi clywed wrth Ben, ers iddo adael. Ar unwaith, yn hollol annisgwyl o ystyried ei hwyliau heulog, cododd Mrs Marks heb air a diflannu i'r tŷ. Syllodd y tri oedd ar ôl i'r gwagle, cyn i Mr Marks esbonio.

"Ffoniodd e neithiwr. Ma fe'n mynd i Bosnia ddechre mis Tachwedd."

"Shit," mwmiodd Magi o dan ei hanadl.

"Yn wir," nodiodd Mr Marks.

Y noson honno, prynodd Declan Big Mac meal iddo fe a Magi, cyn bwyta'r byrgers a'r sglodion seimllyd yn y maes parcio ac anelu am y clwb pêl-droed.

"Fi 'di addo peintio'r dug-outs cyn gêm dydd Sadwrn."

Edrychodd Magi arno'n syn. Yr unig beth oedd hi eisiau ei wneud oedd mynd adre, cael cawod a mynd i'r gwely, i wrando ar gerddoriaeth a chwympo i gysgu. Roedd yr holl waith corfforol yma'n hanner ei lladd hi. Nid oedd ymrwymiad ei thad i'r clwb yn gwneud unrhyw synnwyr iddi chwaith. Digon teg petai'n dal yn chwarae neu'n hyfforddi'r tîm, ond o'r hyn y gwelodd hi dros y blynyddoedd, doedd neb hyd yn oed yn ei hoffi fe yno. Dim hyd yn oed ei wraig.

Ar gyrraedd y clwb, penderfynodd Magi i roi help llaw iddo, yn bennaf er mwyn sicrhau eu bod yn gorffen y job yn gynt. Hen strwythurau pren oedd y dug-outs. Un yn sefyll naill ochr i'r llinell hanner ffordd ar y cae, yn uniongyrchol o flaen yr ystafelloedd newid a'r bar ar y llawr cyntaf. Roedd y paent lliw coch a gwyn – lliwiau cit y clwb – yn plicio, felly'r peth cyntaf roedd yn rhaid iddynt ei wneud oedd eu sandio. Aeth Declan ati i weithio ar dug-out y tîm cartref, gyda Magi'n troi ei sylw at y llall. Cymerodd y gwaith sandio hanner awr dda i'w orffen ac, yn ystod y cyfnod hwnnw, dechreuodd ceir niferus gyrraedd y maes parcio gerllaw. Gwyliodd Magi'r chwaraewyr yn mynd i mewn i'r ystafelloedd newid yn eu dillad gwaith, cyn ymddangos ychydig yn hwyrach yn eu citiau ymarfer corff. Gwerthfawrogodd ambell bâr o goesau siapus wrth iddynt loncian heibio, ac yna gwelodd Iori Tomos, capten y clwb, yn camu o'r ystafelloedd newid yng nghwmni dyn hŷn. Boi yn ei bumdegau gyda choesau bandi. Mr James oedd ei enw. Hyfforddwr y clwb a chyn-athro ymarfer corff Ysgol Uwchradd Gerddi Hwyan. Roedd e wedi gadael yr ysgol cyn i Magi ddechrau – o dan gwmwl, os oedd y clecs i'w credu – ond roedd ei enw'n dal i atseinio oddi ar waliau'r coridorau, fel rhyw fwbach neu fwci-bo. Roedd y sibrydion yn syfrdanol. Clecs am fwlio a cham-drin. Corfforol, emosiynol a hiliol. Honiadau o ffafriaeth ac arwahanu. Cyhuddiadau am ysbïo ar ferched yn yr ystafelloedd newid. 'Pete y Pyrf' oedd pawb yn ei alw, yn ôl y graffiti oedd wedi'i grafu ar nifer o ddesgiau yn y dosbarthiadau; yn rhannu gofod gyda rhai o fandiau chwedlonol yr ysgol: Y Madarch Hud, The Wet Wipes a Bendygaydfran, ymysg eraill. Clywodd Magi ei fod wedi gosod camera yn ystafelloedd newid y merched, ond ni chafodd ei erlyn gan yr heddlu, felly ni allai'r stori fod yn wir. Ar ben hynny, roedd hi'n amhosib credu'r sïon, yn bennaf oherwydd maint y camerâu fideo cartref oedd ar gael yn y siopau. Byddai'n haws cuddio eliffant yn ffreutur yr ysgol. Yr unig beth sicr oedd bod Mr James yn atsain o oes a fu. Dinosor oedd yn styc yn y saithdegau. Cyfnod pan roedd clatsio disgyblion yn gwbl dderbyniol. Dyn drwg, tu hwnt i achubiaeth. Ond er ei hanes cythryblus ym myd addysg, roedd chwaraewyr cyfredol Clwb Pêl-droed Gerddi Hwyan yn ei barchu'n fawr. Er nad oedd modd dweud yr un peth am ei thad.

Cerddodd Mr James ac Iori Tomos yn syth amdanynt, er nad oeddent yn cymryd unrhyw sylw o'r gweithwyr. Syllodd Magi arnynt. Y ddau'n meddwl eu bod nhw mor bwysig. Cariai'r hyfforddwr gamera fideo mewn un llaw a threipod yn y llall; fel reiffl ar ei ysgwydd. Behemoth sgwâr oedd y camera; lliw du sgleiniog, gydag RCA mewn llythrennau coch ar ei ochr. Roedd Magi wedi ei weld yn ei ddefnyddio yn y bar. I be, doedd dim syniad ganddi. Roedd y boi'n hollol obsessed. Ni allai Magi ddychmygu beth roedd e'n gwneud gyda'r fideos. Fflachiodd delwedd ohono'n eistedd yn ei bants yn y lolfa, yn gwylio oriau o ffilmiau aneglur ar ei ben ei hun. Am ddyn trist. Siglodd Magi ei phen i waredu'r darlun. Roedd Iori Tomos ar y llaw arall yn debyg o ran oedran i'w thad ond, diolch i fwy o lwc gydag anafiadau, roedd e'n dal i chwarae, tra roedd Declan wedi'i ddiraddio i ddal brws paent neu i wthio'r mower. Gwelodd Magi fod ei thad wedi stopio peintio a'i fod yn syllu ar Iori. Fflachiodd atgofion a delweddau yn ei phen. Drws clo y toiled anabl. Tin noeth yn diflannu dros ffens. Gwawriodd y gwirionedd ar Magi: roedd ei thad yn gwybod popeth.

"Be ti'n edrych arno, *Dick-lan?*" poerodd Iori. Heb oedi, camodd Mr James rhyngddynt a thywys capten y tîm ymlaen i'r cae i ymuno â'i gyd-chwaraewyr, ond parhau i syllu ar eu cefnau wnaeth Declan, ei fochau'n gwrido wrth i'w waed fudferwi.

Rhyw awr yn ddiweddarach, roedd Magi a Declan yn dod at y diwedd. Ar ôl y sandio, roedd y peintio yn ddigon hawdd. Wedi'r cyfan, doedd dim angen bod yn gelfydd wrth wneud y math yma o waith. Taenu'r paent mor drwchus â phosibl, a gobeithio y byddai'n sychu cyn iddi ddechrau glawio eto. Dechreuodd y chwaraewyr adael y cae ar ddiwedd y sesiwn hyfforddi, ond sylwodd Magi fod llond llaw wedi aros ar ôl i ymarfer eu ciciau rhydd, o dan drem barhaus y camera fideo. Aeth ymlaen gyda'i gwaith, heb feddwl mwy amdanynt. O gornel ei lygad, gwyliodd Declan y pêl-droedwyr gan deimlo pwl o genfigen yn ddwfn yn ei fol. Roedd e'n gweld eisiau'r gêm, heb os, er nad oedd yn gweld eisiau bod yn yr un tîm ag Iori Tomos a'i gronis. Safai Iori, Mr James a dau arall o'r tîm, Freddy Atwood a Matthew Ross, ar ochr y blwch cosbi, yn trafod tactegau ac yn anelu ciciau rhydd am y cornel uchaf. Heb lwyddiant, gan fwyaf. Aeth Declan i helpu ei ferch, a oedd wedi gwneud job gwych, chwarae teg, ond o fewn eiliadau, trodd y byd ar ei echel, pan laniodd pêl fel taflegryn niwclear yn sgwâr ar gefn pen Magi, gan wneud iddi gwympo ar lawr yn ddisymwth, ar ei hwyneb i'r glaswellt.

"Magi! Magi! Shit! Ti'n iawn?" Penliniodd Declan ar y llawr, wrth ochr ei ferch, gan ddal ei phen yn ei gôl. Rholiodd ei llygaid a diflannu am amrant, cyn dychwelyd i'w lle priodol.

Cododd Magi law at gefn ei phen.

Trodd Declan a gweld y pedwar pêl-droediwr yn cerdded tuag atynt, ond yn hytrach nag ymddiheuro, pryderu am gyflwr Magi neu holi a oedd hi'n iawn, roedd y bastards yn glaswenu'n agored neu'n piffian chwerthin y tu ôl i'w dwylo. Berwodd y gwaed ym mogel Declan. Cododd ar ei draed a mynd i'w herio. Trwy'r niwl, gwyliodd Magi ei thad yn rhuthro tuag at Iori Tomos. Gwelodd e'n swingio'i ddyrnau fel dyn gwyllt, ond y peth nesaf roedd hi'n ei gofio oedd eistedd yn y fan unwaith eto, ei phen yn dychlamu a'i thad yn magu llygad du a gwefus waedlyd.

"Beth ddigwyddodd, Dad?"

Trodd Declan i edrych ar ei ferch. Siglodd ei ben yn brudd. Yna gwenodd yn druenus trwy'r gwaed. "Dylset ti weld yr olwg ar y boi arall..."

8: Bingo

Am ugain munud i ddeg ar y bore dydd Llun, eisteddai Sally yn ei char ym maes parcio staff Ysgol Uwchradd Gerddi Hwyan yn aros i Daf gyrraedd. Roedd ei phartner gwaith yn hwyr, ond nid oedd hynny'n ei phoeni, nac yn ei synnu. Roedd eu patrwm sifft ar chwâl yn llwyr, diolch i'r llofruddiaeth yng Nghapel Horeb. Sally a Daf oedd yr unig rai ar yr achos. Yn llawn amser, hynny yw. Nid oedd gan yr adran na'r gwasanaeth ehangach yr adnoddau i neilltuo mwy o swyddogion i'r archwiliad. Dim ar hyn o bryd. Ar ôl cwpwl o oriau o gwsg ben bore Sul, ac ar ôl siarad gyda'r gweinidog a chwaer y dioddefwr, gweithiodd y ddau tan yn hwyr neithiwr, gan oroesi ar goffi cryf ac awyr iach, a ffocysu ar achosion tebyg o bob rhan o'r Deyrnas Unedig. Ond hyd yn oed wrth fynd trwy system HOLMES, gwyddai Sally mai ofer oedd eu hymdrechion, achos roedd ei greddf yn dweud wrthi mai rhywun lleol oedd wedi lladd Peter James, nid bwgan o bell. Dyfalai fod y gwir wedi'i gladdu rhywle yn hen hanes tywyll Mr James. Gobeithiai y byddai'r post mortem yn helpu, ond am nawr, siarad, holi, palu a phrocio oedd yr unig gyfarpar yn ei harffdy. A dyna pam roedd hi'n eistedd fan hyn yn aros am Daf. Roedd ei batrwm cwsg yn gwbl anghyson ta beth, diolch i'r babi. Roedd yr un peth yn wir am Sally, wrth gwrs, er nad plentyn oedd wrth wraidd ei anhunedd hi. Ar ôl noson fratiog arall, lle dawnsiodd yr atgofion tywyll cyfarwydd yn y düwch, gan blethu gyda delweddau ffres o gorff gwantan Peter James a'r hollt fwyell waedlyd yn ei wddf, a gwneud iddi chwysu a sgrechen a gweld eisiau Ben fwy fyth, cododd Sally'n gynnar, cyn mynd trwy ei phethau – cawod, gwisgo, brwsio'i gwallt, brecwast, coluro – a chyrraedd yr ysgol toc wedi naw. Parciodd ei char a gwylio'r ymlusgwyr olaf yn cyrraedd; yr hwyr-ddyfodiaid, yn cerdded yn frysiog at fynedfa'r adeilad, gan baratoi eu hesgusodion yn eu pennau. Tywynnai'r haul yn yr awyr las, gan dywys Sally'n ôl i'r gorffennol, pan roedd hi a Daf yn mynychu'r union ysgol yma. Dim ond tair blynedd ar ddeg oedd wedi pasio ers iddynt adael, ar ôl sefyll eu harholiadau Lefel A, ond roedd yr ysgol wedi newid cymaint yn y cyfamser. Roedd dau gae artiffisial, bob tywydd, wedi disodli'r hen gaeau rygbi a hoci glaswelltog, oedd yn arfer troi'n gorsydd cleiog anchwaraeadwy ar ôl y mymryn lleiaf o law. Codai'r llifoleuadau fel triffidiaid uwchben y disgyblion morgrugaidd oedd wrthi'n goddef eu gwersi cyntaf ar yr astrotyrff. Er gwaethaf presenoldeb yr haul, roedd hi'n bell o fod yn hafaidd heddiw. Ers i Sally adael, roedd yr ysgol hefyd wedi ychwanegu bloc drama, bloc gwyddoniaeth a champfa newydd i'r safle. Roedd hi hefyd wedi clywed sôn bod salon trin gwallt yn yr ysgol erbyn hyn, er mwyn diwallu anghenion galwedigaethol rhai o'r disgyblion anacademaidd. Roedd hynny wedi llenwi Sally â gobaith. Roedd hi'n ddigon ffodus i fod yn ddisgybl galluog a allai lwyddo ym mhob maes, ond gallai gofio nifer o'i chyfoedion oedd yn cael eu hesgeuluso gan system oedd yn ffocysu'n absoliwt ar gyrhaeddiad addysgol, heb roi unrhyw ystyriaeth i'r byd go iawn, tu hwnt i waliau'r dosbarth. Claddodd yr atgofion, gan droi ei sylw at yr achos. Yn ôl sylwadau'r Parchedig Douglas Morgan a Gina James, chwaer y dioddefwr, roedd hanes cythryblus a thywyll i orffennol Peter James. Ond er hynny, roedd natur ei farwolaeth yn awgrymu casineb dwfn. Dwfn iawn. Ac ar ôl pengaeadau rhwystredig y diffyg tystiolaeth fforensig cychwynnol a'r holi o ddrws i ddrws, nid oedd trywydd pendant gan y ditectifs i'w ddilyn eto, felly gobeithiai Sally'n arw y byddai'r ymweliad â'r ysgol yn agor drws neu ddau iddynt. Wedi'r cyfan, fel plismones uchelgeisiol, nid oedd methu â datrys yr achos hwn – yr achos cyntaf o dan ei harweiniad – yn opsiwn.

Gwyliodd Sally ei phartner yn cyrraedd, gan barcio'i gar gerllaw. Camodd Daf o'i jalopi. Roedd e'n edrych fel petai'n gwisgo gogls nofio, diolch i'r cylchoedd cwsg tywyll o gwmpas ei lygaid. Tyfai gwerth tridiau o stybl ar ei ên. Nid oedd wedi smwddio'i grys. Trwy ei sbectol haul, syllodd Sally arno'n agosáu. Teimlai beth tosturi drosto. Dychmygai fod magu babi yn ddigon o her, heb orfod delio â sifftiau anghyson a llofruddiaeth erchyll ar ben hynny.

"Iawn?" gofynnodd Sally, gan gamu o'i char.

"Grêt," atebodd Daf.

Ddeg munud yn ddiweddarach, tywyswyd y ditectifs gan Mr Jones, un o dderbynyddion yr ysgol, i swyddfa Mrs Dilys Bradley, y pennaeth, oedd yn cuddio mewn cornel tawel, ar hyd coridor cul tu ôl i'r neuadd fawr. Dilynodd Sally'r derbynnydd; ei sylw'n cael ei dynnu bob yn ail gan yr oriel o ffotograffau o ddisgyblion mwyaf talentog yr ysgol ym myd y campau, yn syllu arni o'r waliau, a'r arogleuon cyfarwydd oedd yn dawnsio yn yr aer. Cyfuniad hiraethus o gannydd diwydiannol, hen fwyd a chwys.

"Sally Morris a Dafydd Benson!" ebychodd y brifathrawes gyda gwên groesawgar, pan agorodd y drws a dod wyneb yn wyneb â'r ddau gyn-ddisgybl. "Dewch mewn, dewch mewn," ychwanegodd, gan ysgwyd llaw yr ymwelwyr.

Diolchodd Mrs Bradley i Mr Jones, a chau'r drws drachefn. Gwahoddodd y ditectifs i eistedd, a gwnaeth hi'r un peth. Roedd ei desg yn cynnwys sgrin gyfrifiadur a bysellfwrdd, a phentyrrau o bapurach, tra roedd waliau'r swyddfa un ai wedi'u gorchuddio gan ffotograffau o sioeau ysgol mawreddog yr olwg, neu silffoedd yn gwegian o dan bwysau ffeiliau a llyfrau. Ymwthiodd golau'r bore trwy'r ffenest fach ar y wal y tu ôl i ddesg y brifathrawes, gan roi naws angylaidd iddi, oedd yn gwrthgyferbynnu'n llwyr â'r ffordd roedd Sally'n ei chofio o'i hamser yn yr ysgol. Mrs Bradley oedd pennaeth yr adran Saesneg pan ddechreuodd Sally a Daf fynychu'r ysgol. Tasgfeistr digyfaddawd, ond teg, oedd o hyd yn herio'i disgyblion. Erbyn iddynt adael, roedd Mrs Bradley yn ddirprwy bennaeth, gyda'i phryd ar gyrraedd y brig. Gallai Sally a Daf gofio fod ofn y fenyw bwerus hon, ond efallai mai ei chofio trwy lygaid plant oedden nhw, achos roedd y cyfeillgarwch a'r cynhesrwydd yn tywynnu ohoni'r bore hwn. "Am ddiléit!" ebychodd eto, gan edrych o un i'r llall. "Ditectif Sarjant Sally Morris a Ditectif Sarjant Dafydd Benson, am ffordd hyfryd o gychwyn yr wythnos. Pwy fydde wedi meddwl...?" Meddwl beth, ni allai Sally ddyfalu, er mai ar Daf roedd hi'n edrych pan ynganodd y geiriau. Yna, newidiodd pryd a gwedd y brifathrawes mewn amrant, wrth iddi wawrio arni nad galwad gyfeillgar oedd hon. Sythodd yn ei sedd ac anadlu'n ddwfn. "Maddeuwch i mi, ond mae wastad yn hyfryd gweld cyn-ddisgyblion yn ffynnu yn y byd mawr drwg. Er, o ystyried eich swyddi, rwy'n cymryd nad galwad gymdeithasol yw hon. Yn wir, dwi 'di clywed y newyddion, ac felly'n gallu dyfalu diben yr ymweliad."

"Mr Peter James," medd Sally.

"Ie," atebodd Mrs Bradley; yr olwg ar ei hwyneb yn

bradychu ei theimladau yn llwyr. Poerodd ei enw. "Peter James." Anadlodd y pennaeth ac ysgwyd ei phen. "Fi'n siŵr bo' chi'n cofio'r graffiti."

"Pete y pyrf?" ategodd Daf.

"Yn wir," atebodd Mrs Bradley. "Mae'i enw e i'w weld ar waliau'r ysgol hyd heddiw. Ond dyna oedd *pawb* yn ei alw. Disgyblion *a* staff. Deinosor o ddyn. Bwli. Heb amheuaeth. A mwy, os gredwch chi'r sibrydion. Cafodd ei ddiswyddo ym mil naw wyth saith. Tua'r un pryd y dechreuais i weithio 'ma."

"Bach cyn ein hamser ni," medd Sally.

Nodiodd Mrs Bradley ar hynny. "Athrawes amhrofiadol o'n i ar y pryd ac, a dweud y gwir, ches i ddim fy ngorfodi i ddelio â Mr James rhyw lawer. Does dim lot o orgyffwrdd rhwng yr adran Saesneg a'r adran chwaraeon. Diolch byth."

Edrychodd y brifathrawes i fyny a gweld y siom ar wynebau'r ditectifs. Roedd Sally wir yn gobeithio y byddai'r ymweliad wedi arwain at ryw ddatgeliad. Sbardun. Sbarc. *Rhywbeth*.

"Ydych chi'n cofio *pam* y cafodd Mr James ei ddiswyddo?" gofynnodd Sally, gan wthio bys troed trosiadol i gil y drws dychmygol.

"Ydw. A dweud y gwir, mae gen i'r adroddiad swyddogol fan hyn," meddai, gan godi ffeil felyn fratiog oddi ar ei desg. "Ges i Mr Jones i'w mofyn hi, pan glywes i bod yr heddlu eisiau gair. Dyddiedig y pedwerydd o Fai un naw wyth saith. Yn ôl yr adroddiad, 'camymddygiad difrifol' oedd y rheswm." Crychodd Mrs Bradley ei thrwyn ar amwysedd y datganiad.

"Oes yna fwy o fanylion?" gofynnodd Sally.

"Dim llawer. Ma' 'na restr o gyhuddiadau. Bwlio yn bennaf. Prin yw'r manylion, yn anffodus. Roedd e'n ddyn cas, fel wedes i. Milain hyd yn oed. Ac roedd ganddo'i ffefrynnau. Aelodau'r tîm cyntaf. Chi'n gwbod shwt ma' hi."

"Oes rhywbeth allwch chi ychwanegu at hynny, Mrs Bradley?" gofynnodd Daf.

"Beth? Ei ffefrynnau?"

"Ddim o reidrwydd..." oedodd Daf. "Rhywbeth wedoch chi funud yn ôl."

"Beth?"

"Wedoch chi ei fod e 'heb os yn fwli, a mwy na hynny hefyd'." Trodd Sally i edrych ar ei phartner. Efallai ei fod yn ymddangos yn hanner marw, ond roedd ei ben yn troi can milltir yr awr.

"Yn ôl yr adroddiad hwn," pwyntiodd Mrs Bradley at y ffeil. "Bwli oedd e. Bwli oedd wedi troseddu ar fwy nag un achlysur, nes bod dim dewis gan y Bwrdd Llywodraethwyr ond ei ddiswyddo. Ac eto..."

Oedodd Mrs Bradley. Syllodd y ditectifs arni; eu llygaid yn pledio gyda hi i fynd yn ei blaen.

Rhoddodd Mrs Bradley ei chledrau ar y ddesg ac edrych yn gyntaf ar Sally, ac wedyn ar Daf. "Sibrydion," dechreuodd, cyn oedi unwaith eto. Gwyddai Sally ei bod yn cloriannu a oedd rhannu beth bynnag oedd ar ei meddwl gyda'r heddlu yn beth doeth ai peidio. "Clecs." Oedodd eto, cyn anadlu'n ddwfn a mynd yn ei blaen. "Os rwy'n cofio'n iawn, a rhaid i chi gofio fy mod yn siarad am bethau – *efallai* – ddigwyddodd dros ddeng mlynedd ar hugain yn ôl, ond roedd sïon ar led bod rhywun wedi gosod camera cudd yn ystafelloedd newid y merched, ac roedd bysedd pawb yn pwyntio at Mr James."

Sgriblodd Sally nodyn yn ei llyfr bach.

"Nawr, ym mil naw wyth saith, doedd dim camerâu bach cudd ar gael o Amazon, a doedd ffonau symudol ddim i'w cael. Wel, roedd un gan Gordon Gekko, ond ddim gyda Joe Bloggs..." Gwelodd Mrs Bradley'r dryswch yn llygaid y ditectifs, ac ychwanegodd: "Y werin datws, hynny yw. Y pwynt rwy'n ceisio'i wneud yw... er bod Peter James yn sicr yn fwli ac yn haeddu cael ei ddiswyddo, mae'r stori am y camera braidd yn anghredadwy, yn annhebygol."

"A dyw'r adroddiad ddim yn dweud unrhyw beth am y camera?" prociodd Daf.

Ysgydwodd Mrs Bradley ei phen. "Fel wedes i, honiadau yn unig yw'r rhain. Sibrydion. Clecs ddechreuodd ar ôl i Mr James adael yr ysgol. Urban legend. Bogeyman. Chi'n gwybod shwt ma pethe mewn ysgolion. Pawb yn cario clecs. Ma' Mr Petty wedi ennill y Pools. Ma' Mrs Robinson yn ddeurywiol. Ma' Mr Marshall a Mr Manning yn cael affêr."

"Fi'n cofio'r un yna," medd Daf.

"A fi," ategodd Sally.

"Y pwynt o'n i'n ceisio gwneud," medd Mrs Bradley, "yw bod yr achosion bwlio cynyddol yn ddigon o reswm i gael gwared arno fe. A gwynt teg ar ei ôl hefyd. Roedd Peter James yn athro gwael. Roedd e'n cymryd mantais o'i rôl fel addysgwr. Ac o'i awdurdod. Ac roedd yr ysgol yn lle gwell o lawer ar ôl iddo adael. Diolch byth nad oes dinosoriaid fel fe ar ôl yn y proffesiwn bellach."

"Diolch, Mrs Bradley," medd Sally, cyn meddwl am un cwestiwn bach arall. "Ydy'r adroddiad yn cynnwys enwau'r disgyblion wnaeth yr honiadau o fwlio yn erbyn Mr James?"

Unwaith eto, ysgydwodd Mrs Bradley ei phen. "Roedd pethau'n wahanol iawn ym mil naw wyth saith. Nid oedd y gweithdrefnau a'r prosesau mor wydn o gymharu â heddiw. Ddim o bell ffordd. Petai'r un peth yn digwydd nawr, byddai cofnod manwl o bob dim, gan gynnwys enwau'r dioddefwyr, dyddiadau pob digwyddiad ac ati." Cododd Mrs Bradley'r ffeil simsan a'i chwifio o flaen y ditectifs. "Fel gallwch chi weld, *osgoi* archwiliadau ac atebolrwydd oedd y nod yn yr wythdegau, nid cymryd cyfrifoldeb. Gwarchod enw da'r ysgol, yn hytrach na diogelu'r disgyblion."

Diolchodd y ditectifs a gadael swyddfa Mrs Bradley yn isel eu hysbryd; eu camau'n drwm o dan bwysau'r diffyg cynnydd.

"Esgusodwch fi," daeth y llais o du ôl i sgrin y cyfrifiadur ar ddesg y dderbynfa, gan stopio'r ditectifs cyn iddynt agor y drws a gadael yr ysgol. Cododd Mr Jones, y dyn ifanc a dywysodd Sally a Daf i swyddfa Mrs Bradley, ar ei draed. "Alla i gael gair clou 'da chi plis?"

Roedd y dderbynfa'n dawel bellach, a phob disgybl hwyr wedi cyrraedd eu gwersi. Gallai Sally weld dwy ysgrifenyddes yn gweithio'n ddiwyd wrth eu desgiau mewn swyddfa drefnus y tu ôl i ddesg Mr Jones; y bysellfyrddau'n clecian a'r ager yn codi o'u coffi crasboeth.

"Wrth gwrs," atebodd Sally, gan gamu draw, gyda Daf yn dynn wrth ei sodlau.

"Meddwl falle fyddech chi ishe gweld hwn," medd Mr Jones, gan droi sgrin denau ei gyfrifiadur i'w cyfeiriad. "Facebook," meddai. "Tudalen aduniad blwyddyn mil naw wyth deg i fod yn fanwl gywir."

"A?" gofynnodd Sally, gan frwydro i weld y cysylltiad, y perthnasedd.

"Sori," medd Mr Jones mewn ymateb, gan godi ei law i ymddiheuro. "Gadewch i fi esbonio. Un o fy swyddogaethau i yn yr ysgol yw cadw llygad ar dudalennau fel hyn. Unrhyw beth ar-lein sy'n ymwneud â'r ysgol. Hen a newydd. Ambell waith, ma' rhieni'n mynd ar y socials i gwyno am yr ysgol. Neu am athrawon. Neu am y bwyd yn y ffreutur. Beth bynnag, ma' Mrs Bradley eisiau gwybod er mwyn gallu delio gyda nhw. Common practice mewn ysgolion erbyn hyn. Anyway, ambell waith, ma' cyn-ddisgyblion yn trefnu aduniadau ac eisiau gwahodd cyn-athrawon i'w mynychu. Dim yn aml, ond ma' fe'n digwydd," ychwanegodd gyda gwên. "A dwi'n acto fel cyswllt..."

"Glywes i bod aduniad ein blwyddyn ni wedi cael ei drefnu cwpwl o flynyddoedd yn ôl," torrodd Daf ar draws, er na wnaeth ef na Sally fynychu'r digwyddiad.

"Yn union," medd Mr Jones. "Anyway, ma'r tudalennau'n aros ar agor ar ôl yr events ac ma rhai pobl yn cadw mlaen i bostio pethau – ffotos o'r noson, fel arfer."

Nodiodd y ditectifs, gan ysu i'r derbynnydd gyrraedd y pwynt.

"So pan nath Mrs Bradley ofyn am gofnodion am gŵyn o wyth deg saith bore 'ma, ges i bip ar Facebook a voila!" Pwyntiodd at y sgrin gyda'i feiro, gan wahodd Sally a Daf i graffu ar y cynnwys.

"Ond aduniad mil naw wyth deg yw hwn," medd Daf wedi drysu.

"Ie, ar gyfer y disgyblion *ddechreuodd* fynychu'r ysgol yn un naw wyth deg. Dyna yw'r norm gyda thudalennau fel hyn."

"Felly'r disgyblion *orffennodd* yn wyth deg saith?" cynigiodd Sally.

"Bingo!" Medd Mr Jones.

"Y flwyddyn gafodd Peter James y sac," daliodd Daf i fyny o'r diwedd.

Aeth Mr Jones yn ei flaen. "Ma'r dudalen wedi bod yn reit brysur ers i'r newyddion dorri ddoe. Yn enwedig y boi yma."

Craffodd Sally ar y sgrin, gan ddarllen geiriau damniol Ross Davies.

Pydra'n uffern, Pete y Pyrf!

Ac o dan y neges, dyfyniad gan neb llai na'r actores Sandra

Bullock, oedd braidd yn rhyfedd ym marn Sally, er bod y neges yn gwbl ddiamwys.

"I'm a true believer in karma. You get what you give, whether it's bad or good."

Sgroliodd Mr Jones i lawr y dudalen, heibio i nifer o negeseuon yn lleisio sioc am y llofruddiaeth, ac eraill yn ailadrodd llysenw'r dioddefwr. Yn amlwg, roedd Peter James wedi gadael ei farc ar y cyn-ddisgyblion, ond neb yn fwy na Ross Davies.

"'Drychwch ar hwn," pwyntiodd Mr Jones at neges arall ganddo, sef ffoto o wydr hirgoes llawn hylif byrlymog.

"Siampên," medd Sally.

"Neu brosecco," awgrymodd Mr Jones.

"Neu Shloer," ychwanegodd Daf, gan wneud i'r ddau arall edrych arno'n rhyfedd. "Beth?" gofynnodd yn amddiffynnol.

"Dim byd," atebodd Sally. "Ti'n hollol iawn, dyna'r broblem gyda'r rhyngrwyd, yn dyfe? Sdim ffordd o wybod beth sy'n wir a beth sy'n gelwydd noeth."

Darllenodd Sally'r neges oedd o dan y ffoto, a rannwyd am ddeg yr hwyr ar y nos Sul.

Dathlu heno. Gwynt teg ar ei ôl e! Pete y Pyrf. Wedi cael ei haeddiant, o'r diwedd. Bwli. Bastard. Bwystfil.

"Beth nawr?" gofynnodd Daf, ar ôl diolch i'r derbynnydd.

"Fi'n credu dylen ni fynd i gael gair bach gyda Mr Davies," medd Sally, wrth i'r ditectifs anelu am y maes parcio; eu camau'n sioncach nawr o gymharu â phan adawon nhw swyddfa Mrs Bradley. "Ffonia Bybls, iddo fe gael chwilio am ei gyfeiriad. Yn y cyfamser, ewn ni i weld Margaret Porter, i'w dileu hi o'n hymholiadau."

"Beth am landlord Mr James? Fi 'di trefnu cwrdd â fe 'fyd."

"Shit! Anghofies i amdano fe."

"Ti moyn fi ganslo?"

"Na, na. Falle fydd Bybls yn methu dod o hyd i gyfeiriad Ross Davies."

"Ti isie bet?"

"No way," medd Sally gyda gwên.

Wrth yrru i Stryd y Capel, trodd Sally'r achos drosodd yn ei phen. "*Rhaid* bod cysylltiad rhwng y camera a'r clapfwrdd," meddai wrth Daf, ar ôl i'r ddau ddod o hyd i le parcio ar Stryd y Capel.

"Falle," atebodd, heb ei argyhoeddi. "Ond sdim sicrwydd bod y stori yna'n wir, o's e? Urban legend. Glywest ti beth ddwedodd Mrs B."

Nodiodd Sally. "Do. Ond sdim mwg heb dân, cofia. A dyna'r peth cynta fydda i'n gofyn i'r Ross Davies 'ma."

Roedd tŷ teras Miss Porter yn uniongyrchol dros y ffordd wrth brif fynediad Capel Horeb. Doedd dim arwydd o'r tîm SOCO yn unman, a gwyddai Sally, yn dilyn neges ffôn gynharach, eu bod nhw wedi gorffen eu gwaith ac wedi glanhau'r addoldy'n drylwyr cyn gadael. Ar ôl curo ar ddrws y tŷ teras ac aros am ateb, camodd y ditectifs yn syth oddi ar y palmant i ystafell fyw Miss Porter, y lanhawraig a ddaeth o hyd i gorff Mr James yn y capel nos Sadwrn. Trawyd Sally ar unwaith gan y llymdra. Noethni'r waliau. Y lleithder ar y muriau ac yn crogi yn yr aer; yn cymysgu'n anweledig ag aroglau digamsyniol cawl bresych, neu ffacbys efallai, yn ffrwtian ar y ffwrn. Absenoldeb unrhyw addurniadau. Ar wahân i'r bwrdd smwddio, y bagiau du llawn dillad, a'r teledu bach yn y cornel, oedd yn sefyll ar ochr chwith y tân trydan, yr unig bethau a fynnodd sylw Sally oedd y ffrâm arian ar y mantl a'r dymbels rhydlyd yng nghornel yr ystafell. Heb fod yn rhy amlwg am y peth, craffodd ar y ffoto yn y ffrâm. Cwpwl yn eu tridegau, a merch ifanc. Edrychodd ar Miss Porter gan geisio gweld y cysylltiad, ond methodd â dod o hyd i un. O ystyried natur raeanog y ffoto, dyfalodd ei fod yn reit hen. Heb yn wybod i Sally, gwelodd Miss Porter hi'n syllu. "Marwodd Mam pan o'n i'n fach," esboniodd, heb gael ei phrocio. "Ac ma' Dad mewn cartre erbyn hyn."

"Flin gen i glywed hynny," medd Sally, yn gwbl ddidwyll.

"Chi moyn disgled?"

"Dim diolch," atebodd Daf ar ran y ditectifs. "Newn ni ddim 'ych cadw chi'n hir. Jyst moyn mynd dros eich datganiad yn glou. Procedure, Miss Porter, dim mwy na hynny."

Eisteddodd y tri. Miss Porter mewn cadair freichiau gyfforddus, ond treuliedig yr olwg, a Sally a Daf ar soffa debyg o ran ei chyflwr. Rhyngddynt, safai bwrdd coffi bychan, gyda thop gwydr wedi'i orchuddio mewn cylchgronau amrywiol; pob un ohonynt wedi'i fodio i ebargofiant. Nododd Sally *Martial Arts Illustrated* ac *Angling Times* yn eu plith, yn ogystal â *Good Housekeeping* a *TV Quick*. Gyda'i gwallt llwyd llipa a'i dillad llac llaes, anodd oedd dyfalu ei hoedran. Unrhyw beth rhwng deugain a chwe-deg, dyfalodd Sally, oedd yn dyst i fywyd caled yn glanhau tai pobl oedd yn fwy cefnog na hi. Yn smwddio dillad pobl fwy cefnog na hi. A hynny am gyflog tila.

"Chi'n ymarfer?" gofynnodd Sally, gan bwyntio at *Martial Arts Illustrated* wrth weld y dryswch ar wyneb Miss Porter.

"O... ydw... brown belt yn karate..."

"Da iawn chi," ni ychwanegodd fod ganddi hithau wregys du yn yr un ddisgyblaeth.

"Mae'n bwysig gwybod shwt i amddiffyn 'ych hun," cododd Daf ei lais. "Yn enwedig nawr," ychwanegodd, gan nodio'i ben i gyfeiriad y capel.

Cytunodd y menywod gyda'i ddatganiad. Yna, agorodd

Daf ei lyfr nodiadau a gwyliodd Miss Porter e'n chwilio am y wybodaeth berthnasol. Gadawodd Sally i'w phartner arwain y sgwrs, gan wylio'r lanhawraig yn ofalus. Tyciodd flewyn anweledig y tu ôl i'w chlust. Ar hyn o bryd, Miss Porter oedd y peth agosaf oedd ganddynt i unigolyn o dan amheuaeth. Nid fod Sally'n credu am eiliad iddi ladd Peter James yn y capel, ond wrth reddf, byddai pob plismon da yn chwilio am arwyddion o euogrwydd wrth sgwrsio gyda thystion. Yn amlwg, roedd Miss Porter yn nerfus, ond nid oedd hynny'n annisgwyl. Dros y blynyddoedd, roedd Sally wedi dod i sylweddoli nad oedd unrhyw un yn hoffi siarad gyda'r heddlu – boed yn euog neu fel arall.

"Ydych chi'n aelod o'r capel?" gofynnodd Daf i gychwyn. "Neu'n mynychu gwasanaethau yno o gwbl?"

Siglodd Miss Porter ei phen. "Sa i'n grefyddol. Jyst glanhau a chadw golwg ar y lle. Weles i'r gwaith yn cael ei hysbysebu yn ffenest y siop gornel, a fi'n siŵr ges i'r job am fy mod i'n byw fan hyn. So'r cyflog yn grêt, ond wedyn, sdim rhaid i fi neud rhyw lawer chwaith."

"A beth am Mr Peter James?"

"Beth amdano fe?"

"Oeddech chi'n ei adnabod e o gwbl?"

Ysgydwodd Miss Porter ei phen unwaith eto. "Nac o'n. Ambell waith, ar nos Sadwrn, bydde fe'n dod i'r capel i ddosbarthu'r llyfrau emynau pan fydden i dal yno'n glanhau."

"Oeddech chi'n cael sgwrs gyda fe o gwbl, ar yr achlysuron yma?"

"Na."

"Dim 'helô' hyd yn oed?"

Cododd Miss Porter ei hysgwyddau. "Doedd e ddim eisiau siarad gyda fi, a vice versa…"

"Pam?"

Anadlodd Miss Porter yn ddwfn, fel petai'n ystyried ei hateb, a synhwyrodd Sally ryw islif gorbryderus yn ei hosgo. Dim byd pendant, ond gallai ddweud bod Miss Porter wedi cael bywyd caled, a bod y byd yn pwyso'n drwm ar ei hysgwyddau. "Roedd e'n arfer gweithio yn Ysgol Gerddi Hwyan, lle'r es i. Cyn fy amser, cofiwch. Ond fi'n cofio'r rumours amdano fe."

"Rumours?" Cododd Daf ei aeliau ar hynny, gan annog Miss Porter i ymhelaethu.

"Ie. Bod e 'di cael y sac... am gam-drin plant."

"Allwch chi fod yn fwy spesiffic?"

Siglodd ei phen unwaith yn rhagor. "Na. Jyst plant yn cario clecs. Sa i'n gwbod os o'n nhw'n wir ai peidio."

"Pryd oeddech chi'n ddisgybl yn yr ysgol?" gofynnodd Sally.

Trodd Miss Porter ei llygaid tua'r nenfwd, wrth iddi geisio cofio. "Adawes i yn ninety four. Ar ôl neud TGAUs fi."

Cyfrifodd Sally ei hoedran yn ei phen yn gyflym, heb adael i'r syndod ddangos ar ôl gwneud. "Ydy Hydref tri deg un, mil naw naw pedwar yn meddwl unrhyw beth i chi?"

Unwaith eto, gwnaeth y lanhawraig sioe o ystyried y cwestiwn yn ofalus.

"Na," atebodd ar ôl sbel. "Mae lot o amser ers 'ny. Sori."

Trodd Daf i edrych ar ei lyfr nodiadau. "Yn ôl eich datganiad, weloch chi'r golau ymlaen yn y capel am chwarter i hanner nos."

Nodiodd Miss Porter, heb ateb ar lafar.

"Ble mae eich tŷ bach chi?" gofynnodd Sally, gan wybod bod posibilrwydd y byddai'r toiled ar y llawr gwaelod. Roedd hi wedi bod mewn tai tebyg droeon ac, er bod nifer o bobl yn dewis troi'r ystafell sbâr ar y llawr cyntaf yn fathrwm, dyfalai nad dyna'r achos yma.

Pwyntiodd Miss Porter y tu ôl iddi. "Trwy'r gegin. Mas y bac."

"Felly sut welsoch chi bod y golau ymlaen yn y capel?"

Gwyliodd Sally'r lanhawraig yn ofalus, ond ni wingodd o gwbl wrth glywed yr islif o amheuaeth.

"Fel wedes i nos Sadwrn, nid dyma'r tro cyntaf i Mr James adael y golau mlân yn y capel. Fydda i'n cael pip rhag ofn os wy'n codi yn y nos."

"Cael pip?" gofynnodd Daf, er nad oedd Sally'n gwybod pam.

Edrychodd Miss Porter arno'n rhyfedd, cyn ateb yn ddiffuant. "Ie. Fi'n cysgu yn ffrynt y tŷ. Es i'r tŷ bach, cael pip trwy'r cyrtens, gweld bod y gole mlân yn y capel, so wisges i fy nresin gown a mynd draw i droi e bant."

Atebodd Miss Porter bob cwestiwn – perthnasol neu fel arall – y gofynnodd y ditectifs wrthi ac, ar ôl ei gadael yn ei thŷ teras, anelodd Sally a Daf am gartref y diweddar Peter James. Roedd Sally'n awyddus i drafod beth i'w wneud nesaf gyda DI Price, gan ei bod yn gwybod bod angen cymorth arni. Er gwaetha'r holl sibrydion, doedd dim llwybr pendant i'w ddilyn. Ar wahân i'r Ross Davies 'ma. Ond cyn hynny, gobeithiai Sally'n arw y byddai cartref Peter James yn agor cil y drws iddynt. Taniodd injan ei char ac agorodd y nefoedd. Gyda'r weipars yn gweithio'n galed, theimlai Sally ddim byd ond tosturi dros Miss Porter. Ei chartref tlawd. Ei bodolaeth unig. Ei galwedigaeth ddiflas. Ond yn bennaf am iddi gael ei thynnu i'r hunllef waedlyd oedd yn aros amdani yng Nghapel Horeb nos Sadwrn. Gwyddai Sally'n well na neb sut gallai profiad o'r fath effeithio ar rywun, a gobeithiai'n arw y gallai Miss Porter gysgu'n dawel o nawr mlaen, yn wahanol iddi hi.

★

Ar ôl agor y drws ffrynt i'r ditectifs, aeth landlord Peter James i eistedd yn ei gar, er mwyn cysgodi rhag y glaw. Er bod allwedd drws ffrynt y dioddefwr eisoes ym meddiant yr heddlu, gan ei bod ym mhoced yr hen ddyn pan gafodd ei ladd, roedd rhaid mynd trwy'r sianeli cywir i gael mynediad i'r eiddo, er mwyn cynnal hygrededd yr archwiliad a sicrhau na fyddai unrhyw beth yn amharu ar y canlyniad yn hwyrach yn y broses.

Roedd cartref Peter James yn debyg iawn i un Margaret Porter o ran gosodiad. Tŷ teras. Y drws ffrynt yn arwain yn syth o'r stryd i'r lolfa, gyda chegin ac ystafell ymolchi yn y cefn. Grisiau pren yn esgyn o'r ystafell fyw at ddwy ystafell wely a bocs-rwm ar y llawr cyntaf, a dyna ni.

Cododd Daf fys a bawd manegog at ei drwyn, a chlampio ei ffroenau ar gau. "Iesu, beth yw'r smel 'na?"

Roedd Sally wedi arogli gwaeth. "Cathod."

Ac ar y gair, clywodd y ditectifs fi-aw truenus yn dod o gyfeiriad y drws cefn. Anelodd y ddau am y sŵn a dod o hyd i hen gwrcyn sinsir yn tin-droi wrth ei fowlen fwyd wag.

"Ma hwnna'n hollol ranc," medd Daf trwy ei drwyn caeedig, gan gyfeirio at dŷ bach agored y gath, oedd yn llawn ysgarthion amonaidd. Agorodd ffenest, mewn ymgais wag i waredu'r drewdod.

"Sdim cat-fflap," medd Sally. "Ma fe 'di bod yn styc mewn fan hyn ers dyddiau. Rhaid bod e'n starfo." Plediodd y cwrcath arnynt i'w fwydo, ac arllwysodd Sally fisgedi sych i'w fowlen. "Cer di i chwilio lan stâr," gorchmynnodd, ac i ffwrdd â Daf ar unwaith, yn falch o gael dianc rhag yr oglau drwg.

Dychwelodd Sally i'r lolfa er mwyn dechrau chwilio. Nid oedd hi'n edrych am unrhyw beth penodol a dweud y gwir, er y byddai dod o hyd i dapiau o'r merched ysgol yn y gawod yn gwneud ei swydd yn haws o lawer. O leiaf byddai hynny'n rhoi rhywbeth iddi hi a Daf ei gwrso. Dilyn y gweithdrefnau oeddynt ar hyn o bryd, gan obeithio am strôc o lwc. Roedd y modd y bu'r dioddefwr farw yn awgrymu casineb dwfn a phersonol i Sally, er nad oedd hynny'n seiliedig ar ddim mwy na greddf ar hyn o bryd. Ac roedd y sibrydion a'r honiadau am ei orffennol yn ei gwneud hi'n reit debygol bod Peter James wedi croesi degau, o leiaf, o bobl ar hyd y blynyddoedd; yn gyn-ddisgyblion, cyd-weithwyr a'r rheini oedd wedi dod i gyswllt â'r clwb pêl-droed. Edrychodd Sally o amgylch yr ystafell fyw druenus. Un gadair gyfforddus flinedig yr olwg. Bwrdd coffi. Llestri brwnt. Teledu. Chwaraewr VHS ar y llawr. Llond llaw o lyfrau a fideos ar y silffoedd. Jeffrey Archer, Andy McNab, Dan Brown. *Escape to Victory, The 39 Steps, Rear Window, Chariots of Fire, Zulu.* Dau gactws llychlyd ar y silff ffenest. Llenni llac wedi colli eu lliw yn llwyr. Carped tenau o dan draed, yr estyll llawr pren yn pipo trwyddo. Dim lluniau o gwbl ar y waliau. Roedd absenoldeb unrhyw gadeiriau eraill yn brawf nad oedd Mr James yn byw bywyd cymdeithasol. Yn wir, roedd ei gartref mor drist a thruenus ag un Miss Porter, os nad yn waeth.

"Sal!" gwaeddodd Daf, ei lais yn llawn cyffro. "Sal!"

Gyda'i chalon yn ei gwddf, rhedodd Sally i fyny'r grisiau, bob yn dri, a dod o hyd i'w phartner yn yr ystafell sbâr. Roedd yr hyn oedd yn aros amdani bron yn ddigon i'w llorio: tair silff lyfrau, llawn tapiau VHS, eu meingefnau yn cynnwys dim byd ond rhifau. Dyddiadau, hynny yw. Sganiodd y fideos yn gyflym, ond ni allai ffocysu'n iawn. Roedd cannoedd ohonynt a'r rhifau'n morio o flaen ei llygaid. Trodd at Daf, gan anadlu'n ddwfn, a gweld bod ei phartner yn gwenu arni'n hurt. Cododd y tâp o'i flaen a'i ddangos i Sally. Craffodd Sally ar y dyddiad.

31 / 10 / 1994

"Bingo!"

9: Cyfryngau Anghymdeithasol

Ben bore dydd Mawrth, swyddfa DI Price. Eisteddai yr uwch-swyddog y tu ôl i'w ddesg yn sganio copi o'r papur newyddion lleol, tra eisteddai DS Morris a DS Benson ar yr ochr arall; y ddau yn gwneud eu gorau glas i beidio â dylyfu gên o flaen y bós. Ar ôl y gorfoledd cychwynnol o ddod o hyd i gasgliad fideos Peter James y prynhawn blaenorol, diflannodd y gobaith yn araf bach ar ôl i Sally a Daf ddychwelyd i'r orsaf heddlu; cistiau eu ceir yn llawn tapiau, y cyfan wedi'u cofnodi a'u gosod mewn bagiau tystiolaeth, yn unol â phrotocol. Daeth Bybls o hyd i hen beiriant VHS, a'i osod yn barod ar eu cyfer yn swyddfa'r adran dditectifs. Roedd Sally'n siŵr y byddai'r tâp yn eu harwain ar drywydd y llofrudd, neu o leiaf yn eu cynorthwyo mewn rhyw ffordd, ond siom oedd yn disgwyl amdanynt. Siom, rhwystredigaeth a diflastod llwyr. Yr unig beth ar y tâp cyntaf oedd gêm bêl-droed rhwng Gerddi Hwyan a Chaerau. Darbi leol gorfforol. Delweddau aneglur ac amaturaidd. Gyda'r gwir yn gwawrio, treuliodd y partneriaid noson ddi-gwsg yn gwylio gweddill y tapiau. Wel, yn gwibio trwy'r delweddau di-ben-draw o gemau pêl-droed y tîm lleol. Doedd braidd dim gwybodaeth am y clwb pêl-droed ar-lein, yn bennaf oherwydd i'r hwch fynd trwy'r siop yn y cyfnod cyn y rhyngrwyd, ond daeth

Daf i'r casgliad bod Peter James wedi ffilmio pob gêm o'i cyfnod ef fel rheolwr y clwb. Pam? Ni allai Sally ddychmygu, ond doedd dim gwadu'r hyn roedd ei llygaid yn ei weld. Ar ben hynny, a heb fawr o syndod, nid oedd unrhyw sôn am dapiau o gawodydd ystafelloedd newid y merched yn Ysgol Uwchradd Gerddi Hwyan ychwaith. Gyda'r siomedigaeth yn bygwth ei gorlethu, llwyddodd Sally i gipio cwpwl o oriau o gwsg wrth ei desg yn ystod oriau mân y bore ond, o edrych ar gyflwr drylliedig ei phartner, dyfalai iddo ef gael llai na hynny hyd yn oed. Trodd DI Price y papur a dangos y pennawd ar y dudalen flaen i'r ditectifs.

CYFLAFAN CAPEL HOREB

"Greddfau? Teimladau? Disgwyliadau?" gofynnodd, gan edrych i gyfeiriad Sally.

"Wedon ni ddim byd wrth yr Anusha Rasool 'na," medd Sally'n amddiffynnol. "Fi'n cymryd mai hi sgwennodd y stori."

Craffodd DI Price ar y print mân, a dod o hyd i'r enw. "Ti'n iawn."

"Ro'dd hi tu fas i'r capel ddoe, ond ei hanwybyddu naethon ni, yn dyfe, Daf?"

"Aye," cadarnhaodd DC Benson. "Jyst fel ni fod."

Cododd DI Price ei ddwylo o'i flaen i dawelu pryderon y swyddogion ifanc. "Sa i'n poeni am hynny a dweud y gwir. Geiff y wasg sgwennu beth fynnon nhw. Fydden nhw wedi neud hynny hyd yn oed tasech chi 'di rhoi cyfweliad manwl iddyn nhw. Mae ganddyn nhw agenda, ac mae gennym ni ein hagenda ein hunain – dod o hyd i'r llofrudd. Felly, gyda hynny mewn cof, beth sydd gyda ni?"

"Wel, do'dd dim byd ar dapiau VHS Peter James," dechreuodd Sally.

"Ar wahân i lwyth o footage o gemau pêl-droed o'r nawdegau," ychwanegodd Daf.

"Ond ma' un lead posib gyda ni," ceisiodd Sally swnio'n frwdfrydig o flaen yr uwch-swyddog, er gwaethaf ei blinder.

"O, ie?" Cododd DI Price ei aeliau.

"Cyn-ddisgybl o Ysgol Gerddi Hwyan yn dathlu marwolaeth Peter James ar Facebook. Ni'n gobeithio bydd e'n gallu helpu gyda'n hymholiadau, ar y lleiaf."

Nodiodd DI Price ar hynny. "Mae'n ddechreuad. Unrhyw beth arall?"

"Dim byd cadarn," atebodd Sally.

"Clecs a sibrydion," ychwanegodd Daf.

"Yn absenoldeb unrhyw beth arall, mae hynny'n *rhywbeth* o leiaf," gwenodd DI Price. "Ond dechreuwch gyda'r boi Facebook 'ma."

"Aethoch chi i Ysgol Uwchradd Gerddi Hwyan, do, Syr?" gofynnodd Sally.

"Do."

"Pryd?"

"Un naw wyth wyth i un naw naw pump. Pam?"

Tonnodd y siom dros 'sgwyddau Sally. Roedd hi'n gobeithio bod DI Price yn hŷn na hynny. "Roedd y dioddefwr, Peter James, yn arfer dysgu yn yr ysgol…"

"Fi'n cofio'r enw, ond sa i'n 'i gofio fe."

"Gafodd e'r sac yn wyth deg saith."

"Cyn i fi gychwyn."

"Ie, ond chi'n cofio'r clecs?"

"Ma'r manylion braidd yn sketchy erbyn hyn."

"Wel, yn ôl Mrs Bradley, pennaeth yr ysgol…"

"Mrs Bradley Saesneg?" Gwenodd DI Price wrth ofyn.

"Ie," cydadroddodd Sally a Daf.

"Wel, wel, ro'n i wrth fy modd â Mrs Bradley." Cymylodd llygaid dirprwy'r adran, wrth i'r atgofion lifo. "Sori," dychwelodd i'r stafell, gan wahodd Sally i barhau.

"Yn ôl cofnodion anghyflawn yr ysgol, cafodd Peter James ei ddiswyddo am fwlio. Ond..." oedodd Sally a gweld bod DI Price yn nodio ac yn gwrando arni'n astud. "Yn ôl Mrs Bradley, roedd si ar led yn yr ysgol bod camera fideo wedi cael ei osod, ei guddio, yn ystafelloedd newid y merched, ac mai dyna'r gwir reswm i Mr James gael y sac."

"Ma' hynny'n canu cloch," cadarnhaodd. Anadlodd yn ddwfn. Edrychodd allan trwy'r ffenest am eiliad, cyn troi'n ôl at Sally a Daf. "Gadewch i fi ddyfalu... sdim sôn am y camera yn yr adroddiad. A dyw adroddiad yr ysgol ddim yn cynnwys enwau'r disgyblion wnaeth gwyno am ymddygiad Peter James."

"Cywir," cadarnhaodd Sally.

Ysgydwodd DI Price ei ben yn siomedig. "'Na fel oedd hi yn yr wythdegau. Gwarthus."

"Dead end," medd Sally.

"Am nawr, efallai, ond pwy a ŵyr beth fydd gan y boi 'ma i'w ddatgelu."

"Siaradon ni gyda'r gweinidog," medd Daf, gan gyfeirio at ei lyfr nodiadau er mwyn dod o hyd i'w enw. "Y Parchedig Douglas Morgan."

"Yn ôl Mr Morgan, roedd Peter James yn reformed character go iawn," ychwanegodd Sally.

"Canfod Duw. Croesawu'r Iesu i'w fywyd. Ceisio gwneud yn iawn am ei bechodau," medd Daf, ei lais yn llawn amheuaeth.

"Roedd e'n weithgar iawn yn y capel, yn ôl y gweinidog," medd Sally, fel tasai hynny'n cyfiawnhau ei orffennol tywyll.

"Mae pobl yn gallu dal dig am amser maith," atebodd DI Price, gan siarad o brofiad.

Syllodd Sally a Daf arno, gan ddisgwyl iddo ymhelaethu, er mai parhau i syllu allan trwy'r ffenest a wnaeth Rolant Price, fel petai mewn llesmair.

"Syr?" medd Sally, a'i dynnu'n ôl i'r lan.

"Sori," trodd DI Price i'w hwynebu unwaith yn rhagor. "Beth yw'r plan, 'te?"

"Ni'n mynd i weld y Ross Davies 'ma mewn munud. Ma Bybls wedi dod o hyd i'w gyfeiriad."

"Ewch amdani," medd y dirprwy.

Wrth godi, gofynnodd Sally un cwestiwn olaf i DI Price. "Ydy nos calan gaeaf mil naw naw pedwar yn golygu unrhyw beth i chi, Syr?"

Ystyriodd DI Price y cwestiwn a gwelodd Sally ddiferyn o chwys yn llithro lawr ei dalcen. Cymylodd ei lygaid, gan roi naws llaethog iddynt am eiliad. Yn ddiarwybod i Sally, cafodd Rolant Price ei dreisio rhyw ddeufis cyn y dyddiad hwnnw, mewn twnnel ym Mhorth Hwyan. O ganlyniad, roedd y misoedd a ddilynodd yn niwl o atgofion tywyll, hunan-atgasedd, ynysu hunanosodedig a mudandod parhaus. Ni ddeliodd â'r digwyddiad tan yn ddiweddar iawn, gydag achos Matty Poole a rhwydwaith pedoffiliaid Porth Glas.

Ysgydwodd ei ben yn araf. "Na," atebodd.

*

O fewn deg munud i adael yr orsaf, cyrhaeddodd Sally a Daf y cyfeiriad a roddodd Bybls iddynt. Daeth Daf â'r Skoda i stop y tu allan i'r byngalo, a syllodd y ditectifs ar yr eiddo, gan amsugno ac ystyried yr hyn a welent. Byngalo bach gweddol newydd ar ystad Llwyn yr Eos ydoedd. Briciau coch. Lawnt streipiog. Daffodils cynnar yn ymwthio o'r borderi. Dreif a llwybr graenus yr olwg yn arwain at y fynedfa. Ramp ddur. Drws ffrynt llydan. Bwlyn isel.

"Ti'n meddwl beth fi'n meddwl?" gofynnodd Daf.

"Dere," atebodd Sally, gan arwain y ffordd.

Agorwyd y drws gan ddyn moel mewn cadair olwyn. Roedd ei freichiau fel boncyffion, ond ei goesau wedi crebachu. Boliodd cyhyrau ei frest o dan grys-T Iron Maiden. Roedd ei elinau yn drwch o inc amryliw, gyda phenglogau amrywiol yn hawlio sylw Sally. Gwisgai sbectol ddarllen ar ei drwyn gwythiennog, a gorweddai llyfr swmpus yn ei gôl, gyda delwedd o ddraig danllyd ar y clawr caled. Tu ôl i'w glust chwith, gwelodd Sally sbliff wedi'i ddiffodd, oedd yn esbonio'r aroglau surfelys oedd yn dianc o'r tŷ y tu ôl iddo.

"Ross Davies?" gofynnodd Sally.

"Pwy sy'n gofyn?" Daeth yr ateb.

Tynnodd Sally a Daf eu cardiau adnabod a'u dal o flaen ei drwyn. "DS Morris a DS Benson, Heddlu Gerddi Hwyan," medd Sally'n llawn awdurdod.

"Ffycin hel," ysgydwodd Ross ei ben. "O'n i'n gwbod fyddech chi ddim yn hir yn dod 'ma," ychwanegodd, cyn troi ar ei echel ac arwain y ffordd i'r lolfa, gan adael Sally a Daf yn edrych ar ei gilydd wrth gerdded ar ei ôl.

Roedd cartref Ross Davies wedi'i addasu ar ei gyfer, gyda phopeth yn is at y llawr o gymharu ag eiddo arferol, a'r holl beth yn reit ddryslyd ar yr olwg gyntaf. Nid oedd y niwl porffor oedd yn crogi yn yr ystafell yn helpu rhyw lawer ychwaith. Ond, ar ôl i Mr Davies agor y drws patio led y pen, ac unwaith i'r ditectifs eistedd ar y soffa ledr yn yr ystafell fyw, setlodd y byd rhyw fymryn. Safai teledu anferth mewn un cornel, a stereo pentyrrog yn y llall, ynghyd â llond silff o CDs a llyfrau cyfagos. Ar y silff uchaf, cafodd Sally sioc o weld ffoto o Sandra Bullock mewn ffrâm aur rad, cyn cofio i Mr Davies ddyfynnu'r actores ar Facebook. Roedd bwrdd coffi yng nghanol yr ystafell, yn drwch o ysgyrion ysmygu. Rizlas o bob lliw a maint. Deunydd roach wedi'i rwygo. Blwch llwch a phyrsiau baco hanner gwag. Crogai posteri lliwgar wedi'u fframio ar y waliau. Bandiau roc o'r gorffennol, gan gynnwys Metallica, Megadeth, AC/DC, Black Sabbath a Judas Priest. Byddai Ben a Ross Davies wedi gallu siarad am oriau, meddyliodd Sally.

"Cyn i chi ofyn, sdim mwy o ganja 'da fi," medd Mr Davies, gan estyn y cetyn o du ôl i'w glust a'i osod yn gelfydd yn y blwch llwch llawn. "Croeso i chi roi caution i fi, wrth gwrs, ond y tro dwetha ddigwyddodd hynny, nes i herio'r cyhuddiad yn y llys, ac ennill."

Gwenodd Sally arno. Doedd hi ddim yn credu am eiliad nad oedd stash gyda fe yn y tŷ 'ma rhywle, ond nid dyna pam roedden nhw yma heddiw.

"Peter James," dechreuodd Sally.

"Ie! Newyddion gwych!" ebychodd Ross Davies, gan wenu. "Chi moyn dracht bach o rywbeth i ddathlu? Neu yw hi'n rhy gynnar?"

"Mr Davies," plygodd Daf ymlaen yn ei sedd, ei wyneb yn gwbl daer. "Dyw marwolaeth Peter James ddim yn destun dathlu."

"Bollocks," atebodd Mr Davies, gan edrych i fyw llygaid y ditectif. "Rwy'n anghytuno'n llwyr gyda chi."

"Peidiwch pwsio'ch lwc! Ni 'di gweld eich negeseuon Facebook," cymerodd Sally'r awenau, yn bennaf gan fod Daf yn syfrdan wth ei hochr. "Chi'n defnyddio iaith casineb, Mr Davies."

"Come on, chi methu enllibio'r meirw," saethodd yn ôl. "Ac anyway, ro'dd e'n haeddu'r hyn sydd wedi digwydd. Pob parch i bwy bynnag nath e. 'Sen i 'di gwneud fy hun, ond fi braidd yn ffycd, fel gallwch chi weld," meddai, gan gyfeirio at ei gadair olwyn.

Oedodd Sally am eiliad, wrth iddi amsugno geiriau Mr Davies. Chwiliodd am y cwestiwn cywir. Yr un fyddai'n arwain at y gwir.

"Pam?" oedd y gorau oedd ganddi.

"Pam, beth?" gofynnodd Mr Davies.

"Pam y'ch chi'n teimlo fel hyn?" ymunodd Daf yn y sgwrs.

Ond, ni atebodd Ross Davies y cwestiwn. "Fi'n cymryd bo' chi wedi ymweld â'r ysgol yn barod, so be chi 'di'i clywed am Peter James?"

Edrychodd y ditectifs ar ei gilydd, heb wybod yn iawn sut i ymateb. Roedd hyder Mr Davies wedi'u drysu nhw'n llwyr, dyna'r gwir.

"Come on, neu chi moyn i fi ddyfalu?"

"Ni 'di clywed ambell si," cynigiodd Sally'n betrusgar.

"Ha!" ebychodd Ross Davies. "Fi'n ffycin siŵr 'ych bod chi. Ond rhowch hi fel hyn, beth bynnag chi 'di clywed, roedd Pete y Pyrf yn waeth na hynny. Serious nawr, roedd e'n ddiafolaidd. Satan ei hun."

"Ni 'di clywed bod e'n arfer ffilmio merched yn newid," medd Daf, gan ennyn edrychiad enbyd wrth ei bartner.

Edrychodd Ross Davies arno gan ysgwyd ei ben. "Sa i'n gwbod dim am hynny."

"Beth nath e i chi?" gofynnodd Sally, gan ofni'r ateb.

"Chi moyn rhywbeth i yfed cyn dachre?" gofynnodd Mr

Davies, cyn mynd amdani ar ôl i'r ditectifs wrthod y cynnig. Pwyntiodd at ei goesau. "Credwch neu beidio, o'n i'n arfer gallu cerdded. Pan o'n i'n fach. Degenerative disease sy arna i. Math o spina bifida. 'Na i ddim 'ych borio chi gyda'r manylion, ond ma' fe'n effeithio ar bopeth i'r de o'r botwm bol. Anyway, o'n i dal yn reit mobile pan gyrhaeddes i'r ysgol uwchradd. Do'n i ddim yn chwarae rygbi na ffwti na dim byd fel 'na, ond o'n i'n gallu hoblan rownd y lle, heb crutches i gychwyn 'fyd. Stori hir yn fyr, nath Peter James fy nhargedu i'n syth. Yn lle rhoi pas i fi, o'dd e'n arfer gwneud sioe o fi o flaen y dosbarth. Fi'n cofio un tro, nath e neud i fi ddringo un o'r rhaffau 'na, ch'mod, y rhai o'dd yn hongian o do'r gym. Yn amlwg, o'n i methu, a fi'n cofio fe'n gweiddi a cymryd y piss o flaen pawb, a slapo fi ar fy nhin wrth i fi hongian f'yna o flaen y dosbarth. Fi dal yn cael flashbacks hyd heddiw. Wir nawr. Math o PTSD yn ôl fy shrink." Gwenodd Ross Davies ar y ditectifs ac ysgwyd ei ben. Torrodd calon Sally yn y fan a'r lle. "Tro arall, roiodd e wedgie i fi o flaen pawb. Ar un o'r pethe 'na... pommel horse... ife 'na beth chi'n galw nhw? Ta beth, reit o flaen y dosbarth, ffycin wedgie. Allwch chi gredu'r peth?"

Ysgydwodd y ditectifs eu pennau.

"Alla i fynd mlân a mlân trwy'r dydd os chi moyn. Ac ar ben hynny, roedd e'n galw fi'n mong a spastic a spaz. Trwy'r amser. Non stop. Mongman oedd nickname fi yn yr ysgol, a Peter James roiodd e i fi!" chwarddodd Ross Davies ar hynny, er fod ei lygaid yn atseinio â phoen digyffelyb, dwfn. "Yn ffodus. Ha! Yn ffodus, o'n i mewn cadair olwyn erbyn i fi gyrraedd fform ffôr, so do'dd dim rhaid i fi fynd i'w wersi fe mwyach, ond ffindodd e ddau arall i'w bwlio wedyn. Easy targets fel fi."

"Plant ag anableddau?" gofynnodd Daf.

"Na," atebodd Mr Davies. "Gwahanol, mewn ffordd

wahanol. Naethon nhw roi lan gyda fe am sbel, ac wedyn, mas o'r blŵ, gafodd e'r sac. Apparently, ro'dd e'n gwneud yr un peth i blant ym mhob blwyddyn."

Tawelodd o'r diwedd, ond roedd un cwestiwn amlwg gan y ditectifs i'w ofyn. Aeth Sally amdani. "Pwy oedd y ddau arall o'ch dosbarth gafodd eu bwlio? Chi'n cofio'u henwau?"

"Ydw. Nadeem Khan a Cameron Cuffy. Roedd y bwlio'n relentless. Hollol hiliol hefyd. Roedd Peter James yn galw Nad yn 'paki' a stwff fel 'na o flaen pawb, a 'Sambo' oedd e'n galw Cam. Mae'n anhygoel i feddwl gath e getawê 'da fe am mor hir. A bod neb wedi talu gwers iddo fe tan nawr."

Anwybyddodd y ditectifs y sylw olaf. "Ydych chi'n gwbod ble mae Nadeem a Cameron erbyn hyn?" gofynnodd Sally, gan wirio'r enwau yn ei llyfr nodiadau.

"Sa i'n gwbod ble ma Nadeem, ond ro'dd teulu Cam yn arfer berchen yr Oak. Neu'n rhedeg y lle o leiaf."

"Y dafarn?" gofynnodd Daf.

"Ie. Lan wrth Y Wern. Ond o'dd hwnna ages yn ôl. Ar wahân i Facebook, sa i'n cadw mewn cysylltiad gydag unrhyw un o'r ysgol."

'Nôl yn y car, ar ôl rhoi rhybudd llafar i Ross Davies am ei ymddygiad ar-lein, agorodd Daf app Facebook ar ei ffôn a mynd ati i bori.

"Beth ti'n neud?" gofynnodd Sally.

"Rho funud i fi," medd Daf, ei dafod yn pipo o gornel ei geg, wrth iddo ganolbwyntio. Syllodd Sally allan o'r ffenest gan droi stori Ross Davies drosodd yn ei phen. Roedd yr holl beth yn erchyll, heb os, ond a oedd yn ddigon erchyll i rywun hollti gwddf yr hen ddyn fel ddigwyddodd nos Sadwrn, a hynny dri deg mlynedd yn ddiweddarach?

"'Co fe," medd Daf yn orfoleddus, gan ddangos y sgrin ffôn i

Sally. Craffodd ar y dudalen, a gweld dyn golygus gyda chroen brown tywyll yn gorwedd ar gefn cwch modur ar ben draw'r byd. Ynysoedd y Whitsundays yn Queensland, yn ôl y testun o dan y llun.

"Ti'n siŵr? Rhaid bod miliynau o Nadeems Khan yn y byd 'ma."

"Ti'n hollol iawn, ond dim ond un sydd wedi bod yn Ysgol Uwchradd Gerddi Hwyan. Edrych, ma' fe hyd yn oed wedi nodi pryd fuodd e yno."

"Gwaith gwych, ditectif Benson," medd Sally. "Ond bydda i hyd yn oed yn fwy impressed os elli di ffeindio Cameron Cuffy i fi yn yr Oak."

Gyda Sally wrth y llyw, tra eu bod yn aros i olau ffordd droi'n wyrdd yn ystod y daith fer i'r dafarn, gofynnodd Daf: "Beth sy'n digwydd os nad y Cameron Cuffy 'ma yw ein boi ni?"

Pendronodd Sally cyn ateb. "Wedodd Ross Davies bod Peter James wedi bwlio llwyth o blant o wahanol flynyddoedd a dosbarthiadau, so ma hwnna'n un llwybr posib."

"Dod o hyd i'w henwau nhw yw'r broblem."

Trodd Sally i edrych ar ei phartner. "Ond so hi'n broblem na allwn ei goroesi, yw hi? Bach o waith caled, gwaith *ditectif*, a bydd pethe'n dechre dod, gei di weld."

"S'pose," oedd ateb surbwch Daf.

"Bydi hel, Daf, paid bod mor blydi negyddol. Dyma'n hachos cynta ni fel leads, a no way y'n ni *ddim* yn mynd i ddatrys yr achos, OK. Wedodd neb y bydde fe'n hawdd."

"Sori, Sal," mwmiodd Daf. "Fi jyst yn bly–"

"Blydi knackered, fi'n gwbod! Fi 'fyd, ond dim ond dechre y'n ni, so buckle up. Galle hi fod yn fis cyn i ni ddal y llofrudd 'ma. Mwy na hynny hyd yn oed."

Tawel fu gweddill y daith i'r dafarn, ar wahân i'r glaw oedd bellach yn pistyllio, gan ffusto to'r car a gwneud i'r wipers weithio'n galed iawn i gadw'r sgrin wynt yn glir i'r gyrrwr. Roedd yr Oak wedi'i hynysu rhag gweddill tafarndai'r dref, diolch i'w lleoliad ar gyrion ystad Y Wern. Doedd neb yn 'galw mewn' wrth slotian o dafarn i dafarn, achos roedd hi allan o'r ffordd i'r rhan fwyaf o yfwyr Gerddi Hwyan. O ganlyniad, pobl leol oedd yn yfed yno – preswylwyr Y Wern a'r ardal amgylchynol – a braidd neb arall.

Parciodd Sally'r car yng nghysgod y goeden anferth hynafol a roddodd yr enw i'r adeilad. Gyda golau diwedd y dydd yn diflannu dros doeon y tai cyfagos yn amgylchynu'r dafarn, brasgamodd y ditectifs trwy'r glaw a heibio i'r lloches ysmygu wag, cyn camu at y brif fynedfa. Oedodd Sally wrth y drws i graffu ar fanylion y tafarnwr trwyddedig oedd ar ddangos i'r byd uwch ei ben. Rhoddwyd hwb bach i'w gobeithion ar weld yr enw 'Rosalind Cuffy'.

Tri oedd yn y dafarn. Dau ddyn gwyn yn eu chwedegau, yn eistedd ar stôl bob pen i'r bar derw, a menyw ifanc â chroen brown golau yn sychu gwydrau â chlwtyn, wrth aros i arllwys y peintiau nesaf. Ni edrychodd y llymeitwyr ar y ditectifs stegetsh, ond trodd y farforwyn atynt gan wenu, ei dannedd unionsyth yn gwneud i'w llygaid befrio. Roedd hi'n hynod o hardd, meddyliodd Sally, wrth estyn ei charden adnabod a'i ddal o'i blaen.

"Rosalind Cuffy?" gofynnodd, er bod Sally'n amau bod y ferch yn rhy ifanc i fod yn dafarnwr trwyddedig.

Ysgydwodd y farforwyn ei phen; ei gwên wedi'i disodli gan ddrwgdybiaeth. "Na."

"Ydy hi yma?"

"Na."

"Beth am Cameron Cuffy?" Ceisiodd Daf ennyn mwy nag un sillaf ohoni. "Ydy fe o gwmpas?"

Trodd y ferch ei phen a gweiddi "Dad!" dros ei hysgwydd, i gyfeiriad y gegin, gan wneud i'r ddau hen ddyn godi eu pennau ac edrych arni.

"Beth?" atebodd llais anweladwy, gydag islif diamynedd iddo.

"Cops!" gwaeddodd y weinyddes.

Yna, ymddangosodd wyneb Cameron Cuffy yn nrws y gegin, ar ben draw'r bar, yn gwisgo lifrai cogydd, er nad oedd unrhyw un yn bwyta ar hyn o bryd. "Beth?" gofynnodd unwaith eto wrth ei ferch, cyn i'w lygaid symud at Sally a Daf.

"Cops," ailadroddodd y ferch, gan bwyntio'i bawd at y ditectifs.

Cododd Sally ei cherdyn adnabod i gyfeiriad Cameron Cuffy, ond ni arhosodd i edrych arni'n fanwl. Yn hytrach, trodd ar bisyn chwech a'i heglu hi'n ôl i'r gegin ac i gyfeiriad y drws tân a'r byd tu hwnt.

"Shit!" cyd-ebychodd y partneriaid, cyn i Sally siarsio Daf i fynd ar ei ôl. Anelodd Daf yn syth am y gegin, tra trodd Sally a rhedeg am y maes parcio, yn y gobaith o rwystro llwybr y drwgdybiedig at ei ryddid byrhoedlog. Allan o'r drws a mas i'r awyr iach. Roedd y nos wedi cau a'r maes parcio'n dywyll, ond ddim yn ddigon dudew i'w hatal rhag gweld y cogydd yn ei heglu hi i gyfeiriad yr ystad tai cyngor gerllaw, gyda Daf ar ei drywydd; ei goesau a'i freichiau'n troi fel tyrbinau yn y gwyll. Ar ôl treulio dwy flynedd yn cerdded y bît yng Ngerddi Hwyan, cyn dod yn dditectif, roedd Sally, fel Daf yntau, yn hen gyfarwydd ag ystad Y Wern a'i drysfa o alïau cefn a llwybrau tywyll. Neidiodd Sally i'r car a thanio'r injan, cyn gyrru ar ôl y rhedwyr; ei chalon yn pwmpio fel piston gan wneud i'r adrenalin garlamu trwy ei gwythiennau. Trwy'r dilyw, gwelodd silwét Daf yn diflannu i lawr ali gefn, gan wybod yn iawn y byddai Cameron Cuffy yn cyrraedd canol yr ystad mewn llai na munud. Defnyddiodd bopeth a ddysgodd ar ei chwrs gyrru uwch i yrru'r car ar hyd dwy stryd soeglyd er mwyn cyrraedd y llecyn hirgrwn glaswelltog yng nghanol y tai cyngor. Sgrialodd rownd y cornel olaf a gweld dau ffigwr tywyll yn croesi'r gwair. Roedd Daf yn cau'r bwlch ar yr heglwr, ond roedd y gamlas gerllaw, ac ni fyddai Sally'n gallu ymlid Cameron Cuffy yn y car ar hyd y llwybrau halio, felly pwysodd ar y sbardun ac anelu am fynedfa'r llwybr i'r gamlas ar ben draw'r cae chwarae. Llithrodd Cuffy yn y llaca, gan alluogi Sally i gyrraedd y bwlch mewn pryd i'w rwystro rhag dianc. Rhag diflannu. Camodd Sally o'r car, y glaw trwm yn morthwylio ar ei bochau, ei gwallt yn stecs. Arafodd Cuffy ei gamau, fel petai ar fin rhoi'r gorau i geisio dianc. Plygodd. Pwysodd ei ddwylo'n drwm ar ei luniau. Dyfalodd Sally nad oedd Cameron Cuffy'n cadw'n heini. Anadlodd yn drwm, ei fron yn codi a chwympo fel megin. Roedd Daf o fewn decllath iddo bellach.

"Sdim unman 'da chi fynd, Mr Cuffy," gwaeddodd Sally drwy'r curlaw.

Ond nid oedd Cuffy'n cytuno â'i ddatganiad. Ar ôl un anadl ddofn arall, trodd i'r dde a dechrau rhedeg unwaith eto, ond diolch i'r gwair stecs o dan ei draed, a ffitrwydd rhagorach Dafydd Benson, nid aeth yn bell. Taclodd Daf y ffoadur; eu cyrff yn llithro yn y gwlybanwch. Brwydrodd Cuffy i dorri'n rhydd. Cwffiodd. Poerodd. Rhegodd. Curodd. Dyrnodd. Diawlodd. Ond trodd Daf e ar ei flaen, gan wthio'i wyneb i'r baw, cyn cloffrwymo ei freichiau y tu ôl i'w gefn.

Yn ôl yn yr orsaf, gyda Cuffy'n ymddwyn yn ymosodol tu hwnt tuag atynt, gan wrthod cydweithredu nac ateb cwestiynau'r ditectifs o gwbl, gadawyd ef mewn cell am y nos i ddod at ei goed, tra anelodd Sally a Daf am y maes parcio, er mwyn mynd adref am noson haeddiannol o gwsg.

"Gwaith gwych heno, Daf," medd Sally wrth ei phartner.

Gwenodd Daf trwy'r diferion, oedd yn dal i gwympo'n ddidrugaredd o'r nen. "A ti, Sal."

Wrth yrru am adref gyda gwresogydd y car yn chwythu nerth y pen, teimlodd Sally ryw synnwyr o foddhad yn rhaeadru drosti. Ac er nad oedd unrhyw sicrwydd o hyd eu bod nhw wedi dal llofrudd Peter James, roedd y ffaith bod Cameron Cuffy wedi ceisio ffoi oddi wrthynt yn argoeli'n dda. Yn dda iawn, hefyd.

10: Capten

O sychder cymharol y twnnel tywyll, gwyliaf y glaw
yn pistyllo ar y tir agored, gan gronni a chreu pyllau
brown dwfn ar wyneb y ddaear garegog, wrth i fi gyrcydu yn
yr ysgyrion maluriedig o dan draed. Caniau rhydlyd. Teiars
treuliedig. Gwydr teilchion. Dŵr budr. Cerrig. Cachu. Yn
aros. Yn cofio. Yn awchu am ymddial. Eto. Ar ôl llwyddiant
diamod Capel Horeb, gweithredu ar fyrder yw'r peth gorau i'w
wneud yn awr, cyn i unrhyw un wneud y cysylltiad. Boed yr
heddlu neu weddill y tramgwyddwyr ar fy nghach-restr; wrth
i'r gwir wawrio arnynt, ac wrth i'r gorffennol ddychwelyd i'w
haflonyddu. I'w hela. Sa i'n ofni cael fy nal. Sa i'n pryderu am
bydru mewn cell. Mae'r ddeg mlynedd ar hugain ddiwethaf
wedi bod yn garchar, tra bod y gweithredoedd hyn yn teimlo
fel rhyddid. Yr unig nod yw talu'r pwyth yn ôl. Dial. Dim mwy.
Dim llai. Rhoi llinell trwy'r pedwar enw. Dod â'r bennod i glo,
unwaith ac am byth. Wedyn, gallaf fynd i fy medd yn gwybod
fy mod wedi unioni'r cam. Ar ôl deuddydd o dywydd braf, mae'r
gaeaf wedi dychwelyd i Erddi Hwyan. Mae'n tywallt y glaw;
y diferion maint peli golff yn rhwygo'r croen, a'r gwynt traed
y meirw fel petai'n treiddio i'ch esgyrn, hyd yn oed trwy dair
haenen o ddillad. Mae fy anadl fel mwg yn y golau pŵl. Llafn
fy nghyllell yn ddiogel yn ei gwain, ym mhoced fy nghot law
ddu. Am nawr. Porth Hwyan. Atsain o orffennol diwydiannol,
diflanedig y dref, a'r ardal ehangach, sydd bellach yn ddim

mwy na chyfres o lwybrau lleidiog trwy goedwig fythwyrdd anfrodorol. Cyrchfan cerddwyr a'u cŵn, neu geiswyr cyffro ar gefn beiciau mynydd. Teiars trwchus fel rhai tractor a baw yn drwch dros y marchogion. Treftadaeth dorcalonnus sydd wedi'i hadfeddiannu gan natur. Am eiliad, caf fy hudo gan y côr o goed pinwydd tal sy'n plygu ac yn dawnsio o dan straen hyrddiadau'r gwynt. Diflanna'r golau olaf dros y gorwel, ac yna gwelaf ef yn cerdded i fy nghyfeiriad. Yn dal i dorsythu, er nad yw ei gamau mor sicr heddiw. Yn dal i gredu mai fe yw brenin y byd. Mae ei gi ar dennyn, a'i ben wedi'i grymu oherwydd yr elfennau. Dyma un arall sy'n gaeth i'w arferion. Hyd yn oed mewn tywydd garw. Yn ddiarwybod iddo, dwi 'di bod yn ei wylio. Ers dychwelyd i'r dref. Yn ei lech-hela. Yn aros. Mor amyneddgar â mynach. Ond yn debycach i Job, o ystyried artaith fy ngorffennol. Sa i wedi anghofio beth wnaeth e. Mae'r delweddau mor fyw yn fy nghof ag erioed. A heno, bydd e'n talu'n ddrud. Gyda'r gwynt yn rhuo o'm cwmpas yn y twnnel, gan wneud sŵn fel seiren cyrch awyr, dilynaf ef gyda'm llygaid, o ddüwch fy nghuddle. Ar ôl iddo ddiflannu i'r coed, i'r dilyw, camaf o'm cuddfan ac anelu i'r cyfeiriad arall, am y maes parcio; trwy'r coed ar hyd llwybr lleidiog a throellog. Cyn cyrraedd, gwyraf oddi ar y llwybr a diflannu i drwch y prysgwydd. Er na allaf weld ei gerbyd eto, rwy'n gwybod yn union ble mae'r bwbach wedi parcio, gan ei fod yn gadael ei gar yn union yr un man bob tro. Yn ddiarwybod iddo, mae'r arfer hwn o fantais i mi heno. Gan symud mor isel at y tir ag y gallaf, rwy'n aros yn yr istyfiant wrth wneud fy ffordd o amgylch y maes parcio tywyll, tan fy mod yn uniongyrchol wrth ochr ei gar, Range Rover gyriant pedair olwyn. Gallaf weld y camera cylch cyfyng o'r cysgodion, ond nid yw'n gallu fy ngweld i o gwbl, gan fod y car yn fy nghuddio. Ar ben hynny, mae'r glaw sy'n stido'r ddaear yn rhoi haenen arall o guddliw i mi, tra bod y gydnos fel clogyn o'm cwmpas. Nid oes cerbyd arall ar gyfyl y lle. O'r fan hyn, o amgylch cefn y car, gallaf weld ceg y llwybr yn y gwyll ac, ymhen llai na deg munud, mae'r targed yn ymddangos, er mai clywed ei gamau ar y cerrig llac ydw i. Sleifiaf o'm cuddfan a thynnu fy nghorff yn dynn at olwyn gefn y car, ar ochr 'ddall' y cerbyd. Ar ôl gwylio'r ddefod dychwelyd-i'r-car ddegau o weithiau dros y misoedd diwethaf, gosodaf fy llaw ar garn y drws, yn barod i'w dynnu, a chau fy llygaid er mwyn aros am sŵn y bŵt yn agor. Mae cam nesaf fy nghynllun braidd yn ansicr, rhaid i mi gydnabod hynny, ond diolch i'r elfennau eithafol, mae gen i gyfle go iawn i lwyddo. Ac os na, bydd rhaid byrfyfyrio. Rwy'n gwybod bod y ci'n cael ei gludo mewn caets ym mŵt y car, felly nid yw Pero'n cynrychioli unrhyw fath o fygythiad. Mae'r meistr a'r ci o fewn cyffwrdd. Dros wichial aflafar y gwynt a'r glaw, clywaf bîp-bîp digamsyniol y car yn datgloi, ac yna clic y bŵt yn agor. Mewn cytgord perffaith, agoraf y drws y mymryn lleiaf, a llithro i'r sedd gefn, gan orwedd ar lawr ym mola'r fuwch, gan ddiolch mai model gweddol newydd yw hwn, yn hytrach na hen groc sydd angen bôn braich go iawn er mwyn cael mynediad. Fel nifer o geir sy'n cludo cŵn, mae rhwyd yn gwahanu'r sedd gefn rhag y creadur, sy'n golygu nad yw'r darpar ddioddefwr yn gallu fy ngweld i o gwbl. Gan orwedd ar y llawr yn y sedd gefn, fy nillad du yn fy nghuddio'n llwyr, gafaelaf yng ngharn y drws unwaith eto ac aros am y glic. Clywaf wich drws y caets yn cau ar y ci, ac yna griddfan y bŵt wrth iddo gael ei gloi. Caeaf y drws yn dyner, ar y cyd â chlic y bŵt. Mae perchennog y cerbyd yn llithro i'w sedd. Clywaf y ci yn y cefn yn sniffian yr aer, ac yna'r injan yn tanio a'r gwresogydd yn chwydu aer cynnes i grombil y car. Yn araf, mae'r car yn dechrau symud a cherddoriaeth yn llenwi'r lle. Cân gyfarwydd. Elin Fflur, efallai. Estynnaf y gyllell o'i gwain a gafael ynddi'n dynn, y menig latecs fel ail groen. Clywaf y newyddion lleol yn dod o'r radio. Llofruddiaeth Peter James yw'r ail stori. Amwys iawn yw'r manylion. Does neb o dan amheuaeth, does dim cymhelliant clir, mae'r heddlu'n parhau gyda'u hymchwiliadau.

"Shit!" Clywaf y gyrrwr yn ebychu, pan symuda'r newyddion ymlaen at y stori nesaf. Mae e'n dyfalu beth sydd i ddod, er nad yw e'n sylweddoli mor fuan fydd hynny. Codaf i eistedd a gosod llafn y gyllell ar ei afal Adda. Mae'r cerbyd yn sgrialu am eiliad, cyn dod i stop yng nghanol y ffordd. Mae postyn lamp cyfagos yn goleuo crombil y car, a'n llygaid yn cwrdd yn y rear view. Rhwng fy nghot, sydd wedi'i thynnu dros hanner isaf fy wyneb, a'r cwfwl sy'n gorchuddio fy ngwallt, nid yw'r gyrrwr yn fy adnabod. Ond, o edrych i fyw fy llygaid, mae'n gwybod bod y diwedd ar ddod. Mae'r Diafol ei hun yn cadw cwmni iddo heno.

"Gyrra," gorchmynnaf, ac ymlaen â ni.

Mewn tawelwch, trwy'r storm, rwy'n ei gyfeirio at gilfan ar y ffordd rhwng Gerddi Hwyan a Maesteg. Cilfan barcio anghysbell, heb gamerâu yn agos ati, sydd hefyd yn darparu mynediad at lwybr y gamlas leol. Y lle delfrydol i ddiflannu. Fel ysbryd. I'r nos.

"Tro'r injan bant," mynnaf.

Mae'r gyrrwr yn gwneud, cyn syllu arnaf eto yn y drych. Gwelaf yr ofn pur yn ei lygaid.

"Plis!" Mae'r pensiynwr yn pledio ond mae'n rhy hwyr am hynny. Heb air, heb oedi, gwthiaf awch miniog y gyllell i'w groen, a'i thynnu o un glust i'r llall, y llafn llyfn yn sleisio trwy'r cnawd yn gwbl ddiymdrech. Cyn camu o'r car, tynnaf fand cotwm rownd beisep braich chwith y diawl, a'i osod yn ei le gyda felcro. Yna, toddaf i dywyllwch y nos, wrth i'r gwaed lifo o'r hollt, dros ei frest a'i fola, yr olwyn yrru a'r dash.

Dau lawr.

Dau ar ôl.

11 : Cilfan

"**P**um munud sydd 'da fi bore 'ma, sori," datganodd DI Price, heb esboniad pellach, gan wahodd Sally a Daf i eistedd yn ei swyddfa. Naw o'r gloch ar fore Mercher oedd hi, gyda Sally'n teimlo'n rhannol-ddynol unwaith eto ar ôl noson go dda o gwsg. Pum awr ddi-dor, a dwy doredig yng nghwmni'r oriel arferol o ddrychiolaethau. Eisteddai Daf wrth ei hochr, y bagiau du yn bolio o dan ei lygaid coch, a'r cysgod barfog yn drwch dros ei ên. Roedd y glaw yn dal i gwympo tu fas i'r ffenest, er nad oedd mor drwm â'r noson gynt. Cafodd Sally rhyw deimlad o déjà vu, ond anwybyddodd y wefr er mwyn rhoi ypdêt clou i'r dirprwy.

"Saetha," anogodd DI Price, gan edrych i fyw ei llygaid.

Aeth Sally amdani: "Stori hir yn fyr, syr, mae 'da ni suspect yn y ddalfa."

"Glywes i. Llongyfarchiadau."

"Diolch, syr, ond sdim sicrwydd mai fe yw'r llofrudd chwaith."

"Chi 'di siarad 'da fe eto?"

"Naddo, syr. Roedd e'n ymosodol iawn neithiwr. Gwyllt. Yn bygwth ni'n dau a'r sarjant ar ddyletswydd, so gadawon ni fe yn y gell i gwlio lawr."

"A'r bore 'ma?"

"Yn ôl Swyddog y Ddalfa, roedd Mr Cuffy'n ymddwyn yn rhyfedd drwy'r nos. Gweiddi. Sgrechen. Dyrnu ei hun yn ei wyneb. Ma fe'n cysgu nawr, so newn ni ddelio gyda fe ar ôl post mortem Peter James. Falle bydd ambell beth yn codi a fydd yn ein helpu ni gyda'r cwestiynu."

Nodiodd Rolant Price ar yr ateb, ond roedd ei feddwl yn bell bore 'ma. "Swnio fel plan."

"Chi'n meddwl dylen ni drefnu asesiad iechyd meddwl i Mr Cuffy, syr?" Gofynnodd Daf.

"Heb os. Ond dim cyn i chi ei gwestiynu, OK. Rhag ofn bydd yr asesiad yn amharu ar yr archwiliad. Gallwn ni ei ddal e tan chwech o'r gloch heno, heb gyhuddiad, so cyn belled â'ch bod chi'n ei gwestiynu cyn hynny, fydd dim problem o ran protocol."

Nodiodd y ditectifs yn ufudd ar eu huwch-swyddog, er gwaetha'r ffaith bod y ddau ohonynt yn gwybod nad dyna'r ffordd swyddogol, foesegol o weithredu. Dylai anghenion yr unigolyn yn y ddalfa gael y flaenoriaeth, nid yr archwiliad, ac atseiniodd agwedd amheus Ysgol Uwchradd Gerddi Hwyan o'r wythdegau ym mhen Sally, ond unwaith eto, claddodd y llais yn ddwfn yn ei hisymwybod. Gwyddai y byddai DI Price yn ei chefnogi, petai unrhyw un yn cwestiynu'r penderfyniad.

Cododd DI Price ar ei draed. "Fi'n goro mynd nawr, ond fi moyn ypdêt arall ar ôl i chi gwestiynu Cuffy, olréit." Edrychodd ar ei oriawr yn gyflym, cyn gadael.

*

Teithiodd Sally a Daf i Ysbyty Tywysoges Cymru yn y Skoda Octavia oedd wedi'i neilltuo ar gyfer yr adran dditectifs. Gyda'r ddau yn gweithio goramser wrth i'r achos fynd yn ei flaen, gwiriodd Sally gyda Richard King a Tej Williams, y ditectifs oedd yn gweithio'r sifft gynnar, os oedd hynny'n iawn, cyn cymryd y car ac anelu am Ben-y-bont.

Ar ôl cymryd ache i ddod o hyd i le parcio, aeth y ditectifs i lawr i waelodion yr ysbyty mewn lifft, ac anelu am yr elordy ymhell o dan y ddaear. Roedd meirwon yr ysbyty hwn ychydig yn is na chwe troedfedd o dan y pridd. Am nawr o leiaf. Ar ôl camu o'r blwch dur dienaid, gwelsant fod Dr Stevens yn eistedd wrth ddesg mewn swyddfa, gyferbyn â drysau'r lifft. Ar glywed eu sŵn, cododd ei phen a gwenu arnynt, cyn ymsythu o'i chadair ac ymuno â nhw yn y coridor.

Fel Sally, roedd Dr Stevens yn gwisgo dillad tebyg iawn i'r diwrnod blaenorol, er bod côt wen laes am ei hysgwyddau hefyd.

"DS Morris, DS Benson," croesawodd yr ymwelwyr yn ddiseremoni. "Dilynwch fi."

I ffwrdd â'r ditectifs ar drywydd y doctor, sŵn eu traed yn atseinio drwy brif ystafell yr elordy – heibio i ddrysau di-rif bob ochr, tebyg i wardrobs wedi'u ffitio, a chwe rhif ar bob drws yn dynodi faint o gyrff y gellid eu cadw ynddynt; byrddau archwilio haearn; sinciau sgleiniog; lampau a goleuadau llachar; cloriannau; trolïau; a mwy o grôm na chegin Nigella Lawson.

Er eu bod mor agos at y meirw, yr unig aroglau oedd i'w glywed oedd elïau antiseptig amrywiol, gan fod y lle mor lân ag unrhyw ward yn yr ysbyty uwchben, os nad yn lanach.

Daeth Dr Stevens i stop tu allan i ddrws dur ym mhen draw'r elordy. Ystafell wedi'i neilltuo ar gyfer achosion yr heddlu oedd hon.

"Gorffennes i'r PM neithiwr," esboniodd y patholegydd, gan fewnbynnu rhif cudd er mwyn datgloi'r drws. Yna, camodd i'r ystafell a chynnau'r golau. Roedd bwrdd archwilio dur gloyw yn y canol a chorff yn gorwedd arno, wedi'i orchuddio gan liain gwyn. Camodd Dr Stevens at y bwrdd a thynnu'r lliain oddi ar y gelain yn ofalus. Yno, gorweddai Peter James yn ei lawn ogoniant. Caeodd y meddyg fotymau'r got wen. Gwisgodd bâr o fenig latecs glas am ei dwylo a thynnu lamp gyfagos at y corff. Cynnodd y bỳlb ynddi a'i phwyntio at dorso a phen Mr James. Ar wahân i'r clwyf ar ei wddf, edrychai'r corff mor normal â hen ddyn yn mynd am ddip mewn pwll nofio lleol. Roedd ei groen yn welw, diolch i'r diffyg gwaed, er bod smotiau a phatsys coch-frown i'w gweld fan hyn, fan draw ar yr arwyneb garw. Edrychai Peter James fel balŵn oedd yn y broses o ddadchwyddo. Ar hap, gwthiai talpau o flewiach gwyn o'r mannau mwyaf annisgwyl – hanner ffordd rhwng ei dethi a'i fotwm bol, er enghraifft – tra ymdebygai ei bidyn i falwoden fach swil.

"Sdim llawer i'w ychwanegu at yr hyn wedes i wrthoch chi ddoe," dechreuodd Dr Stevens, ei eiriau fel dwrn i obeithion Sally. "Cause of death, dim syrpréis i neb, knife wound to the throat, which ruptured the carotid arteries, leading to a massive loss of blood. Esgusodwch y Saesneg."

Syllodd Sally ar y clwyf wyth modfedd ar draws gwddf Peter James. Roedd e mor dwt a thaclus. Diymdrech yr olwg. Ond eto, roedd torri cnawd, hollti trwy'r croen yn y fath fodd, yn galw am fôn braich eithriadol, heb sôn am lefel o gasineb a oedd yn anodd ei amgyffred. Beth oedd yr hen ddyn wedi ei wneud i haeddu'r fath ddiwedd? Gwyddai Sally'n reddfol nad ymosodiad ar hap oedd hwn. Unwaith eto, trodd ei meddyliau at y clecs am y camera fideo. *Rhaid* bod yna gysylltiad.

Wrth i Dr Stevens fynd trwy ei chanfyddiadau, ffrwtiodd y rhwystredigaeth ym mherfedd Sally. Ysai am ddychwelyd i'r orsaf i gwestiynu Cameron Cuffy.

"Ar wahân i'r toxicity report, sy'n cynnwys dim byd amheus, dyna ni, a dweud y gwir," medd Dr Stevens wrth y ditectifs, gydag awgrym o ymddiheuriad i'w glywed yn ei geiriau. "Dim DNA o wallt nac o dan yr ewinedd. Dim olion bysedd ar y corff. Dim byd o werth ar y clapfwrdd. Dim byd arbennig am y clwyf."

"Diolch," medd Sally, gan baratoi i adael. Ond, cyn troi ar ei sawdl, agorodd y drws i'r ystafell ac ymddangosodd patholegydd arall mewn cot wen yno. Trodd Sally a Daf i'w wynebu. Roedd e allan o wynt ac yn amlwg wedi rhedeg o'r swyddfa er mwyn rhannu'r newyddion.

"Neges i DS Morris," meddai, gan hoelio eu sylw yn llwyr. "Ffoniwch Inspector Foot ar unwaith."

*

Sgrialodd y Skoda o Ben-y-bont i gyfeiriad Gerddi Hwyan, gyda Daf yn cymryd rhai corneli ar ddwy olwyn.

"So fe'n mynd i unman," medd Sally wrtho, ddim yn bell o Ton-du, a gwnaeth hynny'r tric. Arafodd Daf y car ac, o fewn pum munud, roedd Dr Stevens wedi dal lan gyda nhw, ac i'w gweld yn y drych ôl, ar gyrion Maesteg.

Diffyg signal ffonau symudol yn elordy tanddaearol yr ysbyty oedd y rheswm i Inspector Foot orfod cael gafael ar y ditectifs fel y gwnaeth. Rhedodd Sally a Daf i swyddfa Dr Stevens yn syth er mwyn dychwelyd yr alwad.

Roedd y neges yn syml: "Corff arall. Yr un M.O."

Nododd Sally gyfesurynnau'r lay-by lle canfuwyd yr ail gorff yn ei llyfr bach. Yn anochel braidd, dyn canol oed yn cerdded ei gi ddaeth o hyd i'r olygfa erchyll, gan fod y gilfan yn cynnwys mynediad diarffordd at y llwybr cyhoeddus ger y gamlas. Ar adael yr ysbyty, daeth Sally o hyd i'w cyrchfan ar ei ffôn, cyn i Daf yrru fel Elfyn Evans a gadael Dr Stevens ymhell ar ei ôl.

Rhyw ganllath o ben eu taith, gorfod i Daf ddod â'r car i stop, gan fod fan heddlu'n atal y ffordd. Agorodd ei ffenest a chyfarch PC Becky Lewis. Chwifiodd hi nhw heibio, ac ymhen dim roedd Sally, Daf a Dr Stevens yn agosáu ar droed at leoliad y drosedd, ar ôl parcio'r car ar ochr y rhewl. Roedd y fan SOCO wedi cyrraedd yn barod, a llond llaw o swyddogion, mewn troswisgoedd gwyn, yn brysur wrth eu gwaith. Aeth Dr Stevens i siarad gyda'i chydweithwyr, gan adael i Sally a Daf wisgo sliperi papur dros eu hesgidiau, cyn camu at y car i weld y difrod.

"So nhw 'di dechrau ar y tu fewn eto," medd Dr Stevens, wrth ailymuno gyda nhw. "Ma nhw 'di bod yn canolbwyntio ar lawr y maes parcio fan hyn. Cymryd molds olion esgidiau a theiars."

"Nodwydd a thas wair," medd Daf o dan ei wynt, fel mai Sally yn unig a glywodd.

Wrth gamu at y car – Range Rover gweddol newydd – tynnodd y triawd fenig latecs dros eu bysedd. Roedd clawdd tal yn gwahanu'r gilfan barcio oddi wrth y ffordd a doedd dim postyn lamp na chamera cylch cyfyng yn agos at y lle. Pwyntiodd Daf at y bwlch llawn tyfiant gerllaw, oedd yn arwain yn syth at lwybr y gamlas. "Lle da i ddod os chi moyn diflannu," medd Daf, a nodiodd Sally a Dr Stevens.

Cyn agor unrhyw ddrws, cerddodd y triawd o amgylch y cerbyd, rhag ofn bod unrhyw beth yn dal eu sylw. Ôl llaw waedlyd, er enghraifft. Ond, ar ôl glaw trwm y noson gynt, roedd rhan uchaf y car yn weddol lân, er bod yr isffram a'r olwynion wedi'u gorchuddio gan faw. Stopiodd y tri o flaen y car ac edrych ar y sgrin wynt, oedd yn goch i gyd, gyda'r gwaed yn diferu ar y tu fewn. Roedd amlinell corff y dioddefwr i'w weld trwy'r sgrin sgarlad.

"Dim ond un peth sy'n mynd i wneud i'r gwaed dasgu fel 'na, reit, doc?" medd Daf, gan gamu at ddrws y gyrrwr.

Nodiodd Dr Stevens ei phen, gan anwybyddu ei haerllugrwydd. "Ie wir," cadarnhaodd.

"Y carotid," medd Sally.

"Heb os," cytunodd y patholegydd.

Yn araf bach, gyda gofal mawr, agorodd Daf ddrws y gyrrwr. Chwydwyd aroglau afiach camau cychwynnol y corff yn pydru i'r aer, gan wneud i'r triawd gamu'n ôl a chwifio'u dwylo o flaen eu trwynau. Yna craffodd y tri ar y dyn yn y car.

"Aye, aye, capten," medd Daf.

Fel arfer, byddai Sally wedi ei ddwrdio am fod mor ansensitif yn wyneb golygfa mor erchyll, ond ni allai wneud unrhyw beth o'r fath o dan yr amgylchiadau, gan fod y dioddefwr yn gwisgo rhwymyn braich du gyda'r gair 'CAPTAIN' wedi'i frodio mewn llythrennau gwyn.

12: Cadella

Fel plentyn bach ar noswyl y Nadolig, ni allai Magi gysgu'n iawn ar y nos Sul cyn cychwyn yng ngholeg chweched dosbarth y dref. Am unwaith, nid bloeddio ei rhieni oedd ar fai; yn hytrach egni nerfus pur, a phili-palod prysur oedd yn troi a throsi yn ei stumog fel perfformwyr trapîs. Yn ei phen, brwydrodd cwestiynau nad oedd modd eu hateb yn erbyn pryderon eithafol dychmygol.

A oedd hi wedi dewis y pynciau cywir? A fyddai'n gwneud ffrindiau? A fyddai'n cael ei bwlio? A fyddai'n gallu ymdopi gyda'r gwaith? Ble byddai'n prynu cinio? A ddylai fynd â phecyn bwyd gyda hi? Oedd hynny'n rhy anaeddfed? Babïaidd? Beth ddylai wisgo? Oedd ei dillad yn ddigon cŵl? Neu eisoes yn last season? A ddylai dorri ei gwallt yn fyr, neu fynd am undercut? Roedd hi'n ffansïo un o'r rheini, ond a fyddai hynny'n tynnu sylw ati? Dyna'r peth olaf roedd hi eisiau. A ddylai ddechrau smocio, er mwyn edrych yn badass? Beth fyddai East 17 yn gwneud?

Cwympodd i gysgu yn y pen draw, ond teimlai fel sloth ben bore, hyd yn oed ar ôl sefyll o dan lif oer y gawod am ddwy funud. Darllenodd yn rhywle fod cwpwl o funudau mewn cawod oer yn well na pheint o goffi ar gyfer rhoi cicdaniad i chi ar ddechrau'r dydd. Ni allai herio'r honiad, gan nad oedd yn hoffi blas chwerw coffi, ond gwyddai fod yr arferiad yn ei helpu hi ar bob achlysur.

Gwisgodd. Clymodd ei gwallt yn gwt. Atseiniodd atgof o

ganol y nos yn ei phen. Syllodd arni ei hun yn y drych, gan geisio dychmygu sut y byddai'n edrych gyda gwallt byr neu undercut. Yn chwerthinllyd, oedd ei chasgliad, yn enwedig yr ail ddewis.

Roedd ei thad yn aros amdani yn y gegin, er nad oedd sôn am ei mam. Penderfynodd y ddau anwybyddu ei habsenoldeb ac esgus bod popeth yn hynci-dori.

"Fi 'di neud sosej sarni i ti," medd ei thad; ei wên gynnes yn masgio'r boen fewnol.

"Cŵl," atebodd Magi, gan eistedd wrth y bwrdd.

"Gysgest di?" gofynnodd Declan.

"Yn y diwedd," atebodd Magi, gan stwffio'r bara gwyn a'r cig i'w cheg, y sos coch yn diferu i lawr ei gên. "Fi bach yn nyrfys," ychwanegodd, wrth gnoi.

Nodiodd ei thad ei ben, a llarpio'i goffi. "Ti fod yn nyrfys cyn gwneud rhywbeth newydd, t'mod. Paid credu neb sy'n dweud fel arall. Dim ond seicos sydd ddim yn cael eu heffeithio gan nyrfs."

Nodiodd Magi arno, a mynd ati i orffen ei brecwast.

*

Cyfres o sesiynau ymsefydlu oedd yn aros am Magi ar y bore cyntaf yn y coleg chweched dosbarth. Am naw, croeso cyffredinol gan y pennaeth, mewn ystafell fawr. Cadeiriau plastig rili anghyfforddus. Aroglau chwerw-felys B.O. a sigaréts yn yr aer. Boring. Nesaf, cyflwyniad i'r adran ddaearyddiaeth. Eisteddodd Magi yng nghefn y ddarlithfa, mas o'r ffordd, mewn ymdrech i beidio â thynnu sylw ati ei hun. Roedd dau gyn-ddisgybl arall o Ysgol Uwchradd Gerddi Hwyan yn bresennol, ond neb oedd wedi gwneud ei bywyd yn uffern dros y blynyddoedd. Alltudion eraill, oedd, fel Magi, wedi dewis dod yma er mwyn osgoi sylw annymunol eu cyfoedion. Nodiodd Magi arnynt, er na ddywedon nhw ddim byd wrth ei gilydd. Crwydrodd Magi'r campws yn ystod yr egwyl, yn bennaf er mwyn peidio ag aros yn llonydd. Yn ei phrofiad hi, dyma'r ffordd orau i osgoi gwrthdaro. Cerddodd trwy'r cyrff, cyn mynd i guddio yn y tai bach. Roedd yr holl beth yn ormod iddi. Yn llethol. Roedd Magi wedi ei llorio. Eisteddodd yn y ciwbicl gan anadlu'n ddwfn, mewn trwy'r trwyn ac allan trwy'r geg, gan orfodi ei chalon i arafu. Oedodd amser. Tawelodd y twrw tu allan. Caeodd ei llygaid. Diflannodd Magi i'w man hapus. Glan afon laslwyd, ar doriad gwawr. Ei thad wrth ei hochr, yn rhwydo brithyll, wrth i'r haul godi dros y gorwel. Dychwelodd. Agorodd ei llygaid. Gwiriodd ei horiawr a gweld bod llai na deg munud ganddi i ddod o hyd i leoliad y sesiwn nesaf. Agorodd y drws a chamu at y sinc. Trodd y tap a golchi ei dwylo. Edrychodd arni ei hun yn y drych; ond cipiwyd ei sylw gan y ferch oedd yn sefyll wrth ei hochr, yn syllu'n ôl arni, gyda gwên fawr ar ei hwyneb.

"Hei!" ebychodd; lletchwithdod yn plethu gyda chyfeillgarwch.

"Hi," atebodd Magi, wedi'i synnu braidd.

"Ti'n neud daearyddiaeth, reit."

"Ydw," medd Magi.

"A fi!" Gwenodd eto, ei dannedd perffaith yn disgleirio ar gefndir ei chroen brown golau. Gwisgai sbectols crwn, fel rhai John Lennon, ac roedd ei gwallt cyrliog tyn fel cwmwl du ar dop ei phen. Roedd ganddi lygaid brown, dwfn, oedd yn dawnsio pan fyddai'n chwerthin ac roedd hi hefyd wedi mynd i drafferth mawr i geisio edrych yn cŵl ar ei diwrnod cyntaf yn y coleg. Fel Magi, nid oedd wedi llwyddo cant y cant. "Weles i ti yn y sesiwn."

"Beth arall ti'n astudio?" gofynnodd Magi, y pili-palod yn dawnsio unwaith eto yn ei bol.

"Saesneg a hanes," atebodd y ferch.

"A fi!" ebychodd Magi. "Wel, Saesneg anyway, ond fi'n neud busnes, dim hanes."

"Cŵl," medd y ferch, gan estyn ei llaw. "Cadella."

Gafaelodd Magi yn ei llaw a chyflwyno ei hun, a dyna ddiwedd ar yr holl boeni. O'r diwedd, roedd ganddi ffrind, ac i ffwrdd â'r ddwy i'r sesiwn nesaf, yn teimlo'n gwbl gyfforddus yng nghwmni ei gilydd; y rhyddhad yn rhaeadru oddi arnynt, fel llwybr malwen anweledig ar eu holau.

★

Dros yr wythnosau nesaf, closiodd Magi a Cadella, gan dreulio pob munud posib yng nghwmni ei gilydd. Ar wahân i'r adegau hynny pan fyddai Magi yn ei gwersi busnes a Cadella yn ei gwersi hanes, roedd y ddwy yn anwahanadwy ar gampws y coleg. Yn ogystal â'r pynciau oedd ganddynt yn gyffredin, daeth eu dewis cerddorol â'r ddwy ynghyd, yn enwedig Wet Wet Wet, Whigfield, Pato Banton a Chaka Demus & Pliers, oedd oll wedi rhyddhau caneuon cofiadwy a hynod boblogaidd yn ystod y misoedd diwethaf. Roedd y coleg yn llawn cliciau gwahanol – surfer dudes a dudettes, goths, sglefrolwyr, metlars, hip-hoppers, grunge kids, stoners, space cadéts, gîcs, Jesus freaks a phopeth arall dan haul – ond safai Magi a Cadella ar wahân, yn hapus yn eu swigen fach arbennig. Yn debyg i Magi, roedd Cadella wedi cael amser caled yn yr ysgol.

"Ro'n i'n sefyll mas fel sore thumb yn Aber-blydi-honddu!"

Chwarddodd ar yr atgofion un amser cinio, er nad oedd y straeon yn ddoniol o gwbl a dweud y gwir. "I mean, edrycha arno fi."

"Ti'n biwtiffwl," medd Magi.

"Diolch, babes, ond sdim lot o bobl brown yn Brecnockshire," manglodd y gair olaf mewn acen ryfedd – hanner posh, hanner penwan – gan wneud i Magi bisio chwerthin. "Ges i loads o grief. Ti'n gwbod, racist shit. Mainly off y plant arall, ond hyd yn oed oedolion. O'dd e'n mental. Pobl yn stare-o arno fi, neu'n sibrwd wrth ei gilydd pan o'dd fi a mam yn cerdded lawr y stryd neu fynd i'r siop..."

Roedd mam Magi o dras Jamaicaidd, er ei bod yn dod o Abertawe yn enedigol, a doedd dim sôn am ei thad yn unman. Nid oedd Cadella yn ei nabod o gwbl, gan iddo ddiflannu o'i bywyd cyn iddi gael ei geni. Yr unig 'atgofion' oedd ganddi oedd cwpwl o ffotograffau, ond gwynt teg ar ei ôl oedd yr argraff a roddodd Cadella amdano. Wrth ei mam y cafodd ei phrydliw hyfryd, ei gwallt cyrliog a'i hagwedd 'ni yn erbyn y byd', tra mai unig etifedd ei thad oedd ei dannedd unionsyth. Er ei chragen feddal a hoffus, roedd craidd caled i Cadella. Dysgodd Magi yn gyflym iawn bod ei ffrind newydd yn gallu gofalu amdani ei hun. Yn gorfforol ac ar lafar. Byddai'n herio unrhyw un a fyddai'n ei sarhau, a gallai handlo'i hun petai pethau'n bygwth troi'n gorfforol, gan ei bod yn astudio karate, ac eisoes wedi ennill ei gwregys brown. Ei mam awgrymodd ei bod yn astudio'r grefft, gan ei bod hi ei hun wedi profi degawdau o boenydio gan ei chyd-ddyn. Nyrs oedd ei mam, oedd newydd gael swydd yn yr ysbyty ym Mhen-y-bont, a dyna'r rheswm i Cadella lanio yn y coleg chweched dosbarth eleni. Angel o'r nefoedd, ym meddwl Magi. Wel, angel o Aberhonddu, o leiaf.

Pythefnos ar ôl cwrdd, cafodd Magi wahoddiad i aros dros

nos yng nghartref Cadella. Roedd ei rhieni wrth eu bodd bod ganddi ffrind. Gyda'r tîm pêl-droed yn chwarae oddi cartref ar y dydd Sadwrn, ni fyddai'r bar ar agor, oedd yn golygu bod Magi'n rhydd i dreulio hyd yn oed mwy o amser gyda Cadella.

Roedd tŷ teras Cadella a'i mam ar ochr arall y dref. Nid oedd y tŷ yn fawr, ond roedd e'n hen ddigon iddyn nhw. Dau lan, dau lawr math o beth. Gardd gefn seis stamp a drws ffrynt oedd yn agor ar y stryd. Yn wahanol i gartref Magi, roedd tŷ Cadella'n llawn cariad, a'i mam yn fenyw hapus a phositif, er gwaethaf, neu efallai oherwydd nad oedd ganddi ddyn yn ei bywyd. Arhosodd un o'r pethau a ddwedodd mam Cadella ym meddwl Magi am flynyddoedd. "Sdim *angen* dyn arna i, er mod i *eisiau* un o bryd i'w gilydd." Roedd ei gwreiddiau Caribïaidd yn bwysig iawn iddi hefyd, a dyma lle clywodd Magi gerddoriaeth reggae, ska a lovers rock am y tro cyntaf. Byddai llais Mrs Williams ("galw fi'n Selena") yn cydganu â'r records oedd yn chwyrlïo'n barhaus ar y troellfwrdd, gan atseinio lleisiau Bob Marley, Jimmy Cliff, Marcia Griffiths, Janet Kay a Sandra Cross, ymysg eraill, dros bob man. Byddai'n dathlu eu hetifeddiaeth ddiwylliannol bob cyfle posib, yn hytrach na cheisio ei chuddio. Cwympodd Magi mewn cariad â mam ei ffrind o fewn munudau o gwrdd â hi, a hynny cyn iddi flasu ei haci a physgod hallt hyd yn oed.

Ar ôl swper, aeth Selena i'w sifft nos yn yr ysbyty, gan adael Cadella a Magi yn y tŷ ar eu pennau eu hunain. Tair ffilm a llond trol o dda-das yn ddiweddarach, cwympodd Magi i gysgu wrth ochr ei ffrind, yn hollol argyhoeddedig y dylai ei rhieni hi wahanu, cyn bod hi'n rhy hwyr iddyn nhw flasu hapusrwydd go iawn unwaith yn rhagor.

*

Wythnos yn ddiweddarach, ar ddechrau mis Hydref, roedd Clwb Pêl-droed Gerddi Hwyan o dan ei sang. Ar ôl cychwyn cachlyd i'r tymor, gyda'r tîm ar waelod y gynghrair wedi colli pob gêm hyd yn hyn, roedd gobaith newydd yn yr aer heno, ar ôl iddynt guro Ton-du o ddwy gôl i ddim y prynhawn hwnnw. Matthew Ross, streicar coesau cam y tîm, ac un o gŵn rhech Iori Tomos, sgoriodd y ddwy gôl, a doedd neb wedi meddwi cymaint ag ef heno. Gyda'r amser yn tynnu at un ar ddeg, gwyliodd Magi a Cadella'r gwallgofddyn yn canu'n fronnoeth ar ben un o'r byrddau, cyn clecio peint arall o Stella ar ei ben a chwympo i gysgu mewn cornel, ei fol cwrw fel toes yn hongian dros ei wregys. Roedd Magi wedi llwyddo i sicrhau swydd i Cadella y tu ôl i'r bar, ac roedd y ddwy, gyda pheth cymorth manig wrth Milly, wedi syrffio ton ar ôl ton o feddwon; eu trwynau coch yn mynd yn fwy llachar, po fwyaf y byddent yn ei yfed.

"Gwenwch!" gwaeddodd llais o'r sgarmes ar y barforwynion. "You're on Candid Camera."

Mewn cytgord, trodd Milly, Magi a Cadella i gyfeiriad y camera fideo, gan wenu a thynnu peints ar yr un pryd.

"Dwedwch rywbeth," mynnodd y llais.

"Piss off, Peter," saethodd Milly'n ôl. "Ni'n brysur!"

Atseiniodd chwedl drefol am hyfforddwr y tîm a'i gamera fideo yn ddwfn yn atgofion Magi. Gadawodd Peter James ei swydd fel athro chwaraeon yn Ysgol Uwchradd Gerddi Hwyan cyn i Magi ddechrau mynychu'r ysgol, ond roedd y clecs amdano yn dal ar wasgar, flynyddoedd yn ddiweddarach. Roedd un peth yn sicr, roedd y boi'n rhoi'r crîps i Magi, a gwnaeth nodyn meddyliol i rannu'r hanes gyda Cadella ar ôl gorffen gweithio heno.

Yn araf bach, dechreuodd y bar wagio, ac erbyn hanner nos,

dim ond pedwar bod dynol oedd ar ôl: Milly, Magi, Cadella a Matthew Ross, oedd yn dal i chwyrnu yn swp yn y cornel. Synhwyrai Magi fod ei mam yn ysu i adael, a dyfalai fod Iori Tomos yn aros amdani yn y maes parcio. Fodd bynnag, roedd presenoldeb arwr y prynhawn yn golygu na allai adael y merched ifanc ar eu pennau eu hunain. Gyda'r blys yn gafael, siglodd Milly'r meddwyn tan iddo agor ei lygaid yn llydan a dychwelyd i'r blaned hon.

"Dere!" mynnodd Milly, gan ei helpu i godi ar ei draed. "Amser mynd adre, Matt."

Helpodd Milly i Matthew Ross droedio'r grisiau o'r bar i'r llawr gwaelod. Roedd ei goesau fel jeli a'i lygaid cyn goched â dwy geiriosen. Diflannodd i'r nos yn fronnoeth, a dychwelodd Milly at y bar.

"Chi'n olréit i gloi lan?" gofynnodd, er mai rhethregol oedd y cwestiwn. Unwaith eto, anwybyddodd Magi lygaid gwydrog ei mam. Un dydd, byddai'n rhaid iddi ei herio, ond nid heno. Dim o flaen Cadella.

Roedd Milly eisoes wedi cyfri'r arian a'i gloi yn y sêff, felly'r unig beth oedd ar ôl i'r merched ei wneud oedd gorffen clirio'r gwydrau, sychu'r byrddau a'r bar a gwagio'r bins.

"Ydyn," atebodd Magi.

"Grêt," gwenodd, cyn dilyn Matt Ross i'r düwch.

Ddeng munud yn ddiweddarach, roedd Magi a Cadella bron yn barod i fynd adref. "A' i â'r bins, os 'nei di fopio'r llawr," awgrymodd Magi.

Gan gario dau fag du yn ei dwylo, brasgamodd Magi i lawr y grisiau ac allan i'r maes parcio. Er ei bod wedi blino'n llwyr, edrychai ymlaen at fynd adre yng nghwmni Cadella. Roedd y maes parcio'n weddol wag a'r awyr yn llawn. Sêr, hynny yw. Miliynau. Biliynau. Annherfynol. Syllodd Magi

i'r awyr gan ryfeddu at anfeidroldeb y bydysawd. Gwnaeth
y ffurfafen iddi deimlo'n gwbl ddisylwedd, ond eto'n hollol
ddiogel ar yr un pryd. Roedd ambell gar wedi cael ei adael
yma dros nos, ond doedd neb ar gyfyl y lle bellach. Taflodd
y bag i'r bin diwydiannol drewllyd y tu ôl i'r clwb, a
theimlodd y presenoldeb, cyn ei weld. Trodd yn araf, a dod
wyneb yn wyneb â channwyll doddedig wyneb Matthew
Ross. Gan ddefnyddio'i ddwy fraich flewog, piniodd Magi
i'r bin dur. Palodd ei fodiau i'w chnawd; ei breichiau yn
gaeth, yr anobaith yn absoliwt. Cusanodd Magi ar ei
hwyneb, ei dafod yn sglefrio dros ei bochau, ei thrwyn, ei
llygaid a'i thalcen; bob man ond ei cheg. Roedd ei anadl
yn drewi. Cwrw fflat a chwd ffres. Afiach. Ceisiodd Magi
wthio'i rheibiwr i ffwrdd, ond roedd e'n llawer rhy gryf
iddi; ei freichiau wedi'i maglu i'r fan a'r lle. Plediodd gyda'r
meddwyn. Gwaeddodd arno i stopio, ond os rhywbeth
gwnaeth hynny Matthew Ross yn fwy penderfynol fyth.
Labswchodd. Rhochiodd. Chwysodd. Rhegodd. Gafaelodd
yn ei bronnau. Pinsiodd ei thethi. Yn galed. Rhwbiodd ei
law rhwng ei choesau. Diolch byth ei bod yn gwisgo jîns,
meddyliodd Magi am eiliad, cyn ceisio dianc o'i grafangau
unwaith eto.

"Paid symud!" slyrodd Matthew Ross yn ei hwyneb, gan
boeri dros bob man. Arogleuodd Magi'r islif parmesanaidd.
Gwthiodd yn galetach fyth, mewn ymdrech ofer i ddianc.
Gwaeddodd am help, a'r peth nesa, roedd Matthew Ross yn
agor ei balog. Dechreuodd Magi sgrechen.

"Come on, come on!" poerodd Matthew Ross yn ei hwyneb,
y rhwystredigaeth yn ei drechu. Roedd e'n rhy feddw i agor
y botwm top. Rhewodd gwaed Magi yn ei gwythiennau.
Llifodd y dagrau lawr ei bochau. Ac yna, tu hwnt i ben sgwâr

ei hymosodwr, clywodd Magi wydr yn torri, a llais ei ffrind yn hollti'r nos.

"Gad 'ddi fynd!" mynnodd Cadella, a wnaeth i Matthew Ross oedi, er na ryddhaodd ei afael. "NAWR!" gwaeddodd arno, gan wthio'r botel Bud deilchion i'w gyfeiriad.

Cyn ei rhyddhau, gafaelodd Ross yng ngwallt Magi a sibrwd yn ei chlust. "Trueni. O'n i'n meddwl y byset ti mwy fel dy fam. Y ffycin ffrij." Gwthiwyd pen Magi mewn i ochr y bin; y poen yn ffrwydro yn ei phenglog. Yna, trodd Matthew Ross a syllu'n syth i lygaid Cadella. "Fuckin' goliwog," cyfarthodd, cyn poeri yn syth i'w hwyneb a cherdded yn igam-ogam i'r tywyllwch.

Anwybyddodd Cadella'r anfri anfaddeuol. Camodd at ei ffrind, gan sychu'r fflem o'i bochau, cyn ei chofleidio mor dynn ag y gallai; y ddwy yn crynu ac yn crio ym mreichiau ei gilydd am funudau oedd yn teimlo fel oriau.

13: Y Medelwr Mawr

Edrychodd Sally ar y sgarmes; llygaid di-rif yn syllu'n ôl arni. Camerâu o bob maint a siâp. Teclynnau recordio sain yn cael eu chwifio. Llyfrau nodiadau. Ffonau symudol. Cyffro angladdol, yn crogi yn yr aer. Ar ôl noson arall heb lawer o gwsg, gwyddai nad oedd hi'n edrych ar ei gorau. Ond, fel arweinydd yr archwiliad, doedd dim osgoi trem y wasg a'r cyfryngau. Roedd wedi gorchuddio'r cysgodion tywyll o dan ei llygaid gydag ychydig o sylfaen ac wedi defnyddio ei hoff finlliw i roi bach o dân i'w gwefusau. Clymodd ei gwallt yn gwt daclus y tu ôl i'w phen, a datganai ei siwt dywyll wrth y byd ei bod hi'n meddwl busnes. Wrth ei hochr, eisteddai DCI Aled Colwyn, tra safai DI Price yng nghefn yr ystafell gyfarfod, yn gwylio'r cyfan. Gwyddai fod ganddi lawer i'w brofi, ac roedd hi'n benderfynol o beidio â siomi neb, yn enwedig ei huwchswyddogion, oedd wedi ymddiried ynddi. Roedd Daf gerllaw hefyd, er na allai ei weld ar yr eiliad hon.

"Diolch am ddod," dechreuodd DCI Colwyn, gan godi ei lais er mwyn tawelu'r dorf. Yna, cyflwynodd ei gambit gyda dirmyg yn diferu o bob sill. Roedd y pennaeth yn hen law ar yr agwedd hon o'r swydd. Yn wir, roedd e'n feistr ar gysylltiadau cyhoeddus. Dyna pam na fyddai'r ditectifs yn ymgysylltu rhyw lawer gyda'r chief o ddydd i ddydd. Roedd Aled Colwyn yn gweithredu fel tarian i'r adran; yn gwyro a delio ag unrhyw ymholiadau ei hun, er mwyn sicrhau bod y milwyr troed yn gallu gwneud eu gwaith, o dan oruchwyliaeth DI Price. "Ni 'di trefnu'r gynhadledd yma bore 'ma mewn ymdrech i'ch atal chi rhag troi'r trychinebau diweddar yng Ngerddi Hwyan yn bantomeim. Yn syrcas. Lleddfu pryderon yw'r nod, nid cynnau coelcerth. Mae'n fraint gennyf gyflwyno DS Sally Morris, sy'n arwain yr archwiliad ar ran Heddlu Gerddi Hwyan. Hi yw'r fenyw gyntaf i arwain achos ar y fath raddfa yn hanes yr adran, ac mae wedi paratoi datganiad byr. Gofynnwn i chi adrodd cynnwys y datganiad yn unig, yn hytrach na chyflwyno tybiaethau dros ben llestri i'ch darllenwyr, gwylwyr neu wrandawyr. Gofynnaf hefyd i chi ystyried teuluoedd a ffrindiau'r dioddefwyr bob amser. Diolch."

Edrychodd DCI Colwyn yn syth at Anusha Rasool, awdur erthygl gynamserol ac arwynebol oedd eisoes wedi ei chyhoeddi, a oedd yn eistedd yn y rhes flaen, wrth ddweud hynny, gan wybod y byddai hi a'i chymheiriaid oedd yma'r bore hwn yn anwybyddu ei erfyniadau, oherwydd nid yr heddlu oedd eu meistri, yn hytrach golygyddion, perchnogion, arian, cyfalafiaeth a ffigyrau darllen a gwrando a gwylio. Gyda hynny mewn cof, amwys iawn oedd datganiad Sally.

"Diolch, DCI Colwyn," dechreuodd Sally, yn peswch i'w dwrn a mynd ati i annerch y dorf heb edrych unwaith ar ei nodiadau. "Canfuwyd corff Peter James, cyn-athro wyth deg dau oed o Erddi Hwyan, yng Nghapel Horeb, Stryd y Capel, toc cyn deuddeg nos Sadwrn. Fel mae pawb yn gwybod yn barod, diolch i rai adroddiadau sydd eisoes wedi ymddangos yn y wasg, cafodd Mr James ei lofruddio. Er gwaethaf ein hymdrechion hyd yn hyn, nid ydym wedi dod o hyd i'r arf a'i lladdodd. Bore ddoe, am bum munud wedi un ar ddeg, canfuwyd corff Iorwerth Tomos, saith deg tri oed, eto o Erddi

Hwyan, yn ei gar ac wedi'i lofruddio, mewn cilfan ar ffordd yr A4063 ar gyrion y dref. Mae natur y llofruddiaethau yn awgrymu cysylltiad posib rhwng y ddau ddigwyddiad." Ar glywed hynny, teimlodd Sally don o gyffro'n crychu trwy'r ystafell. Gallai ddychmygu'r penawdau. "Ar hyn o bryd, rydym yn archwilio nifer o lwybrau posib a byddwn yn rhannu unrhyw newyddion gyda chi, pan fydd hynny'n briodol. Mae'r archwiliad yn mynd yn ei flaen, a hoffwn ategu geiriau DCI Colwyn a gofyn i chi barchu'r meirw ac adrodd y ffeithiau yn unig."

Ar ôl ateb cwpwl o gwestiynau yn y ffordd fwyaf amwys posib, cododd DCI Colwyn a thywys Sally oddi ar y llwyfan ac allan trwy ddrws ochr, i gysegr coridor tawel. Fflachiodd ambell gamera a chododd y lleisiau, mewn ymateb i'r diffyg gwybodaeth ategol. Deallai Sally'n iawn pam fod ei datganiad mor amwys: roedd y pennaeth eisiau osgoi denu gormod o sylw i'r achos, oherwydd gallai hynny amharu ar eu cynnydd. Er hynny, roedd pawb yn disgwyl gweld penawdau ymfflamychol am lofrudd cyfresol yn ymddangos ar-lein o fewn munudau i ddiwedd y gynhadledd. Realiti'r sefyllfa oedd bod pob llwyfan newyddion, ar-lein neu fel arall, yn brwydro am sylw, a dim ond y penawdau mwyaf dychrynllyd a dros ben llestri fyddai'n gwneud y tro.

"Gwaith da, DS Morris," medd DCI Colwyn. "Ac ymddiheuriadau am y cyflwyniad ffwndrus."

Nid oedd Sally wedi sylwi. Roedd hi jyst yn falch o fod wedi dod trwy'r profiad heb achosi chwithdod iddi hi ei hun nac i'r adran. "Dim o gwbl, syr."

"A fydd dim rhaid i chi wynebu un arall o'r rheina chwaith, tan i chi ddal y diawl, wrth gwrs. Fe wna i ddelio â'r wasg, a gewch chi ddal y llofrudd, OK."

Teimlodd Sally ryddhad pur ar glywed hynny. "Diolch, syr."

"Ond am achos cyntaf i'w arwain," gwenodd arni, ei lygaid yn pefrio. Plygodd yn agosach ati, a sibrwd, fel tasai'r cynulliad o newyddiadurwyr drws nesaf yn gallu clywed. "Llofrudd cyfresol! Yma, yng Ngerddi Hwyan!"

"Ie, syr," atebodd Sally, er nad oedd yn siŵr sut i ymateb, nac i ymddwyn ym mhresenoldeb y pennaeth. Dim ond yn ddiweddar roedd hi wedi dod i arfer â bod yng nghwmni DI Price, ac roedd DCI Colwyn ar lefel arall eto. Fodd bynnag, rhoddodd y ffaith fod rhyw gyffro wedi meddiannu'r pennaeth hwb bach i hyder Sally. Sylweddolodd yr eiliad honno y byddai datrys yr achos hwn yn gwneud gwyrthiau i'w gyrfa.

"Fi'n clywed bod un suspect yn y ddalfa?" medd y chief.

"Nac oes, syr," atebodd Sally, gan bylu'r wên ar wyneb y pennaeth. "*Roedd* gennym ni unigolyn o dan amheuaeth yn y ddalfa, ond roedd e o dan glo pan lofruddiwyd Iorweth Tomos ac mae ganddo alibi dilys ar gyfer nos Sadwrn." Llwyddodd Sally a Daf i gyfweld â Cameron Cuffy cyn i'w 24 awr yn y ddalfa ddod i ben. Roedd wedi llonyddu yn llwyr ar ôl noson yn y gell, felly ni orfodwyd asesiad iechyd a lles arno. Cyflwynodd ei alibi ar gyfer llofruddiaeth Peter James, sef ei fod yn gweithio yn yr Oak, oedd yn ddigon hawdd ei wirio, a gwrthod datgelu pam y ceisiodd ddianc wrth yr heddlu. Oherwydd yr archwiliad cyfredol, nid oedd amser gan y ditectifs i dyrchu ymhellach i hynny ar hyn o bryd, felly rhoddwyd rhybudd swyddogol iddo am ymateb mor ymosodol i gael ei arestio. Byddai'r heddlu'n cadw llygad ar yr Oak dros yr wythnosau nesaf, gan fod rhywbeth amheus yn mynd ymlaen, ond doedd dim amheuaeth ym meddwl Sally nad Cuffy oedd y llofrudd cyfresol. "Ma un o'r tecis wrthi'n gwirio rhwydwaith camerâu cylch cyfyng y dref ar hyn o bryd, ar drywydd taith olaf Iorwerth Tomos," ychwanegodd Sally, gan geisio adfer y sefyllfa rhyw fymryn.

Nodiodd y bós ar hynny. "Wel, gobeithio daw e o hyd i rywbeth. Cadwch i balu, 'te. Ma'r atebion yna'n rhywle. A chadwch fi yn y lŵp."

Diflannodd DCI Colwyn gan adael Sally'n sefyll yn y coridor yn fwy penderfynol nag erioed o ddatrys yr achos.

*

Gyda'r glaw yn dal i gwympo, teithiodd Sally a Daf o'r orsaf heddlu i Ystad y Castell, ar gyrion Gerddi Hwyan. Llecyn tawel, gyda golygfeydd godidog i lawr at Fôr Hafren, tu hwnt i draffordd yr M4 a thref glan-môr Porthcawl yn y pellter. Tai briciau coch anferth, ar wahân a gweddol newydd, ar leiniau unigol eang. Borderi taclus, llawn blodau yn dechrau blaguro. Glaswellt gwyrddlas, streipiog. Dreifs heb chwyn yn agos atynt. Garejys dwbl. Ceir drud. Dyma lle'r oedd crachach, arian newydd, y dref yn byw. Gan gynnwys DI Price.

Treuliodd Sally a Daf ran helaeth o'r diwrnod blaenorol yn lleoliad y drosedd, lle canfuwyd car a chorff Iorwerth Tomos. Aeth y tîm fforensig trwy eu pethau. Roedd y cysylltiad â llofruddiaeth Peter James yn amlwg. Lladdwyd gan un hollt ddofn ac unionsyth ar draws ei wddf. Yn anffodus, roedd hi'n amlwg bod y llofrudd yn ofalus, yn fanwl, yn drylwyr ac yn lân. Nid oedd wedi gadael ei ôl yn y capel ac, yn seiliedig ar archwiliad cychwynnol y SOCO, roedd yr un peth yn wir am grombil y car. Dim olion bysedd. Dim blew na gwallt. Dim darn o ddeunydd. Tra oedd Sally a Daf yn cerdded ar hyd llwybrau'r gamlas, ar drywydd drychiolaeth, symudwyd y corff i'r elordy, er mwyn i Dr Stevens gynnal post mortem manwl. Canfuwyd enw'r dioddefwr trwy rif cofrestredig y car, a chadarnhawyd pwy ydoedd gan ei weddw, oedd wedi ymweld â'r elordy y noson gynt.

Parciodd Daf y Skoda ar y stryd lydan o flaen cartref y diweddar Iorwerth Tomos. 'Gorwel' oedd enw'r tŷ, oedd yn gweddu'n berffaith, o ystyried yr olygfa. Agorwyd y drws derw tywyll gan Mrs Anthea Tomos, ei weddw, a synnwyd Sally nad oedd unrhyw un yn cadw cwmni iddi. Fel arfer, byddai aelod o'r teulu, ffrind neu gymydog yn bresennol. Ond dim yn yr achos yma. Fodd bynnag, cyfarchwyd Sally a Daf gan labrador brown, a adnabu'r ditectifs o'r diwrnod cynt, gan iddynt ddod o hyd iddo ym mŵt car ei berchennog.

Arweiniwyd y ditectifs i gegin gefn y tŷ. Ystafell cynllun agored anferth o olau, gydag ynys farmor maint Echni yn ei chanol, mwy o gypyrddau na warws Ikea, bwrdd bwyta tîc tywyll, gyda digon o le i dîm rygbi eistedd o'i gwmpas, a dwy soffa ledr lwyd wrth y drysau consertina, yn edrych allan dros yr ardd gefn dirluniedig. Crogai detholiad o ddarluniau drud yr olwg ar y waliau ac, er nad oedd Sally'n arbenigwr, gwyddai eu bod nhw'n ddarnau gwreiddiol, yn hytrach na chopïau. Eisteddodd y ditectifs wrth y bwrdd bwyta, tra aeth Mrs Tomos ati i wneud pot o goffi, gan ddefnyddio tap dŵr berwedig, yn hytrach na thecell. Taranodd y glaw ar y to gwydr, gan lenwi'r tawelwch, oedd yn iawn gyda Sally, oherwydd nid dyma'r amser am siarad mân.

Eisteddodd Mrs Tomos ar ochr arall y bwrdd. Gwenodd ar y ditectifs, er bod ei llygaid yn llawn tristwch. Roedd hi'n fenyw anhygoel o drawiadol. Dyfalodd Sally ei bod hi tua hanner cant, oedd yn ei gwneud yn sylweddol iau na'i diweddar ŵr. Roedd pob peth amdani yn diferu o arian. O gyfoeth. Ei gwallt.

Ei cholur. Ei dillad. Ei chroen. Ei horiawr. Ei harogl. Hyd yn oed y bore hwn, ddiwrnod yn unig ar ôl colli ei chymar.

"Diolch am siarad gyda ni," dechreuodd Sally. "Mae'n wir ddrwg gyda ni am yr hyn ddigwyddodd."

"Diolch," atebodd Mrs Tomos, yn fusnes i gyd. "Gofynnwch eich cwestiynau. Dwi ar frys braidd."

"O?" medd Sally.

Chwifiodd Mrs Tomos ei llaw yn yr aer, mewn ymateb i syndod y ditectif. "Rwy'n mynd i aros gyda fy chwaer yng Nghaerdydd. Tan yr angladd, o leiaf. Mae'r lle ma'n..." tawelodd cyn diwedd y frawddeg, ond deallodd Sally'n iawn.

"Rwy'n siŵr eich bod wedi gweld y newyddion. Felly'r lle amlycaf i ddechrau," medd Sally, "yw Peter James."

Nodiodd Mrs Tomos wrth glywed yr enw. "Ie."

"Shwt berthynas oedd gan eich gŵr a Mr James?"

"Doedd dim perthynas gyda nhw," atebodd y weddw yn swta.

"O," medd Sally yn llawn syndod. "Do'n nhw ddim yn adnabod ei gilydd?"

"Roedden nhw'n *arfer* nabod ei gilydd," esboniodd Mrs Tomos. "Amser maith yn ôl. Cyn fy amser i. Roedd Iori'n gapten tîm pêl-droed Gerddi Hwyan. 'Nôl yn y nawdegau. A Peter James oedd y rheolwr. Hyfforddwr. Beth bynnag. Ro'n nhw'n glos ar un adeg, ond doedd Iori ddim wedi ei weld ers blynyddoedd."

Roedd hynny, o leiaf, yn ateb dirgelwch y band braich. Parhaodd Sally â'r cwestiynu, tra nododd Daf yr holl fanylion. Ni chyffyrddodd unrhyw un yn y coffi.

"Reit. Ydych chi'n gwybod sut berthynas oedd gyda nhw ar y pryd?"

"Fel wedes i," medd Mrs Tomos, gan sychu cornel ei llygad

gyda hances sidan. "Roedd hyn i gyd cyn fy amser i. Erbyn i fi gwrdd â Iori..." Beichiodd Mrs Tomos ar yr atgof, ac eisteddodd y ditectifs yn dawel, yn syllu arni'n llawn tosturi. "Sori," meddai, o'r diwedd, ond wfftio'r ymddiheuriad wnaeth Sally. Anadlodd gwraig y tŷ yn ddwfn, cyn parhau. "Roeddwn i yn fy nhridegau ac Iori yn ei bumdegau erbyn i ni gwrdd. Roedd e wedi cael ysgariad ac wedi ailddechrau ei fywyd."

"Beth oedd ei waith, Mrs Tomos?"

"Adeiladwr. Wel, datblygwr," cywirodd ei hun. "Ac un llwyddiannus iawn hefyd, fel gallwch chi weld."

Nodiodd Sally a Daf ar hynny, gan werthfawrogi mawredd ei chartref.

"Gwerthodd e'r busnes rhyw ddeg mlynedd yn ôl nawr. Ymddeoliad cynnar. Ni'n hala rhyw dri mis o'r flwyddyn ym Mallorca erbyn hyn..." beichiodd eto, wrth iddi wawrio arni na fyddai hi ac Iori byth yn ymweld â'r Balearics eto.

Wrth i Mrs Tomos ddod ati'i hun, gwnaeth Sally nodyn o gyfoeth personol Iorwerth Tomos. Efallai y byddai angen archwilio hynny ymhellach.

Sythodd Mrs Tomos ei chefn ac ysgwyd ei phen. "Sori," meddai eto. "Roedd e'n hollol agored gyda fi am ei... shwt alla i ddweud... am ei orffennol amheus," aeth Mrs Tomos yn ei blaen.

"Amheus?" gofynnodd Sally. "Ym mha ffordd?"

"Cyffuriau. Dablan, chi 'mod. Speed, yn bennaf. 'Na beth wedodd e wrtha i. Bach o coke. Gwerthu i'w ffrindiau, math o beth. Dim byd major. Mercheta 'fyd. Roedd Iori'n hen gi, dyna'r gwir. Tshetan ar ei wraig, heddwch i'w llwch. Cysgu gyda merched eraill." Trodd at y darlun ar y wal gyferbyn – portread o'r cwpwl hapus gan arlunydd penigamp. "Roedd e'n ddyn golygus."

Nodiodd Sally eto, gan nad oedd modd gwadu hynny.

"Ond doedd e ddim fel 'na mwyach. Dim ers cwrdd â fi ta beth. Cyn hynny, hyd yn oed. Roedd e eisoes wedi troi ei gefn ar y clwb pêl-droed. Wedi ymddeol rai blynyddoedd cyn i fi gwrdd â fe. Roedd e'n gwrthod siarad am y clwb. A bydde fe'n mynd mas o'i ffordd i osgoi hen wynebau, petaen ni'n bwrw mewn i rywun ar y stryd neu ble bynnag."

Gwelodd Sally ei phartner yn tanlinellu hynny yn ei lyfr nodiadau.

"A ddwedodd e wrthoch chi *pam* ei fod e'n gwneud hynny?"

Ysgydwodd Mrs Tomos ei phen. "Naddo. Ond yn fy marn i, roedd e'n embarassed am ei orffennol. Ei ymddygiad. Yr anffyddlondeb. Felly torrodd e bob cysylltiad â'i fywyd fel yr oedd."

Dim pob cysylltiad chwaith, meddyliodd Sally.

"Y peth sa i'n deall," medd Mrs Tomos, "yw pam fod ei gar e wrth y gamlas."

"Beth sy'n rhyfedd am hynny?" gofynnodd Sally.

"Wel, roedd Iori'n rêl creature of habit, ac i Borth Hwyan bydde fe'n mynd i gerdded Mac bob nos."

*

"Ni'n edrych yn y lle anghywir," poerodd Sally wrth Mike Smith, aka Bybls, y swyddog technegol gyda'r sbectol drwchus gartwnaidd oedd wrthi'n treillio trwy system gamerâu cylch cyfyng y dref, ar drywydd cerbyd Iorwerth Tomos. Ar ôl achos drwgenwog Nicky Evans a Matty Poole, gosodwyd system newydd o amgylch y dref, yn y gobaith o wneud gwaith yr heddlu'n haws. Hyd heddiw, nid oedd wedi helpu rhyw lawer, er y gobeithiai Sally a Daf y byddai hynny'n newid maes o law.

"Fi'n gwbo," medd Bybls, gan synnu'r ditectifs. "Porth Hwyan, reit?"

"Shwt ti'n gwbod 'ny?" gofynnodd Sally'n syn, gan oroesi'r awydd i'w gusanu ar ei dalcen.

"Wel, ni'n gwbod mai yn y lay-by 'na gafodd e'i ladd, reit, ond sdim cameras o fewn chwarter milltir i f'yna, so do'dd dim lot allen i neud mewn gwirionedd. Anyway, benderfynes i sgrolio 'nôl trwy'r camerâu, i weld beth oedd yno. You never know, reit."

"So beth sy 'da ti, Bybls?" gofynnodd Daf.

"Dau beth," atebodd y technegydd. "'Co fe'n cyrraedd Porth Hwyan." Gwyliodd Sally a Daf Range Rover Iorwerth Tomos ar y sgrin, yn parcio'r noson gynt. "Mas â fe o'r car. Ma'r glaw yn torrential so ma'r llun bach yn blurry. Ci o'r bŵt ac off â nhw am dro i'r coed."

Gyda rheolaeth lwyr dros ei declynnau, sgroliodd Bybls trwy'r delweddau dilynol tan bod Mr Tomos a'i gi yn dychwelyd i'r maes parcio, rhyw ugain munud yn ddiweddarach.

"Be' y'n ni fod i weld?" gofynnodd Daf. "Sa i'n gweld dim."

Cododd Bybls ei fynegfys i'r awyr. "Aros," mynnodd, cyn gadael i'r olygfa fynd yn ei blaen, ar hanner y cyflymder arferol. Gwyliodd Sally a Daf wrth i'r dioddefwr ddychwelyd at ei gerbyd, agor y bŵt a...

"F'yna!" gwaeddodd Bybls, gan rewi'r sgrin a phwyntio at gefn y car. "Chi'n gweld e?"

"Beth?" cydadroddodd y ditectifs, gan graffu ar y sgrin yn galed.

"Mae'n aneglur iawn, fi'n gwbod, ond os edrychwch chi'n

agos, wrth i'r bŵt agor, mae'r drws cefn yn agor hefyd, ar union yr un pryd."

Ailchwaraeodd Bybls y delweddau drosodd a throsodd tan bod Sally a Daf wedi'u hargyhoeddi. Heb os, roedd drws cefn y car yn agor yr un pryd â'r bŵt, ac yn cau drachefn mewn cytgord. Fodd bynnag, nid oedd hynny'n profi dim.

"Fi'n gwbod," medd Bybls gan wenu. "Ond mae'n *rhywbeth*, reit?"

"Wedest di bod dau beth 'da ti," medd Sally, gan groesi ei bysedd.

"Dyma'r car eto, chi'n gallu gweld y rej yn glir," pwyntiodd Bybls at y sgrin. "Rhyw bum munud ar ôl gadael y maes parcio. Wrth y pwll glo."

"So?" Daf eto, ei waed yn dechrau berwi.

"Gwyliwch," medd Bybls, ac ar yr eiliad yna, sgrialodd y car yng nghanol y ffordd, cyn aros yn llonydd am ryw ugain eiliad, ac yna gyrru i ffwrdd unwaith eto.

"Beth ddigwyddodd?" gofynnodd Sally, y cyffro'n corddi yn ddwfn ynddi.

"Sa i'n gwbod," atebodd Bybls. "Ond edrychwch ar hwn." Llenwodd y sgrin gyda delwedd arall, y tro hwn o ochr y car. Ochr y gyrrwr. "Camera arall ar y bus-stop," esboniodd Bybls. Unwaith eto, diolch i'r elfennau, nid oedd y manylion yn glir, ond roedd un peth yn amlwg iawn: roedd ffigwr tywyll yn eistedd yn y sedd gefn, ei nodweddion wedi'u cuddio gan gwfwl.

"Iesu Grist!" ebychodd Sally.

"Dim cweit," atebodd Daf. "Y Grim Reaper yw hwnna!"

14: Ffa Pob

Ar ôl yr ymosodiad ym maes parcio Clwb Pêl-droed Gerddi Hwyan, dychwelodd Magi a Cadella i'r bar, gan gloi eu hunain yn yr adeilad, rhag ofn y byddai Matthew Ross yn dychwelyd. Annhebygol, mae'n siŵr, ond trwy wneud hynny roedd y merched yn teimlo'n weddol ddiogel. Gyda'u dwylo'n crynu a'u bochau'n disgleirio gan ddagrau, clodd Magi'r drws a dringo'r grisiau, ei chamau'n atseinio'n aflafar yn yr adeilad gwag. Safodd Cadella tu ôl i'r bar yn arllwys chwisgi bob un o'r optics.

"Wisgi?" Gwgodd Magi. "Pam?"

Nid oedd Magi'n yfwr mawr. Can o Hooch achlysurol. Seidr, os oedd rhaid. Roedd gwynt gwin gwyn yn ddigon i godi cyfog arni, ac roedd hi'n cysylltu chwisgi â hen ddynion budr. Fel Peter James. Roedd e'n joio joch o Teachers, fel arfer ar ddiwedd nos; ei anadl yn drewi a'i eiriau'n aneglur. Ych!

"'Na beth ma'n nhw'n neud yn y mŵfis," gwenodd Cadella, cyn rhoi clec i'r hylif ambr a gwingo fel petai'n cael strôc. Rholiodd ei llygaid i dop ei phen a thynnodd ei gwefusau yn ôl dros ei dannedd gwynion, gan atgoffa Magi o Esther Rantzen, y fenyw Childline 'na. Sadiodd ei hun a gwenu ar ei ffrind. "Lyfli!"

Dilynodd Magi hi, y ddiod yn ei heffeithio yn yr un ffordd. Crynodd ei chorff, ciliodd ei dannedd, ffrwydrodd taran gynnes yn ei bron.

"Fi methu credu bod hwnna actiwali'n gweithio," medd Magi.

"So'r mŵfis yn dweud celwydd," gwenodd Cadella, cyn difrifoli. "Seriously though, ti'n OK?"

"Ydw," meddyliodd Magi am yr hyn oedd newydd ddigwydd. "Diolch i ti."

Anwybyddodd Cadella'r ganmoliaeth a throdd ei hwyneb yn fwgwd ffyrnig. "Fi'n ffycin *casáu* dynion."

"A fi!" ategodd Magi. *Sori, Dad,* meddyliodd.

"Dylen ni 'di castreto fe," medd Cadella, gan droi at yr optics unwaith eto a llenwi ei gwydr. "Un arall?"

Derbyniodd Magi'r ddiod. Aeth y gwirod yn syth i'w phen a throdd ei choesau'n jeli. Ar ôl cloi'r clwb, cerddodd y ffrindiau adref; eu pennau yn y cymylau ond eu llygaid ar agor led y pen, yn edrych dros eu hysgwyddau yr holl ffordd i dŷ Cadella, rhag ofn bod Matthew Ross yn aros amdanynt yn y cysgodion. Roedd Selena'n gweithio sifft nos, felly nid oedd unrhyw beth i atal y merched rhag yfed gweddill y botel Baileys oedd yn hel llwch yn y cwpwrdd.

"Ma hwnna'n lysh!" ebychodd Magi, ar ôl llarpio'r hylif hufennog a llyfu ei gwefusau.

Eisteddodd y ddwy ar y soffa, wedi ymlâdd yn llwyr ar ôl helynt y noson. Llenwyd yr ystafell gan lais melfedaidd Janet Kay, un o hoff artistiaid mam Cadella, a thrwy estyniad, ei merch a'i ffrind gorau. Troellodd ei record hir gyntaf, *Capricorn Woman*, ar y dec yng nghornel y lolfa. Cadella oedd y gyntaf i ddechrau canu, gan annog Magi i ymuno â hi, wrth agosáu at y gytgan. Gwyliodd Magi ei ffrind yn ystumio a gwingo i'r gerddoriaeth, a diflannodd Matthew Ross o'i meddyliau, wrth i Cadella ei meddiannu'n llwyr.

"*You're as much to blayyyymuh,*

Cos I know you feel the same.

I can see it in your eeeeeeyyyyyyeeeeeeessssss."

Cododd croen gwŷdd dros gorff Magi a throdd y ffrindiau a syllu i lygaid ei gilydd; eu trwynau bron yn cyffwrdd.

"But I've got no time to play,

Your silly gaaaaaaammmmmmmmeeeeeeessssssss!!!!"

Heb rybudd, ac yn gwbl naturiol, cusanodd y ddwy. Yn araf ac yn ansicr i gychwyn; eu llygaid yn dal ar agor led y pen, a'r sefyllfa yn eu synnu'n llwyr. Mewn gwirionedd, nid oedd Magi wedi meddwl am Cadella yn y fath ffordd. Ddim tan yr eiliad yma, ta beth. Nid oedd hi wedi cusanu bachgen yn ei byw, felly ni allai gymharu'r sefyllfa ag unrhyw beth arall. Nid oedd wedi croesi ei meddwl efallai ei bod hi'n hoyw. Ond roedd hi'n agored i unrhyw beth a dweud y gwir. Teimlodd wefrau dieithr yn tonni drwyddi. Dryswch yn ei phen, ond sicrwydd yn ei stumog. Ymgodymodd eu tafodau; eu gwefusau'n wlyb a'u hanadliadau'n cyflymu. Ymlaciodd Magi, gan ddechrau mwynhau ei hun, ond nid oedd Cadella a hi ar yr un donfedd.

"Na!" sgrechiodd Cadella, gan dynnu'n ôl a gwthio Magi i ffwrdd ar yr un pryd. Cododd a rhuthro i fyny'r grisiau, gan adael Magi ar y soffa, yn hollol syfrdan, a dal yn horni.

Parhaodd Janet Kay i ganu, ond nid oedd y geiriau mor ystyrlon mwyach. Chwyrlïodd pob math o bethau yn ei phen; cybolfa ddryslyd o emosiynau croes. Clywodd y tŷ bach yn cael ei fflysio lan stâr, ac yna dychwelodd Cadella i'r lolfa'n cario sach gysgu. Roedd hi wedi bod yn crio. Rhoddodd y sach dros gefn y soffa. Ni allai edrych ar Magi.

"Fi'n mynd i'r gwely," meddai, gan ffoi heb air o esboniad.

Syllodd Magi ar y gwagle. Ystyriodd fynd adre i'w gwely ei hun, ond roedd hi wedi blino'n shwps, felly cyrliodd ar y soffa a chau ei llygaid, gan wybod na fyddai cwsg yn hawdd i'w ganfod heno.

*

Ar ôl noson byliog o gwsg, aeth Magi am adre ar doriad gwawr. Ystyriodd adael nodyn i Cadella, ond penderfynodd beidio â gwneud yn y diwedd, rhag ofn i Selena ddod o hyd iddo cyn ei merch, pan fyddai'n dychwelyd o'r gwaith mewn cwpwl o oriau. Mewn gwrthgyferbyniad llwyr â'i theimladau, roedd y dref mor heddychlon â theml Fwdïaidd y bore hwnnw. Cadwodd un llygad ar agor am Matthew Ross, ond ni welodd yr un bod byw rhwng cartref Cadella a'i hun hithau. Gwelodd gadno'n croesi'r ynys werdd yng nghanol ystad Y Wern, a chwpwl o gathod yn segura mewn ambell ffenest ar hyd ei thaith. Canai'r adar yn y coed ac ar doeon llechi'r tai. Ailchwaraeodd y gusan yn ei phen, drosodd a throsodd. Roedd yr atgof *mor* felys. Ond am eiliad yn unig. Yn bersonol, nid oedd Magi'n teimlo'n weird am y peth o gwbl. Lesbian. Streit. Bi. Pwy a ŵyr? Dim hi. Dim eto. A pham ddylai hi deimlo'n rhyfedd? Nid oedd hi erioed wedi teimlo mor agos at unrhyw un ag yr oedd wedi ei deimlo tuag at Cadella, ers iddynt gwrdd. Yn amlwg, roedd Cadella'n hollol freaked out, oedd hefyd yn naturiol. Yn normal. I'w ddisgwyl, hyd yn oed. Ni fyddai'n rhoi unrhyw bwysau ar ei ffrind, un ffordd neu'r llall. Yr unig sicrwydd ym mhen Magi oedd nad oedd hi eisiau ei cholli. Wrth lithro i'w gwely, darbwyllodd ei hun y byddai popeth yn iawn.

*

Cododd Magi pan waeddodd ei mam arni i ddod i gael cinio. Edrychodd ar y cloc wrth ochr ei gwely. Hanner awr wedi un. Teimlodd y byd yn pwyso arni ac atgofion y noson gynt yn ei haflonyddu. Ymosodiad Matthew Ross. Ymateb Cadella i'r gusan. Digalonnodd wrth ymuno â'i rhieni yn y gegin fach. Edrychodd ar ei phlât, gan suddo'n ddyfnach i'r gors. Mewn miloedd o gartrefi ledled y wlad, roedd teuluoedd yn sglaffio cigoedd eidion neu ffowlyn, Yorkie pwds a'r trimins i gyd. Ond nid teulu Magi. Bîns ar dost. Dim caws. Heb hyd yn oed ystyried hwyl ddrwg Magi, roedd yr awyrgylch o amgylch y bwrdd yn rhewllyd. Cofiodd Magi i'w mam adael y clwb gydag Iori Tomos neithiwr, felly pwy a ŵyr pryd y daeth hi adref a beth ddywedodd hi wrth ei gŵr. Weithiau, roedd Magi eisiau sgrechen arno. Dylai dyfu set o fôls a gadael. Ac nid dianc i'r sied at ei fwydod, ond mynd o 'ma. Unwaith ac am byth. Byddai ei thad a'i mam yn hapusach, heb os. A Magi hefyd, gan na fyddai'n cael ei gorfodi i fyw o dan y fath amgylchiadau.

"Beth sy'n bod, Mags?" gofynnodd Declan, gan weld y dagrau ar fochau ei ferch.

"Ti'n OK?" medd ei mam, gan godi o'i sedd ac estyn kitchen rôl.

Gyda chymaint o bethau'n troi yn ei phen, nid oedd Magi'n hollol sicr pam roedd hi'n beichio wrth y bwrdd bwyd. Nid oedd eisiau ychwanegu at broblemau ei rhieni ac nid oedd hi eisiau datgan ei bod hi wedi cusanu Cadella, felly aeth am y trydydd opsiwn.

"Na," atebodd gwestiwn Milly. "Fi *ddim* yn OK."

"Be sy 'di digwydd?" Crynodd llais ei thad â phryder.

Llyncodd Magi'n galed ac edrych ar orchudd blodeuog y bwrdd. Rhoddodd ei mam ei llaw ar ei hysgwydd.

"Dere nawr," medd Milly, ei llaw yn crynu a'i llygaid fel ogofâu duon yn ei phenglog.

"Nath rhywun ymosod arno fi neithiwr..." sibrydodd y geiriau, gan deimlo cywilydd diesgus wrth wneud.

"*Beth?*" Doedd ei thad ddim wedi ei chlywed yn iawn.

Ailadroddodd Magi'r geiriau, ychydig yn uwch y tro hwn.

"Pwy?" Dechreuodd gwaed Declan ferwi. Gwridodd croen ei fochau wrth i'w reddfau gwarchodol danio.

Mwythodd ei mam ei hysgwydd. Poerodd Magi enw Matthew Ross dros y bîns a'r bwrdd.

Ffrwydrodd ei thad o'i sedd, ei lygaid yn bolio o'i ben. Nid oedd Magi erioed wedi ei weld fel hyn o'r blaen. Am y tro cyntaf yn ei bywyd, roedd hi'n ei ofni.

"Eistedd lawr, Declan!" mynnodd ei mam. "Fi'n siŵr bod 'na esboniad..."

Anwybyddodd Declan ei wraig a ffocysu ar Magi. "Beth nath e?"

"Dim lot," atebodd Magi.

"Ti'n gweld," medd Milly.

"Beth yn *union* nath e, Mags?" gofynnodd ei thad, gan hylldremio ar ei wraig.

"Pinio fi wrth y bins a treial... a treial cusanu fi... teimlo fi... pinsio... tynnu..." llifodd y dagrau, crynodd ei hysgwyddau'n afreolus. Atseiniodd geiriau'r ymosodwr yn ei phen.

"Pryd?"

"N-n-neithiwr."

"Ble?"

"Tu fas i'r clwb..."

Llifodd y dagrau o lygaid Magi.

"A lle oeddet *ti* pan roedd hyn yn digwydd?" Trodd Declan at Milly, y casineb yn berwi bellach. Ni atebodd ei wraig, oedd yn dweud y cyfan.

"Wedi meddwi oedd e, 'na gyd," medd Milly, gan syllu ar y bwrdd.

Edrychodd Magi ar ei mam; roedd hi'n methu credu ei bod yn cymryd ochr yr ymosodwr.

"Wow," meddai, gan ysgwyd ei phen yn anghrediniol.

"Beth?" atebodd Milly yn amddiffynnol.

"Fuckin' typical!" bloeddiodd Declan. "Ti'n ochri gyda boi sy 'di ymosod ar dy ferch!"

"Ma Matt yn olréit... pan ma fe'n sobor." Poerodd Milly'n ôl.

"Speed freak yw e, Milly! Ond ma hynny'n dweud y cyfan. Edrych ar dy ffycin siâp di! Mess!"

Cododd Magi a gadael y gegin, gan encilio i'w hystafell wely a chau'r drws yn glep ar ei hôl. Cyrliodd yn bêl a thynnu'r dwfe drosti, ond nid oedd y cotwm yn ddigon trwchus i fasgio twrw milain ei rhieni. Ar yr eiliad hon, roedd Magi'n casáu ei mam. *Rili* casáu hi hefyd. Sut gallai hi ochri gyda Matthew Ross? Cyfiawnhau yr hyn wnaeth e? Cododd lleisiau ei rhieni'n gresendo o gasineb. Chwalwyd platiau. Bloeddiwyd bygythiadau. Clywodd ddrysau'n clecio ar gau.

Ac yna, tawelwch.

Sleifiodd Magi lawr stâr rhyw ddeng munud yn hwyrach. Doedd dim sôn am ei rhieni yn unman. Cyn gadael y tŷ, cafodd bip yn y gegin fach. Roedd ffa pob ar hyd y waliau, a phlatiau teilchion ar y llawr. Roedd Magi wedi cael digon. Dim ond un person allai ei helpu hi nawr.

*

Ail-droediodd Magi'r un llwybr ag y gwnaeth y bore hwnnw, ond i'r cyfeiriad arall, heb weld llwynog na chath ar hyd y daith.

Yn wir, ni welodd unrhyw beth, gan bod ei meddwl yn rhacs a'i hemosiynau ar chwâl. Yr unig beth oedd yn sicr nawr oedd bod angen ffrind arni. A dim ond un ffrind oedd ganddi. Roedd ei mam a'i thad yn estron iddi. Yn enwedig ei mam, diolch i'w brad. Y bitsh! Oedodd ar waelod stryd Cadella. Gweddïodd y byddai'n cael croeso. Dim un cynnes, o reidrwydd, jyst drws agored. Wyneb cyfeillgar. Cyfle i siarad. Dyna i gyd.

Agorwyd y drws gan Selena ac, o edrych ar yr olwg ar ei hwyneb, gwyddai Magi na fyddai ei dymuniad yn cael ei ddiwallu. "Beth wyt ti moyn?" cyfarthodd Selena, cyn i Magi agor ei cheg. "Sdim c'wilydd arnot ti? Cer o 'ma! Y blydi lesbo! So Cadella byth eisiau dy weld di eto!"

Slamiodd y drws yn ei hwyneb. Safodd Magi ar y palmant yn gegrwth. *Beth yn y byd?* Ystyriodd gnocio ar y drws eto. Esbonio beth ddigwyddodd. Pledio gyda Cadella am gyfle arall. Ond, na. Ni fyddai hynny'n gweithio. Roedd Selena'n gandryll. Yn honco. Trodd, a cherdded lawr y stryd, y dagrau yn bygwth eto, a'r llenni'n plycio wrth iddi fynd heibio. Mewn llesmair, crwydrodd Magi'r strydoedd, cyn dod ati ei hun ar fainc ger y gamlas, gyda'r nos yn cau a'r awyr yn dechrau tywyllu. Syllodd i'r dŵr llonydd; ei meddwl yn wag, er gwaethaf yr holl gwestiynau. Gwyliodd garp tywyll yn torri'r wyneb a gwnaeth hynny iddi feddwl am ei thad. Cododd, a cherdded adref.

Roedd y tŷ yn wag a'r ffa pob wedi'u gludo ar wal y gegin o hyd. Daeth o hyd i Declan yn ei sied, yn anymwybodol ar y llawr pren, llaith. Mewn un llaw, gafaelai mewn potel wag o Jamesons. Yn y llall, ei gyllell bysgota finiocaf; y llafn wedi'i hogi'n ddiweddar, a'r awch yn disgleirio yn y gwyll. Gwelodd gwt gwaedlyd ffres ar flaen ei fraich, ond nid oedd yn ddwfn. Sychodd y gwaed ac ystyried ceisio'i symud i'r soffa, ond penderfynodd beidio. Yn hytrach, aeth i nôl gobennydd a blanced o'r tŷ. Gwthiodd y glustog o dan ei ben a thaenu'r garthen drosto. Cyn gadael, tynnodd y gyllell o'i afael. Nid oedd unrhyw arwydd o'i mam yn y tŷ, ond gallai Magi ddyfalu ble'r oedd hi'n ddigon hawdd. Aeth i'r gwely'r noson honno yn teimlo fel y ferch fwyaf unig yn y byd.

15: Cwrso Bwgan

Dihunodd Sally'n ddisymwth ar doriad gwawr, yn diferu o chwys; ei llygaid yn saethu i bob cyfeiriad, ac yna i gorneli'r ystafell wely, ar drywydd y Medelwr Mawr, oedd wedi treiddio i'w hisymwybod ac aflonyddu ar ei breuddwydion, gan gymryd ffurf Jac Edwards, ei threisiwr, am gyfnod yn ystod y nos. Nid oedd wedi meddwl amdano ers peth amser, yn bennaf achos bod ei hisymwybod yn tueddu i ffocysu ar y noson honno ar lethrau Mynydd Parys. Ond doedd dim gwadu ei bresenoldeb neithiwr. Gwnaeth nodyn i wirio pryd y byddai'n cael ei ryddhau o'r carchar. Ddim am sbel, i fod, ond roedd y pethau hyn yn gallu newid. Gafaelodd y gwallgofrwydd ynddi unwaith eto. Craffodd i'r cysgodion, yn siŵr ei fod e yno. Yn gwylio'n amyneddgar. Yn aros i ymosod. Ei bladur miniog yn disgleirio yn y cyfddydd cynnar, fel lleuad crymanog, cynddeiriog. Cododd ac agor y cyrtens, gan groesawu'r bore llwyd i'w chwâl. Anadlodd yn ddwfn ac yn araf, tan i'w chalon ailafael yn ei phatrwm arferol. Eisteddodd ar ochr y gwely. Yfodd hanner peint o ddŵr ar ei ben. Ar frys, ailchwaraeodd y ffilm arswyd yn ei phen. I gychwyn, delweddau cyfarwydd, ond anghysurus. Creigiau Mynydd Parys. Cyhyrau Max Edwards. Gwefrau. Poenau. Sgrechiadau. Y Medelwr Mawr. Jac Edwards. Ac yna, caleidosgop o weledigaethau newydd. Iesu Grist ar groes. Gyddfau rhwth. Gwaed yn tasgu. Llygaid niwlog. Cregyn gwag. Ac yn y cefndir, yn gwylio'r cyfan, ffigwr cycyllog. Anhysbys. Di-wyneb. Amorffaidd. Androgynaidd. Erchyll. Hunllefus. Anghyraeddadwy.

Aeth i'r gawod.

Golchodd.

Gwisgodd.

Yn y gegin, bwytaodd frecwast di-ffril. Tri Weetabix. Coffi. Afal. Ysai am ddychwelyd i'r orsaf heddlu. At yr achos. Roedd hi'n rhedeg ar darth, heb os, ond eto'n teimlo'n fwy byw nag ers talwm. Er gwaethaf y diffyg trywydd, teimlai fod yr atebion bron o fewn cyrraedd. A gwyddai nad yn y fan hon y byddai'n dod o hyd iddynt. Ond cyn gwisgo'i sgidiau a chamu trwy'r drws ffrynt, ymddangosodd wyneb Ben ar sgrin ei ffôn.

"Hei hei," llifodd y positifrwydd ohono, gan wylltio Sally ar unwaith. "Seren y sgrin."

"Beth?" gofynnodd Sally'n ddiamynedd. Ar yr un llaw, roedd hi'n falch o'i weld e; ond ar y llall, roedd ei sirioldeb ben bore'n ei chynddeiriogi. Gydag angladd Peter James yn cael ei gynnal y prynhawn 'ma, ac ar ôl dim ond cwpwl o oriau o gwsg, doedd hi ddim yn yr hwyliau gorau ar hyn o bryd.

Deallodd Ben y sefyllfa ar unwaith. "Sori i ffono mor gynnar, Sal, ond o'n i jyst moyn dweud mor prowd o'n i ohonot ti, 'na gyd."

Craffodd Sally ar y sgrin, heb ddeall yn iawn at beth roedd Ben yn cyfeirio.

"Weles i ti ar y teli, Sal. Wel, ar y we, ond same-same, yn dyfe? Cynhadledd y wasg. O'n i'n impressed. Proffesiynol iawn."

"Diolch," medd Sally, yn dechrau meddalu.

"So shwt ma'r achos yn mynd?" gofynnodd.

Cyn ateb, ystyriodd Sally faint o wybodaeth y dylai ei rannu gyda'i chariad ond, ar ôl meddwl am eiliad, daeth i'r casgliad nad oedd ganddi lawer yn y lle cyntaf, felly beth oedd yr ots.

"Ddim yn wych."

"Na?"

Ysgydwodd ei phen. "Ni'n gwbod mai'r un boi sydd wedi lladd y ddau ddioddefwr, neu o leiaf yn amau hynny'n gryf..."

"Pam?"

Cofiodd Sally amwysedd y manylion a gafodd eu rhannu gyda'r cyfryngau. "Dim gair am hyn, OK?" Nodiodd Ben ei ddealltwriaeth a gwnaeth arwydd sip yn cau ei geg. "Cafodd y ddau eu lladd yn yr un ffordd yn union a so'r llofrudd wedi gadael unrhyw olion."

"Unrhyw leads?"

"Ti'n swnio fel y chief nawr?"

"Sori."

Gwenodd Sally ar hynny. Roedd Ben yn gallu bod mor wylaidd. "Paid sôn, fi jyst yn teimlo bach yn rhwystredig, 'na gyd..."

"Pam?"

"Wel, sdim byd 'da ni. Mae 'na gysylltiad posib gyda'r ysgol a'r clwb pêl-droed, ond dim byd concrit. Actiwali, falle byddet ti'n cofio fe."

"Pwy?"

"Peter James, yr athro ymarfer corff."

"Sa i'n *cofio fe*, cofio fe, ond fi *yn* cofio'r rwmyrs."

"Fel pawb arall," atebodd Sally.

"Fi'n cofio Iorwerth Tomos hefyd," medd Ben, gan synnu Sally.

"Shwt?"

"O'r clwb pêl-droed. Ro'dd cwpwl o'n ffrindie fi'n chwarae 'na pan o'dd e'n gapten. Ffwc o chwaraewr da."

"Wyt ti'n cofio unrhyw beth arall amdano fe?"

"Fel be?"

"Sa i'n gwbod. Yn ôl ei weddw, ro'dd e'n dablo mewn drygs ac yn tshetan ar ei wraig. Tra roedd Peter James yn... wel... yn byrf. Meddwl falle bod ti'n cofio bach o'u hanes nhw, 'na gyd."

"Dim rili. Sori, Sal. R'on nhw lot hŷn na fi, cofia. Ac es i off i'r Balkans yn naw deg pedwar, yn do fe, a fi sort of wedi claddu'r cyfnod yna o dan bentwr anferth o emosiynau ac atgofion tywyll iawn." Chwarddodd Ben ar ôl dweud hynny, er fod pob gair yn wir a dim un ohonynt yn ddoniol.

"Long shot," medd Sally, cyn cofio un peth arall. "Beth am dy ffrindiau? Ydyn nhw o gwmpas? Bydde fe'n dda cael gair gyda nhw."

"Dead end arall i ti. Marwodd Tucker rhyw dair blynedd yn ôl. Heart attack. Ac ma Steve yn byw yn America. Rhywle yn Texas fi'n credu."

"O," medd Sally, yn llawn siom. "Beth am ferch o'r enw Margaret Porter?"

"Beth amdani?"

"Ti'n cofio hi?"

"Ma'r enw'n canu cloch. Pam ti'n gofyn?"

"Dim byd rili. Hi ddaeth o hyd i gorff Peter James yn y capel, 'na gyd. Aeth hi i Ysgol Uwchradd Gerddi Hwyan tua'r un amser â ti..."

Tynnodd Ben wynt trwy ei ddannedd ar hynny. "Roedd hynny sbel yn ôl, Sal. Ac o'n i'n real ladies' man ar y pryd, cofia."

Gwenodd Sally ar hynny.

Aeth Ben yn ei flaen. "Ma fy atgofion i o'r cyfnod cyn y rhyfel yn sketchy iawn. Ddim yn siŵr beth sy'n real a beth sy ddim. Yw hi'n suspect, 'te?"

"Nag yw. Fel wedes i, sdim lot 'da ni ar hyn o bryd."

"Cadwa i fynd," medd Ben, cyn ffarwelio. "Fi'n gwbo nei di lwyddo."

*

Nôl yn yr orsaf, daeth Sally o hyd i Daf yn y maes parcio. Roedd e hefyd wedi bod adref, er y cafodd yntau lai o gwsg na hi hyd yn oed. Gwisgai siwt ddu, crys gwyn a thei dywyll, yn barod ar gyfer yr angladd am ganol dydd.

Yn y swyddfa, safodd Sally o flaen yr achosfwrdd, yn syllu ar yr wynebau, y dyddiadau, y lleoliadau a'r enwau oedd, hyd yn hyn, heb gael eu cysylltu.

Peter James. Capel Horeb. Ysgol Uwchradd Gerddi Hwyan. 31 Hydref 1994. Clapfwrdd. Iorwerth Tomos. Band braich ('Captain'). Y clwb pêl-droed. Porth Hwyan. Y gamlas. Y lay-by. Ross Davies. Cameron Cuffy. Y ffigwr tywyll yn sêt gefn y car.

Ymunodd Daf gyda Sally, gan basio coffi crasboeth iddi.

"Diolch," meddai, a gosod y cwpan ar ddesg gyfagos. "Unrhyw lwc?"

Ysgydwodd Daf ei ben. "Dim." Sipiodd ei goffi, gan losgi ei wefus uchaf. "Shit!" rhegodd, cyn parhau. "Ma Bybls wedi treial popeth, ond so fe 'di gallu creu delwedd glir o'r Grim Reaper."

"Ti goro stopo galw fe'n hwnna," dwrdiodd Sally.

"Pam?" saethodd Daf yn ôl. "Rhaid i ni alw fe'n *rhywbeth*."

Anwybyddodd Sally'r sylw. Syllodd ar y wybodaeth o'i

blaen, gan geisio gorfodi cysylltiad i ddod i'r amlwg. Roedd hi a Daf wedi pori'r cyfryngau cymdeithasol, heb sniff o unrhyw un oedd â chysylltiad â'r achos. Doedd dim presenoldeb ar-lein gan Peter James o gwbl, dim hyd yn oed cyfeiriad ato yng nghyd-destun y clwb pêl-droed a'i rôl fel rheolwr. Nid oedd hynny'n synnu Sally mewn gwirionedd, oherwydd ni welodd gyfrifiadur o unrhyw fath yn ei gartref. Ac o ystyried ei oed a'i gasgliad o fideos VHS, roedd chwaeth ac arferion digidol Mr James yn bell ar ei hôl hi; yn y ganrif ddiwethaf. Roedd diffyg presenoldeb ar-lein Iorwerth Tomos yn fwy o syndod. Roedd e ddegawd yn iau na Mr James i gychwyn, ond er gwaethaf y ffaith fod ganddo dudalen Facebook ar y cyd â'i wraig, nid oedd yn ymgysylltu â'r llwyfan mewn unrhyw ffordd. Ei wraig oedd yng ngofal wyneb cyhoeddus y cwpwl. Roedd ambell hen ffoto ohono ar wefan y cwmni datblygu eiddo a werthodd ddegawd ynghynt, ond dim byd oedd o werth i'r archwiliad. Roedd y clwb pêl-droed fel ysbryd ar-lein. Cwpwl o gyfeiriadau. Ambell ffoto llwydaidd o'r gorffennol pell. A dim byd arall. Gwiriodd Sally bresenoldeb ar-lein Margaret Porter hefyd, jyst rhag ofn, ond yr un oedd y canlyniad. Dim ôl troed o gwbl. Ystyriai Sally hynny braidd yn rhyfedd i gychwyn, tan iddi gofio nad oedd ganddi hi ei hun bresenoldeb ar-lein. Dim tudalen Facebook na chyfrif Twitter neu Instagram. Nid oedd yr heddlu'n annog hynny.

"Ti'n gwbod beth sydd angen arnon ni?"

"Mwy o adnoddau? Manpower?" atebodd Daf.

"Heb os," cytunodd Sally. "Ond dim 'na beth o'n i'n feddwl."

"Beth, 'te?"

"Cymhelliad."

"Motive?"

"Yn gwmws. Heb hynny, ni jyst yn mynd i fynd rownd mewn cylchoedd."

"Ydy'r honiadau bwlio a'r camera yn yr ysgol yn cyfri?"

"Sort of. Ond so nhw'n cynnwys Iorwerth Tomos, ydyn nhw?"

Craffodd Daf ar yr achosfwrdd, yn bennaf oherwydd nad oedd ganddo unrhyw beth pellach i'w gyfrannu. Aeth Sally yn ei blaen. "Fi'n credu mai'r clwb pêl-droed yw'r cysylltiad. Mae'n ormod o gyd-ddigwyddiad bod y cyn-hyfforddwr *a'r* cyn-gapten wedi cael eu llofruddio o fewn dyddiau i'w gilydd."

"Cyn-chwaraewr, 'te? Rhywun gafodd y drop o'r tîm cyn gêm fawr 'nôl yn naw deg pedwar?"

"Falle. Na. Mwy na hynny. *Lot* mwy hefyd. Ma'r ymosodiadau'n rhy erchyll. *Rhaid* bod rhywbeth tywyll iawn wedi digwydd yn ystod y cyfnod i ennyn y fath ymateb."

Tawelodd y sgwrs. Roedd y ffaith bod y clwb wedi cau dros chwarter canrif yn ôl, cyn dyfodiad y rhyngrwyd, yn rhwystr enfawr i'r archwiliad. Nid oedd modd hyd yn oed ymweld â'r safle mwyach, gan fod yr hen gae yn ystad o dai briciau coch erbyn heddiw, a'r ystafelloedd newid a'r bar wedi cael eu dymchwel i greu parc chwarae i blant yr ardal.

"Ma angen i ni siarad gyda rhywun oedd yn chwarae i'r clwb yn y nawdegau. Neu aelod o'r bwrdd, pwyllgor, beth bynnag."

"Ti'n hollol iawn," atebodd Sally. "Ewn ni amdani prynhawn 'ma. Ar ôl yr angladd."

"Ti byth yn gwbo, falle bydd y capel yn llawn cyn-chwaraewyr," medd Daf.

Croesodd Sally ei bysedd. Rhaid byw mewn gobaith.

*

Yn anffodus, roedd realiti cynhebrwng Peter James yn wahanol iawn i obeithion y ditectifs. Doedd Capel Horeb *ddim* o dan ei sang. Ddim o bell ffordd. Yn wir, doedd dim angen deg bys ar Sally i gyfri'r holl bobl oedd yn bresennol. Eisteddodd Sally a Daf yn rhes gefn y capel, ar ochr dde yr addoldy. I'r chwith, ychydig o'u blaen, roedd yna ddau ddyn yn eistedd, ysgwydd wrth ysgwydd a thua'r un oedran â'i gilydd. Chwedegau hwyr, petai Sally'n gorfod dyfalu. Yn syth o'u blaenau, yn rhes ffrynt y capel, yng nghysgod uniongyrchol y pulpud, eisteddai Gina James mewn cadair olwyn, a'i nyrs wrth ei hochr, yn gwisgo lifrai cartref preswyl Gwêl y Don. Yn ddiarwybod i chwaer y dioddefwr, roedd hi'n eistedd yn yr union fan y lladdwyd ei brawd. A dyna ni o ran y galarwyr. Ar wahân i'r Parchedig Douglas Morgan a chwpwl o fois o'r parlwr angladdau, er eu bod nhw yno yn rhinwedd eu swyddi.

"Paid gadael iddyn nhw fynd heb i ni gael gair, OK," sibrydodd Sally wrth Daf, hanner ffordd trwy'r folawd, gan nodio'i phen i gyfeiriad y ddau bensiynwr.

Diolch i'r drefn, ni pharodd yr angladd yn hir. Rhaid bod y gweinidog wedi ei chael hi'n anodd dod o hyd i doreth o eiriau caredig i'w hadrodd am y diweddar Mr James. Bwli. Pyrfyrt. Dyn drwg. Diawl. Honedig. Cyfeiriodd at waith diwyd Peter James yn y capel. Ei ymrwymiad pur i'r Iôr. A'i ail-enedigaeth. Er na soniodd yr un gair am ei fywyd cyn ei dröedigaeth. Roedd ei arch yn sefyll yn segur ym mlaen y capel. Ar droli. Nid nepell o orffwysle olaf yr ymadawedig. Byddai'n cael ei gludo i'r amlosgfa ym Mhort Talbot ar ddiwedd y gwasanaeth, er mai dim ond y gweinidog fyddai'n mynd ar y siwrne olaf gydag ef. Er gwaethaf yr holl sibrydion am Peter James, roedd y diffyg galarwyr yn dorcalonnus, yn nhyb Sally.

Trwy gydol y gwasanaeth, cadwodd Sally un llygad ar y ddau ddyn o'i blaen. O'i sedd, ni allai weld eu hwynebau. Dim ond cefn eu pennau a'u hysgwyddau. Fel Laurel a Hardy, roedd un ohonynt mor grwn a boliog â Space Hopper, a'r llall mor fain ac eiddil â phry' brigyn.

Daeth yr angladd i ben yn y ffordd draddodiadol, gyda Gweddi'r Arglwydd. Er syndod iddi, gan nad oedd hi'n grefyddol o gwbl, roedd y geiriau wedi'u hysgythru ar gof Sally ers iddi eu dysgu yn groten ysgol, a theimlodd wefr fach wrth i'r sillafau lithro o'i cheg yn gwbl ddiymdrech. Ar ôl yr "A-men", camodd yr ymgymerwyr at yr arch a'i gwthio'n araf tuag at y brif fynedfa ac yna at yr hers ar Stryd y Capel. Yn y cefndir, trwy'r uchelseinyddion rhad oedd yn crogi yng nghorneli'r capel, clywodd Sally dôn gyfarwydd yn cyrraedd ei chlustiau. 'Calon Lân'. Clasur, heb os. Ond ddim yn wreiddiol iawn. A braidd yn eironig yn yr achos hwn. Dilynodd Gina James ei brawd, yn cael ei gwthio yn ei chadair. Gwenodd ar y ditectifs wrth basio. Nodiodd Sally a Daf yn ôl arni'n brudd. Nesaf, Stan ac Ollie. Gwyliodd Sally nhw'n agosáu; eu camau yn araf a'u pennau wedi'u crymu o'u blaenau. O ganlyniad, nid oedd eu nodweddion yn glir, er ei bod hi'n amlwg iawn bod yr un tenau un ai'n dioddef o salwch difrifol, neu wrthi'n gwella o un. Roedd ei groen mor welw, nes bod ei wythiennau i'w gweld yn glir, tra roedd ei siwt ddu yn llac iawn am ei ysgwyddau.

Tu allan i'r capel, cadwodd cwpwl o iwnifforms sgarmes fach o newyddiadurwyr draw, er bod cliciau eu camerâu i'w clywed yn glir. Anwybyddodd Sally eu sylw, tra aeth Daf yn syth amdani. Camodd at y ddau ddyn ac, heb oedi, gofynnodd: "Sut o'ch chi'n adnabod Mr James?"

Trodd y dynion ac edrych arno'n syn. Ar unwaith, gwelodd

Sally yr amheuaeth a'r ofn yn dawnsio yn eu llygaid. Neu ai euogrwydd oedd yr emosiwn amlycaf?

Gwenodd Daf arnynt. Gwên garedig, gwbl ddidwyll, mewn ymdrech i geisio'u helpu nhw i ymlacio rhyw fymryn, ond nid oedd y dynion yma'n edrych fel tasent yn deall ystyr y gair.

Ailadroddodd y cwestiwn. "Sut o'ch chi'n adnabod Mr James?"

"Pwy sy'n gofyn?" atebodd yr un tenau.

Estynnodd y ditectifs eu bathodynnau heddlu o'u pocedi, er mwyn dangos eu cymwysterau iddynt.

"DS Benson, Heddlu Gerddi Hwyan, a dyma DS Morris."

Gwelodd Sally lygaid y ddau ddyn yn cwrdd, ac yn cyfnewid rhyw neges fud.

"Oes *rhaid* i ni ateb?" gofynnodd yr un tenau.

"Nac oes," atebodd Daf yn llawn awdurdod. "Ond byddai hynny'n hwyluso ein gwaith ni ac efallai'n ein helpu ni i ddal y llofrudd."

Nodiodd y ddau ar hynny. "O'n ni'n arfer chwarae i'r clwb pêl-droed," esboniodd yr un boliog. "Peter oedd y rheolwr."

BINGO! meddyliodd Sally, gan weld yr un tenau'n hylldremio ar ei ffrind. Am ryw reswm, nid oedd i weld yn falch ei fod wedi rhannu'r wybodaeth amwys yma gyda'r heddlu.

"*Pryd* oeddech chi'n chwarae i'r clwb?" gofynnodd Sally.

Unwaith eto, cyfnewidiodd y pâr ryw olwg amheus, cyn i'r un tenau ateb. "Yn y nawdegau."

Aeth Sally'n syth am y jygiwlar. "Felly roeddech chi'n adnabod Iorwerth Tomos hefyd?"

Nodiodd y ddau yn ansicr. "Ydych chi'n cofio Mr James a

Mr Tomos yn gwneud rhywbeth, neu'n dweud rhywbeth, wrth rywun... rhywbeth difrifol... rhywbeth allai gysylltu eu marwolaethau?"

"Rhyw chwaraewr fyddai efallai'n dal dig," awgrymodd Daf.

"Cafodd Mr James ei ddiswyddo o'r ysgol am fwlio disgyblion," prociodd Sally. "A ni 'di clywed sôn bod Iorweth Tomos yn dablo mewn cyffuriau ac yn ferchetwr."

Gwnaeth y ddau ddyn sioe o feddwl am y peth, cyn i'r un tenau ateb. "Sdim byd yn canu cloch, sori."

"Sa i'n cofio dim byd fel 'na," ychwanegodd y llall, gyda gwên gam, letchwith.

"Allwn ni gymryd eich enwau a'ch manylion cyswllt?" gofynnodd Sally, gan estyn ei llyfr nodiadau.

Gwelodd olwg arswydus yn tonni dros wynebau'r ddau. Ond cyn i'r sgwrs fynd yn ei blaen, teimlodd droed yn ei chicio ar gefn ei choes. Trodd Sally, yn barod i ddweud y drefn, ond Gina James oedd yno, yn ei chadair olwyn, felly wnaeth hi ddim byd o'r fath.

"Helô, Miss James," medd Sally, gan wneud pob ymdrech i fod yn gwrtais. "Am wasanaeth hyfryd."

Edrychodd Gina arni'n llawn dirmyg, cyn dechrau chwerthin. Ar ôl stopio, siglodd ei phen. "Chi'n meddwl, ditectif? Do'n i ddim. Roedd y capel gwag yn adrodd cyfrolau, os chi'n gofyn i fi."

Nid oedd Sally'n gwybod sut i ymateb. Roedd Gina James yn gwbl unigryw. Yn ffodus, roedd Daf yn gwybod yn iawn sut i hudo hen fenywod.

"Efallai wir, Miss James, ond sdim gwadu bod du yn eich siwtio chi i'r dim."

Gwenodd yr hen ddynes ar hynny, cyn ychwanegu yn gwbl

ddiffuant, "Diolch. Ond yr *unig* reswm dwi yma yw i wneud yn siŵr ei fod e wedi mynd."

A gyda hynny, gwthiwyd Gina James i ffwrdd gan ei gofalwr, a throdd Sally a Daf yn ôl at y dynion. Yn anffodus, roedden nhw wedi diflannu.

"Shit! Pa ffordd aethon nhw?" Trodd Sally at y gweinidog, oedd yn siarad gyda'r ymgymerwyr wrth y car, ond edrych arni'n rhyfedd wnaethon nhw, gan godi eu 'sgwyddau yn syn.

Mewn panig, edrychodd Sally i fyny ac i lawr y stryd, cyn troi at Daf. "Cer di ffor' 'na. A' i ffor' hyn." Ac i ffwrdd â nhw i gyfeiriadau gwahanol. Rhedodd Sally mor gyflym ag y gallai nes cyrraedd top y stryd. Roedd ceir wedi'u parcio ar ddwy ochr y ffordd, a phob stryd derasog yn edrych yn union yr un fath. Wrth ruthro ar eu holau, teimlodd Sally'r achos yn llithro o'i gafael. Trwy reddf, gwyddai bod y dynion hyn yn cuddio rhywbeth. Roedd yr holl sgwrs yn teimlo'n rong. Yn anghyflawn. Yn llechwraidd. Ac roedd y ffaith iddynt adael fel 'na'n hynod amheus hefyd. Blydi Gina James! Stopiodd yng nghanol y ffordd ac edrych i bob cyfeiriad. Doedd dim sôn am Stan nac Ollie'n unman. Roedd hi eisiau sgrechen. Dyrnu wing mirrors y ceir o'i chwmpas. Cicio ambell ffenest. Ond setlodd am "SHHIIIIIIIIIIIIIIIIIIIIIIIIIIIIIIIIIIIIIIIIIIT" hir o dan ei hanal.

Trodd yn ôl i gyfeiriad y capel, yn gandryll. Canodd ei ffôn wrth iddi gerdded.

"Daf?"

16: Tâp

Aeth deg diwrnod heibio ers i Matthew Ross ymosod ar Magi, a naw ers y double-whammy pan drodd Cadella ei chefn arni a phan ochrodd ei mam gyda'i hymosodwr. Un o'r wythnosau gwaethaf erioed, ac roedd hynny'n ddweud mawr, achos roedd Magi wedi cael wythnosau ofnadwy yn ystod ei hoes. Nid oedd Magi wedi siarad gyda'i mam ers y digwyddiad. Ac nid oedd Milly wedi gwneud unrhyw ymdrech i unioni ei cham. Roedd Magi'n dal yn gandryll am y peth. Cysur a chefnogaeth oedd angen arni, dim pwniad i'r perfedd fel a gafodd gan ei mam. Falle ei bod hi'n hapus yn byw mewn cymdeithas batriarchaidd, lle roedd disgwyl i ferched foesymgrymu i'w meistri a derbyn eu ffawd, heb godi llais na herio'r norm. Ond nid fel 'na roedd Magi'n gweld y byd. Efallai y byddai pethau wedi bod yn oddefadwy, o leiaf, petai hi heb gusanu Cadella. Na, nid dyna'r gwir ychwaith. Byddai pethau wedi bod yn iawn petai Cadella heb ymateb fel y gwnaeth hi i'r gusan. A beth ddwedodd hi wrth ei mam? Roedd ymateb Selena *mor* eithafol. Mor annisgwyl hefyd. Fel petai'n cyhuddo Magi o ymosod ar ei merch. Weird. A braidd yn bryderus. Yn ôl y disgwyl, roedd Cadella wedi anwybyddu ac osgoi Magi yn llwyr yn y coleg trwy gydol yr wythnos ganlynol, a hyd yn oed wedi dechrau hongian gyda grŵp o ffrindiau newydd. Roedd y gang hon yn anodd i'w chategoreiddio, gan nad oedd yr aelodau yn perthyn i un garfan benodol. Dim fel y goths neu'r metlars. Yr unig beth sicr amdanynt oedd nad oedd croeso i Magi yn eu rhengoedd. O ganlyniad, treuliodd Magi lawer o amser yn cuddio yn y tai bach. Actiwali'n bwyta'i chinio ar y badell. Roedd yr holl beth yn afiach a'r toiledau'n drewi. Dechreuodd y gang alw enwau arni cyn diwedd yr wythnos. Dim byd rhy amlwg. Dim gweiddi "Hulk! Hulk! Hulk!" o ochr arall y ffreutur. Bach mwy cynnil na hynny. Jyst. Y geiriau "lesbo" neu "dyke" yn cael eu hanelu ati gan un o ffrindiau newydd Cadella pan fyddai Magi'n cerdded y coridorau, ar y ffordd i wers. Neu, ychydig yn fwy gwreiddiol, y gair "Brookie" yn cael ei ynganu mewn acen Sgowsar drwchus, neu enwau cymeriadau hoyw'r opera sebon, "Beth Jordache" neu "Margaret Clemence", yn cael eu sibrwd o fewn clyw. Ar ôl i filiynau o bobl wylio Beth a Mags yn cusanu ar yr opera sebon *Brookside* yn gynharach y flwyddyn honno, roedd y cymeriadau wedi dod yn rhan o ddiwylliant poblogaidd Prydain. Gwyliodd Magi'r bennod, heb gael ei chyffroi o gwbl gan y gusan. Doedd dim syniad ganddi a oedd hi'n hoyw neu beidio, er bod Cadella wedi dod i'r casgliad hwnnw ar unwaith. Y peth oedd yn ei drysu fwyaf am yr holl beth oedd bod Cadella wedi bod yn rhan annatod o'r sefyllfa. Ni orfododd Magi ei hun arni, er mai dyna'r naratif roedd hi'n ei gyflwyno i'w ffrindiau newydd. Wrth gwrs, gwyddai Magi y dylai gasáu Cadella am droi arni fel hyn, ond yr unig emosiynau roedd hi'n eu teimlo go iawn oedd siom ac unigedd. Siom yn ei ffrind am ei thaflu o'r neilltu, fel darn o sbwriel; ac unigedd llethol gan ei bod ar ei phen ei hun unwaith eto.

A dyna lle'r oedd hi nawr. Yn ei hystafell wely. Roedd hi mor isel ei hysbryd, fel na allai hyd yn oed wrando ar ei Walkman. Nid oedd wedi mynd i'r coleg heddiw. Ni allai wynebu'r artaith.

Y cywilydd. Ffugiodd salwch ben bore, a gadawodd ei thad hi i fod tan amser cinio. Nid oedd hi wedi gweld, na chlywed, ei mam ers dydd Gwener. Daeth Declan â Pot Noodle cyw iâr a madarch iddi. Ei ffefryn. Eisteddodd gyda hi am sbel, yn siarad cachu am ddim byd penodol, ac yna aeth yn ôl i'r gwaith, yn peintio llawr cyntaf cartref Mr a Mrs Marks. Er gwaethaf ei hwyliau da, gwyddai Magi fod ei thad hefyd yn isel ei ysbryd. Roedd y gwir i'w weld yng ngwacter ei lygaid, a'r alcohol y gallai arogli ar ei anadl. A doedd dim syndod ei fod yn teimlo fel 'na chwaith, chwarae teg. O ystyried popeth. Pendwmpiodd Magi am weddill y dydd. Gwyliodd ffilm. Copi VHS dodgy o *The Bodyguard*. Roedd y lolfa'n llawn copis gwael o'r ffilmiau diweddaraf, pob un wedi'u copïo gan Peter James o'r clwb pêl-droed. Roedd y boi'n gwneud bom o'r fenter. Fe a'i gamera. Roedd e'n hollol obsessed. Bwytaodd ddau becyn o greision ready salted ac yfodd ormod o sgwosh oren cryf gan adael haenen o siwgr ar ei dannedd. Heb lawer o lwyddiant, ceisiodd atal ei meddyliau rhag crwydro'n ôl at y penwythnos tyngedfennol, ond bob tro y caeai ei llygaid, yno roedd Matthew Ross yn glafoerio drosti ym maes parcio'r clwb; gyda Cadella'n dod i'r adwy jyst mewn pryd.

Dychwelodd ei thad toc wedi pump ac aeth ati'n syth i wneud swper iddynt. Findus Crispy Pancakes a sglods yn y deep-fat fryer. Nefoedd!

"'Ti'n bwriadu mynd i'r coleg fory?" gofynnodd ar ôl gorffen ei fwyd, ei wallt a'i wisg wedi'u britho gan baent.

"'Na'i weld shwt fi'n teimlo yn y bore. Fi dal bach yn ffliw-i."

"Digon teg," medd Declan, gan esgus ei fod yn ei chredu. Gwyddai'n iawn pan roedd Magi'n dweud celwydd. Dyfalai fod cysylltiad rhwng ei hamharodrwydd i fynd i'r coleg a'r ffaith nad oedd hi wedi crybwyll enw Cadella trwy'r wythnos, ond nid oedd am brocio. Byddai Magi'n rhannu ei phryderon gydag ef pan fyddai hi'n barod, a dim eiliad ynghynt. Yn ddiarwybod i Magi, roedd Declan wedi ymateb i'r hyn wnaeth Matthew Ross yn barod. Ar ôl sobri digon, yn dilyn y sesiwn solo ar y wisgi nos Sul diwethaf, sleifiodd i'r tywyllwch ar y nos Fawrth, gan ymweld â chartref Matthew Ross, ar Ystad Bryn Glas. Aeth ar ei feic, er mwyn osgoi tynnu sylw. Ardal yn llawn tai bach briciau coch oedd Bryn Glas. Starter homes fel bocsys Lego dros bob man. Teuluoedd ifanc oedd yn byw yno, yn bennaf, felly roedd y strydoedd yn gwbl ddifywyd am ddau y bore. Gwyliodd Declan gartref y diawl am sbel, i wneud yn siŵr bod neb yn ystwyrian, cyn tynnu ei hoff gyllell bysgota o'i gwain, a thrywanu pob teiar ar ei gar oedd yn segura ar y dreif, tan bod y ffycars i gyd yn hollol fflat. Yna, tynnodd y gyllell ar hyd cragen y car, gan grafu rhych yr holl ffordd o gwmpas. Ar ôl gwneud, diflannodd i'r düwch. Nid oedd wedi rhannu'r hyn a wnaeth gydag unrhyw un, ac nid oedd yn bwriadu gwneud ychwaith.

Roedd Magi bron yn barod i fynd i gysgu'r noson honno, pan glywodd gnoc ysgafn yn y lled-dywyllwch. Heb aros am ateb, agorodd y drws a gwelodd wyneb sgerbydol ei mam yn dod i'r golwg. Hyd yn oed yng ngolau isel yr ystafell, gallai weld yr edifar a'r cywilydd ar ei gwep.

"Alla i ddod mewn?" gofynnodd.

Cododd Magi ei hysgwyddau yn ddigyffro a syllu ar y llun o Marti Pellow ar y wal; ei fwng du a'i wên gynnes yn ddigon i doddi ei chalon. Y ddelwedd yma oedd y peth diwethaf y byddai Magi'n ei weld cyn mynd i gysgu bob nos, a'r peth cyntaf y byddai'n ei weld yn y bore.

Eisteddodd Milly ar erchwyn y gwely.

Parhaodd Magi i'w hanwybyddu.

"Edrych arna i, Mags," plediodd.

Yn araf bach, trodd Magi ei phen. "Be ti *moyn*, Mam?" poerodd.

Heb oedi, aeth Milly amdani, ei hwyneb fel petai mewn poen aruthrol. "Fi moyn dweud sori. Fi *mor* flin am gymryd ochr Matty. Fi'n fam shit, fi'n gwbod hynny, Mags."

Maglwyd Magi ar unwaith. "Na, ti ddim," meddai.

"Ydw. Ond neith e byth ddigwydd eto, fi'n addo," estynnodd ei llaw a gafael yn un Magi. Mwythodd ei chroen yn dyner. "Sori," ailadroddodd.

"'Nest di rili brifo fi," sibrydodd Magi, gan dynnu ei llaw i ffwrdd.

"Fi'n gwbod."

Setlodd y tawelwch dros yr ystafell, fel asiant oren dros dir amaethyddol.

"'Drych, Mags, ma gen i anrheg i ti," medd Milly, gan basio bag papur brown i'w merch.

Cymerodd Magi'r bag a'i agor, a thynnu dau rodd annisgwyl iawn ohono. Syllodd Magi arnynt, heb wybod yn iawn sut i ymateb.

"Rape whistle a pepper spray," esboniodd ei mam. "A paid gofyn lle ges i'r spray 'na."

"OK," medd Magi.

"Ac ma' dosbarth self-defence yn Capel Horeb nos Fercher, os ti ffansi dod gyda fi i hwnna," ychwanegodd.

Cytunodd Magi cyn dweud nos da. Yna, trodd at Marti cyn diffodd y golau. Nid oedd wedi maddau i'w mam eto, ond roedd hi'n neis gweld Milly'n gwneud ymdrech i gau'r bwlch oedd wedi rhwygo ar agor rhyngddynt.

★

Am ddeg munud i saith ar y nos Fercher, safai Magi ar y stryd tu allan i Gapel Horeb yn aros am ei mam. Chwythai'r gwynt i fyny'r stryd o dai teras, gan wneud i'w chorff cyfan grynu o dan ei dillad ymarfer llac. Gwyliodd chwe menyw ganol oed yn gwisgo plisgwisgoedd amryliw yn cerdded heibio, gan anelu am y festri gefn, lle byddai'r dosbarth yn cael ei gynnal. Am un funud i saith, nid oedd unrhyw sôn am Milly, felly penderfynodd Magi ei throi hi am adre. Diawlodd ei mam o dan ei hanal, am ei hesgeuluso, ei hanghofio, fel hyn. Typical!

"Ti'n dod mewn, neu be?" Clywodd Magi'r llais, a throdd i'w wynebu. Adnabu'r boi ar unwaith, er na allai gofio ei enw. Roedd hi wedi ei weld yn y clwb pêl-droed. Yn y bar, hynny yw. Yna, cofiodd ei weld y noson honno pan beintiodd hi a Declan y dugouts, er bod y manylion yn niwlog, diolch i'r ysgytwad a gafodd. Gwenodd y dyn ar Magi ac ystumio arni i'w ddilyn. "Dere, ni'n barod i ddechre." Aeth Magi ar ei ôl, allan o gwrteisi yn bennaf. Y gwir oedd ei bod hi eisiau mynd adre, ond roedd hi hefyd eisiau dysgu sut i ofalu amdani hi ei hunan, yn dilyn y digwyddiad gyda Matthew Ross. Ar ôl llacio'u cymalau a thwymo'u cyhyrau, dysgodd Freddy, yr hyfforddwr, hanfodion sylfaenol hunanamddiffyn – corfforol a greddfol – i'r dosbarth. Felly, yn ogystal â dysgu sut i ryddhau ei hun o afael ymosodwr ac am y mannau mwyaf bregus ar y corff dynol (y ceilliau a'r llygaid); dysgodd i ymddiried yn ei greddfau, i ddefnyddio'r pethau sydd wrth law fel arfau (allweddi, brws gwallt, ewinedd, dannedd neu, yn ei hachos hi, pepper spray), i godi ei llais (neu chwythu ei chwiban) er mwyn tynnu sylw at y sefyllfa, i gadw i symud a pheidio ag aros yn llonydd, ac i ymosod yn gyntaf, cyn i'r troseddwr gael cyfle i wneud.

Ar ddiwedd y wers, diolchodd i Freddy a ffarweliodd â'r

menywod canol oed. Gadawodd Magi'r sesiwn gyda'r bwriad o ddychwelyd yr wythnos ganlynol. Gyda'i mam, yn ddelfrydol, er nad oedd hi'n rhy ffyddiog y byddai hi'n dod. Roedd hi'n gwbl ddiwerth, dyna'r gwir. Pwy a ŵyr ble oedd hi heno? Er, gallai Magi ddyfalu yn ddigon hawdd. Roedd angen help arni, cyn y byddai'n rhy hwyr. Tarodd yr oerfel hi ar unwaith. Chwibanodd y gwynt. Rhewodd y chwys ar ei thalcen. Cododd croen gŵydd o bob mandwll. Caeodd sip ei chot a chododd ei hwd dros ei phen. Cwynodd ei bola gan nad oedd hi wedi cael swper eto. Wrth gerdded am adre ar hyd strydoedd tywyll y dref, dechreuodd freuddwydio am fwyd. Cinio dydd Sul. Sglods o'r chippy. Maccys. Chicken korma, half and half. Gamwn a phinafal o'r Beefeater ym Mhen-y-bont. Protestiodd ei bola eto, gan erfyn arni i stopio. Gobeithiai'n arw fod pizza yn y rhewgell adref. Margarita. Syml a blasus. Dim ffws. Dim ffrils. *Gallai hynny fod yn arwyddair ei bywyd*, meddyliodd, cyn iddi glywed y camau'n atseinio tu ôl iddi.

I gychwyn, darbwyllodd ei hun mai paranoia cysylltiedig â'r wers oedd yn gwneud iddi gredu ei bod yn cael ei llech-hela. Dim mwy na hynny. Ond, ar ôl rhyw chwarter milltir, ar hyd strydoedd rhyfeddol o wag, roedd ei phen ar chwâl yn llwyr. Mewn moment o orffwylltra, penderfynodd droi yn ôl arni ei hun, a gwneud cylchdro diangen, er mwyn gweld a oedd y ffigwr yn ei dilyn. Trodd y cornel cyntaf. Distawodd y camau. Anadlodd Magi lond 'sgyfaint o ryddhad. Yna clywodd nhw'n cychwyn eto, wrth i'r heliwr droi'r cornel ar ei hôl. Yn dawel i gychwyn, ond yn cyflymu mewn cytgord â'i rhai hithau. Edrychodd o'i chwmpas ond roedd y strydoedd yn hollol wag. Ble'r oedd pawb? Ceisiodd gofio gwersi'r sesiwn hunanamddiffyn, ond roedd ei brên dros bob man. O'r dryswch, cododd un pwynt pwysig. *Paid stopio symud. Cadw i fynd.* Gyda'i chalon yn gwneud fflic-fflacs, dechreuodd frasgamu am adref, ei chwiban mewn un llaw a'r chwistrell yn y llall. Pryd oedd yr amser cywir i'w defnyddio? Nawr, neu pan fyddai'r heliwr yn ymosod? Ddwedodd Freddy ddim byd am hynny. Trodd mewn i ystad Y Wern, gyda'r dyn yn dal ar ei thrywydd. Gwyddai mai gwryw ydoedd, o'i osgo a'i gerddediad. Doedd dim byd benywaidd amdano. Roedd hi wedi ceisio cael pip arno droeon yn ystod y daith, dros yr ysgwydd, ond dim ond amlinell mewn hwd du a welai. Nid oedd ei nodweddion i'w gweld yn y gwyll. Ysai i un o'i chymdogion gamu allan a'i gweld, ond roedd Y Wern fel mynwent heno. Ar ochr arall y werddon yng nghanol yr ystad, gwelodd ei chartref, ei chysegrfan. Gyda llai na chan llath i fynd tan cyrraedd y drws ffrynt, cododd ei choesau a rhedeg. Estynnodd yr allwedd o'i phoced wrth fynd amdani, gan ddod o hyd i dwll y clo ar y cynnig cyntaf. Diolch byth. Camodd i'r tŷ. Caeodd y drws yn glep y tu ôl iddi, gan lithro i'r llawr a beichio crio, ei chorff cyfan yn crynu.

Mewn cwpwl o funudau, roedd ei hanadliadau wedi dychwelyd i normal, a gwaed Magi'n berwi ag atgasedd ac ofn. Cyfuniad afiach. Cododd. Aeth i'r gegin ac estyn y botel sgwosh. Wrth yfed y diod oren dyfrllyd, ystyriodd ffonio'r heddlu, ond cyn gwneud, agorodd y drws ffrynt ac i mewn i'r tŷ daeth Declan, ei oferôls yn baent i gyd.

"Welest di fe?" gofynnodd Magi, ei llygaid yn pefrio a'i bochau ar dân.

Edrychodd ei thad arni, y pryder yn ei feddiannu ar unwaith. "Pwy?"

"Hwd du! Boi'n gwisgo hwd du!"

Oedodd Declan a gafael yn dynn yn ei ferch. Wrth ei chofleidio, ceisiodd gofio'n ôl rai eiliadau, munudau ynghynt.

Yn anffodus, diolch i dri pheint yn yr Oak ar y ffordd adref o'r gwaith, ni allai gofio unrhyw beth o werth.

"Be sy 'di digwydd, Mags?"

"Nath rhyw foi ddilyn fi gatre o'r capel…"

"Capel?"

"Ie. Capel Horeb. Dosbarth self-defence."

Roedd hynny'n canu cloch. "Ble ma dy fam? O'n i'n meddwl bod hi'n mynd hefyd?"

"Oedd, *i fod*," atebodd Magi'n surbwch. "Syniad hi oedd e," ond cyn cael cyfle i ymhelaethu, rhewodd y ddau ar glywed rhywbeth yn cael ei wthio trwy slot llythyrau'r drws ffrynt. Aethant drwodd i'r cyntedd a gweld amlen frown yn gorwedd ar y mat. Cododd Declan hi, cyn agor y drws ac edrych allan i'r nos. Doedd neb ar gyfyl y lle, felly caeodd y drws drachefn a rhwygo'r amlen ar agor.

"Tâp," meddai, gan ddal y VHS o'i flaen.

"Beth sy 'di ysgrifennu arno fe?"

"Ma'n edrych fel dyddiad. Pythefnos yn ôl i ddydd Sadwrn."

Edrychodd Magi a Declan ar ei gilydd, heb wybod yn iawn beth i'w wneud. Yn y diwedd, gwthiodd Declan y tâp i'r peiriant heb amau am eiliad beth oedd i ddod. Na Magi chwaith. Roedd yr holl beth yn rhyfedd, heb os, ond chwalwyd unrhyw amheuon gan chwilfrydedd. Crogai rhyw ddisgwylgarwch morbid yn yr aer. Cyffro, hyd yn oed. Trodd y sgrin yn ddu, cyn i'r olygfa agoriadol gael ei datgelu. Delweddau llwydaidd ac aneglur i gychwyn, cyn i'r golau cefndirol newid, ac yno, yng nghanol y sgrin, yn sugno coc rhyw ddyn di-wyneb, ei llygaid yn waetgoch, yn wydrog ac yn rholio'n ôl yn ei phen, roedd menyw gyfarwydd iawn.

Milly.

17: Doli Glwt

Yn y sied fach yn fy ngardd gefn goncrit, yng nghanol y silffoedd llawn potiau plastig a hadau pydredig, offer rhydlyd a slug-pellets llaith, gwthiaf lafn y gyllell yn araf ac yn ofalus ar draws arwyneb yr hen hogfaen ddeg modfedd o hyd, gan adael i'r weithred hynafol fy hudo, wrth i fi baratoi ar gyfer yr hyn sydd yn rhaid i fi wneud heno. Ymgollaf yn y ddefod, a gadael i'r atgofion ddychwelyd i gyfiawnhau fy nicter. Fy nghasineb. Fy nghyfiawnder. Deg mlynedd ar hugain o boen. O loes. O unigedd. O alar. O aros. Mae sŵn y min ar y maen yn lleddfu fy mhryderon. Mae fy holl amheuon yn diflannu i'r dŵr. Rhaid i'r euog rai dalu'r pris eithaf. Does dim osgoi hynny. Does dim ochrgamu'r angel dialgar hwn. Yn wahanol i'r ddau ddioddefwr cyntaf, sdim angen llech-hela'r un yma heno. Rwy'n gwybod yn iawn ble bydd e, gan fod hwn eto'n unigolyn deddfol iawn. Er afles iddo. Sychaf y llafn gyda chlwtyn llaith. Craffaf ar yr awch. Gwthiaf y min yn araf ar hyd yr hogfaen eto. Un am lwc. Perffaith. Llithraf y gyllell i'w gwain, a'r wain i boced fy nghot. Tolltaf y dŵr o'r fowlen i lawr y draen tu fas i ddrws y sied, a dychwelaf y garreg hogi i'r blwch ar y silff. Gwiriaf fy mhoced am y pethau pwysig. Doli glwt. Menig latecs. Rhai glas, jyst fel chi'n gweld ar CSI. Gwiriaf y gorchudd rwber ar wadnau fy sbardiau cadarn. Camaf i'r cyfnos a gadael yr ardd trwy'r drws i'r ali gefn.

Gyda fy hwd lan a fy mhen lawr, cerddaf strydoedd Gerddi

Hwyan, ar hyd palmentydd fy mhlentyndod. Atgofion echrydus yn cuddio ym mhob cilfan. Bwgan rownd pob cornel. Cyn cyrraedd y gamlas, gwelaf ddau heddwas mewn lifrai yn tin-droi tu allan i siop gornel Mr Alkhafaji. Ar unwaith, mae fy nghalon yn carlamu a fy stumog yn corddi. Tynnaf yr hwd oddi ar fy mhen, a cherdded heibio iddynt ar ochr arall y ffordd. Fel rhith. So nhw hyd yn oed yn fy ngweld i. Gwenaf, wrth eu gadael tu ôl imi. Ymhen dim, mae'r terasau'n troi'n dai pâr, a'r concrit yn cael ei ddisodli gan goed a cherrig mân.

Oedaf ar bont droed sy'n croesi'r gamlas, heb fod yn bell o'r lle ges i fy magu. Sŵn cerbydau yn y cefndir. Anadlaf yn ddwfn ac edrych ar y dŵr. Caiff y lleuad llawn ei adlewyrchu yn yr hylif budr, ac ysaf i'r cymylau gau, er mwyn fy mantellu. Rhyfeddaf fod unrhyw beth yn byw yn y gamlas heddiw. Pysgod. Llysywod. Llygod. Clywaf dylluan yn hwtian mewn coeden gerllaw. Sŵn cysurus. Sŵn cariadus. Atsain arallfydol sy'n diflannu yn y gwynt. Ac yna cadno'n nadu yn y prysgwydd, fel baban yn crio am ei fam. Iasoer. Erchyll. Diolch i ragolygon y tywydd, sneb o gwmpas heno. Ar wahân i'r anifeiliaid, wrth gwrs. Dim plant yn camfihafio, na phobl yn cerdded eu cŵn. Mae'r tywydd garw'n bygwth eto, sy'n hwb i mi, rhaid cyfaddef. Troediaf y llwybrau cyfarwydd yn y tywyllwch cynyddol. Mae'r cymylau yn closio a grym golau'r lleuad yn pylu gyda phob cam. Teimlaf ryw wefr arallfydol yn gafael ynof. Y gyllell yn fy mhoced; fy ngwaed yn dechrau byrlymu. Mae'r rhwydwaith eang o lwybrau lleidiog yn gweddu'n berffaith ar gyfer fy nod. Drysfa o ddeilach a dŵr. Cuddfannau di-ben-draw. Düwch.

Anelaf am ei leoliad arferol. Cornel tawel, wedi'i guddio gan gyrs tal a choed bondew, sydd wedi'u plygu dros y blynyddoedd gan y gwynt. Mae'r panig yn gafael ynof pan nad ydw i'n gweld yr ymbarél ar unwaith, ond y nos sy'n chwarae triciau â fy llygaid. Fel cromen cadeirlan, mae'r gysgodfa denau yn pipo dros ben y brwyn, sy'n dawnsio a suo yn y gwynt. Pwysaf yn erbyn boncyff rhyw hanner can llath o'i wersyll pysgota. Gwyliaf. Gwelaf ei faint digamsyniol. Dyn mawr. Gwddf trwchus. Hens yr hogi. O'r pedwar, hwn sydd wedi newid fwyaf. Wedi mynd mae'r dyn eiddil canol oed ac, yn ei le, Pavarotti sy'n drewi o bysgod. Edrychaf ar yr awyr unwaith yn rhagor, gan weddïo na fydd hi'n dechrau bwrw, rhag ei orfodi i ymochel o dan ei ymbarél a gwneud fy nhasg i'n anoddach fyth. Ar fyrder, mae'r cymylau du yn fy ysgogi i dynnu'r menig latecs am fy nwylo. Anadlaf yn ddwfn i leddfu'r nerfau. Gwrandawaf yn astud am atsain traed ar y llwybrau halio. Dim. Estynnaf y gyllell a'i thynnu o'r wain.

Gwyliaf fy nharged unwaith yn rhagor, gan gyfri i dri deg yn fy mhen. Rwy'n gwybod nad yw'n gallu fy nghlywed, gan ei fod yn gwisgo clustffonau. Mae hynny, wrth gwrs, yn gwneud pethau'n haws i mi. Mae ei anadl afiach yn atseinio dros y degawdau. Ei eiriau llym yn dal i dorri. Ei weithredoedd milain yn haeddu'r hyn sydd i ddod. Does dim euogrwydd. Does dim ailfeddwl. Dim awgrym o ailystyried.

Gadawaf fy nghuddfan a cherdded yn isel i'w gyfeiriad, fy hyfforddiant milwrol yn fy meddiannu a'r llaca o dan draed fel clustog i fy nghamau. Mae'r Bwda tew yn eistedd ar gadair, yn gwbl anymwybodol o'r hyn sydd i ddod. Sdim amheuaeth ei fod wedi gweld y newyddion. Sdim amheuaeth ei fod yn gwybod ei fod ar y rhestr. Efallai ei fod wedi derbyn ei ffawd. Mae'r ffaith nad yw e wedi newid ei arferion yn awgrymu hynny. Efallai ei fod yn barod i dalu'r pris am yr hyn a wnaeth.

Camaf ato a gafael yn ei wallt. Tynnaf ei ben am nôl; ei

lygaid yn saethu tua'r nen. A chyn iddo gael cyfle i ymateb, holltaf ei wddf. Fel giser, mae'r gwaed yn tasgu. Fel mwydyn tew ar fachyn miniog, mae ei gorff yn gwingo cyn llonyddu unwaith yn rhagor.

Cyn diflannu'n ôl i'r düwch, sychaf y llafn gwaedlyd ar ei got Goretex. Yna, rwy'n estyn yr hen ddoli glwt o fy mhoced ac yn ei stwffio i boced y dioddefwr.

Wrth droi fy nghefn ar yr olygfa druenus, mae'r cymylau'n ffrwydro a'r glaw yn cwympo fel drylliau gwydr gwlyb.

Tri lawr.

Un dyn bach ar ôl.

18: Ar y Trywydd

Dychwelodd Sally a Daf i'r swyddfa yn syth ar ôl angladd Peter James, yr adrenalin yn llifo o'r diwedd, a thrywydd go iawn ganddynt i'w ddilyn mwya sydyn. Yn ffodus, wrth i Sally gwrso cysgodion tu allan i'r capel, roedd Daf wedi gweld y dynion o'r angladd yn camu i Volvo ac yn gyrru i ffwrdd, gan nodi rhif cofrestredig y car cyn ffonio ei bartner. Wrth gwrs, gwyddai Sally o brofiad fod posibilrwydd cryf na fyddai unrhyw beth yn dod o ymlid perchennog y car a'i gydymaith, ond gyda'r achos yn bygwth llithro o'i gafael yn llwyr, dim ond un peth oedd ar ôl i'w wneud, a mynd ar eu holau oedd hynny. Aeth Sally i swyddfa DI Price, gan adael Daf i ddod o hyd i fanylion y gyrrwr trwy rif cofrestredig y car a chronfa ddata'r DVLA, oedd yn hygyrch i'r heddlu mewn achosion o'r fath.

"DS Morris, dewch mewn," gwahoddodd y dirprwy gyda gwên broffesiynol. "'Steddwch."

"Dim diolch, syr," atebodd Sally, ei gwynt yn ei dwrn a'r ysfa am helfa yn gafael ynddi. "Jyst moyn tsheco mewn."

Nododd DI Price y dyhead yn osgo'r sarjant ar unwaith. "Oes rhyw newyddion?"

"Dim byd concrit eto. Jyst cwpwl o fois yn yr angladd. Cynchwaraewyr oedd gyda'r clwb pêl-droed yn y nawdegau."

"Y dyddiad ar y clapfwrdd," deallodd DI Price ar unwaith.

"Yn union, syr."

"Beth amdanon nhw?"

"Dim byd pendant, syr, ond do'n nhw ddim yn rhy awyddus i ateb ein cwestiynau ac roedd ambell beth wedon nhw'n gwrth-ddweud pethe ni 'di clywed gan eraill."

"Fel beth?"

Sylwodd Sally mai amwys oedd ei amheuon. Amwys iawn, gyda hynny. Crychodd ei thrwyn, wrth i'w sicrwydd cynamserol ei haflonyddu. "Gwadu bod gorffennol tywyll gan Peter James a Iorwerth Tomos, er bod hynny'n hysbys i bron pawb arall ni wedi siarad â nhw hyd yn hyn..."

"Unrhyw beth arall?" gofynnodd DI Price, gan obeithio'n arw bod mwy i ddod.

"Wel, syr, dwi'n amau, na, yn *gwybod*, bod nhw'n dal rhywbeth yn ôl."

Nodiodd DI Price ar hynny, cyn ateb. "Ma' greddf yn lle da i gychwyn, DS Morris, ond ffeithiau a thystiolaeth yw seiliau pob achos."

"Ie, syr. Wrth gwrs."

"Gaethoch chi eu henwau nhw?"

"Do, syr."

"Ar eu holau nhw, 'te."

Gwyliodd Rolant Price y ditectif sarjant yn gadael ei swyddfa, gan obeithio y byddai'n llwyddo. Nododd fod ei hysgwyddau braidd yn swp a'i hyder wedi hwylio. Gallai weld faint roedd hi eisiau hoelio'r llofrudd a datrys yr achos; gallai synhwyro faint roedd yr holl beth yn ei harteithio. Gwisgai Sally Morris ei huchelgais fel bathodyn anrhydedd ac, yn wahanol i rai yn yr adran, oedd yn gallu bod yn ddirmygus ohoni y tu ôl i'w chefn, roedd Rol yn ei hedmygu'n fawr am fod fel hyn. Gallai weld dyfodol disglair iawn iddi yn yr adran hon, a thu hwnt, a byddai achos cyntaf llwyddiannus yn helpu ei gyrfa yn fawr. Fel rhywun oedd wedi dod yn agos iawn at blymio dros ddibyn meddyliol oherwydd achos arteithiol, gallai gydymdeimlo'n llwyr â Sally Morris. Yn ogystal, gwyddai y gallai achos lwyddo neu fethu oherwydd y manylyn lleiaf. Un brêc bach oedd ei angen. Un darn o lwc a BOOM! Gobeithiai'n arw y byddai gwaith caled Sally a Daf yn arwain at atebion, yn hytrach na phengaeadau di-ben-draw, rhwystredigaeth a, Duw a'u helpo, gwallgofrwydd.

*

"Tro i'r chwith fan hyn," gorchmynnodd Sally, ar ôl gwirio'r map ar ei ffôn.

"Heol y Gamlas?" Gwiriodd Daf wrth ddarllen yr arwydd ar gornel y stryd.

"Ie. Rhif dau ddeg tri."

Cartref Mr Frederick Allman Atwood oedd eu cyrchfan; sef y boi tenau, sâl yr olwg, o'r angladd. Perchennog y Volvo nad oedd yn awyddus iawn i siarad gyda'r heddlu yn gynharach yng Nghapel Horeb.

"Co fe," medd Sally, gan bwyntio at fyngalo di-nod ar ochr arall y ffordd. Eiddo ar wahân, briciau coch, er bod y lliw wedi pylu dros y blynyddoedd a bellach yn gyfuniad llwyd-felyn diflas. Roedd yr ardd ffrynt yn daclus, a'r lawnt wedi'i thorri'n ddiweddar, er gwaethaf y ffaith bod y gwanwyn yn araf i gyrraedd ei anterth eleni. Roedd ambell ddaffodil wedi agor yn y borderi, er mai gwyrdd oedd y lliw goruchafol ar hyn o bryd.

"Ti'n meddwl bod y car yn y garej?" gofynnodd Daf, gan fod y dreif yn wag.

"Gobeithio," atebodd Sally, er bod ei greddfau'n amau i'r gwrthwyneb.

Parciodd Daf y Skoda ar ochr arall y ffordd a chamodd y ditectifs o'r cerbyd. Roedd y gwynt yn fain a'r glaw yn bygwth. Cyn anelu am gartref Mr Atwood, oedodd Sally a gwrando. Yn yr awyr agored, gallai glywed murmur parhaol yr M4 yn y pellter, i'r de o Ystad Bryn Glas, a gwylanod yn cecru wrth droelli yn yr awyr uwchben y becws diwydiannol lleol, yn ogystal â lleisiau grŵp o bobl ifanc yn cerdded wrth y gamlas gyfagos, tu ôl i'r tai gyferbyn; yr ochr lle safai cartref yr unigolyn oedd o ddiddordeb. Edrychodd i fyny a gweld bwncath yn troelli yn yr awyr, dros doeon y tai, yn hela ar lannau'r ddyfrffordd ddinesig.

Cnociodd Daf ar y drws yn awdurdodol. Camodd yn ôl a sefyll ysgwydd wrth ysgwydd â Sally.

"So fe gytre," galwodd llais o du ôl i'r ditectifs.

Trodd y ddau a gweld menyw ifanc yn sefyll ar drothwy'r eiddo drws nesaf. Gwisgai legins du a fest ymarfer corff goch; ei gwallt hir mewn cynffon, a'i thalcen yn disgleirio gan chwys. Cariai fabi bach yn ei breichiau a bagiau du o dan ei llygaid. Uniaethodd Daf â hi ar unwaith.

"Ydych chi 'di gweld Mr Atwood prynhawn 'ma?" gofynnodd Sally, gan gerdded tuag ati ar draws y dreifs cyfochrog o flaen y byngalos.

"Pwy sy'n gofyn?"

Roedd pawb mor amheus y dyddie hyn, meddyliodd Sally, wrth estyn ei bathodyn o boced ei chot. "Ditectif Sarjant Morris a DS Benson, Heddlu Gerddi Hwyan."

Nodiodd y fenyw ar hynny ac ailadroddodd Sally ei chwestiwn.

"Do. Weles i fe a'i fêt, Matthew neu Matt yw 'i enw fe fi'n credu, yn gadael tua awr yn ôl."

"Ei ffrind," dechreuodd Sally, cyn oedi er mwyn dod o hyd i'r geiriau iawn, y geiriau mwyaf gwleidyddol gywir, hynny yw. "Dyn… mawr…"

"'Na fe. Boi tew. Fi'n gweld e rownd 'ma o hyd. Ma' Fred, sy'n byw 'na, wedi bod yn sâl. Canser. Ac ma' Matt a fe'n mynd i bysgota gyda'i gilydd. Ar y gamlas, gan amla."

Nododd Daf y manylion, wrth i Sally barhau gyda'r cwestiynau.

"Ydych chi'n gwbod cyfenw'r Matthew neu Matt 'ma?"

Ysgydwodd y gymdoges ei phen. "Nagw. Sori."

"Ydych chi'n gwbod ble aethon nhw?"

"Na."

Estynnodd Sally gerdyn o'i phoced. "Allwch chi ffonio fi pan welwch chi Mr Atwood yn dod adref?"

"OK," cytunodd y fam ifanc. "Beth ma fe 'di neud?"

"Dim byd," atebodd Sally. "Ni jyst moyn gair gyda fe, 'na gyd."

Edrychodd y gymdoges ar Sally'n amheus, cyn cau'r drws a diflannu o'r golwg.

*

'Nôl yn yr orsaf heddlu, aeth Sally a Daf yn syth i weld Bybls. Roedd Sally wedi ei ffonio o'r car er mwyn rhannu rhif cofrestredig cerbyd Frederick Atwood gyda'r swyddog technegol.

"Ti'n gwbod ble ma fe, 'te?" gofynnodd Sally, ar ôl ei gyfarch.

"Ydw," atebodd Bybls. "Ond peidwch mynd yn rhy ecseited. Rhaid cofio cyfyngiadau'r system…"

Roedd Bybls eisoes wedi gwirio'r system ANPR, technoleg

adnabod rhifau cofrestredig cerbydau awtomatig yr heddlu, oedd yn gweithio ar y cyd â rhwydwaith camerâu ffyrdd eang y wlad. Yn anffodus, ni allai'r system ddweud yn *union* ble'r oedd car Mr Atwood ar unrhyw adeg benodol. Yn hytrach, gallai ddweud wrthynt pa gamera a gofnododd ei rif cofrestredig ddiwethaf, ac felly rhoi rhyw syniad iddynt o'r ardal lle'r oedd e. Dim mwy na hynny; oedd yn rhwystredig iawn ar un llaw, ond yn ddechreuad o leiaf ar y llall.

"Wrth gwrs," cydnabyddodd Sally.

"So lle ma fe?" medd Daf, ei amynedd yn fyrrach na'i bartner.

Bangiodd Bybls ar ei fysellfwrdd tan bod map yn ymddangos ar sgrin anferth ei gyfrifiadur, oedd deirgwaith maint rhai ei gydweithwyr, oherwydd ei olwg gwael. Closiodd ar driongl coch ar Coity Road ym Mhen-y-bont ar Ogwr, y camera olaf i gofnodi rhif cofrestredig y car, rhyw filltir i'r de o Barc Manwerthu McArthurGlen.

"Yn yr ysbyty, I reckon," atebodd Bybls. "Dyna'r camera olaf i'r car bingio, wrth y fynedfa, a so'r car wedi symud ers dros awr nawr."

"Wedodd ei gymydog bod e 'di bod yn sâl," medd Sally.

"Ro'dd golwg y jawl arno fe yn yr angladd," nododd Daf.

"Canser?" gofynnodd Bybls.

"Ie," atebodd Sally.

"Falle bod apwyntiad 'da fe?" medd Bybls. "Ma canolfan ganser yn yr ysbyty."

"Gad ni wbod pan ma' fe ar y ffordd eto," gorchmynnodd Sally, cyn ychwanegu: "Plis a diolch, yn dyfe."

★

Roedd hanes y llofruddiaethau wedi ymledu tu hwnt i'r dref erbyn hyn a rhywun wedi gadael pentwr o bapurau newyddion ar ddesg Sally, y cwbl yn llawn penawdau dramatig.

SERIAL KILLER ON THE LOOSE
SOUTH WALES SERIAL KILLER STRIKES AGAIN
VALLEY TOWN ON HIGH ALERT AMID
DOUBLE MURDER PROBE

Aeth Daf i ôl coffis. Eisteddodd Sally a chodi'r papur oedd ar dop y pentwr. Tabloid na fyddai byth yn ei ddarllen fel arfer. Syllodd ar y dudalen flaen gan ysgwyd ei phen ar y geiriau cynhyrfus.

"O'n i'n gwbod na fydden nhw'n gwrando," galwodd DI Price o'r drws.

"'Sodwch fi, syr," medd Daf, gan wthio heibio'n cario cwpan chwilboeth ym mhob llaw.

Ymunodd DI Price â'r ditectifs yn eu cornel nhw o'r swyddfa. "Unrhyw lwc gyda'r lead 'na?"

"Dim eto, syr," cyfaddefodd Sally'n chwithig. "Ni'n credu ei fod e yn yr ysbyty."

"Apwyntiad posib," ychwanegodd Daf.

"Yn ôl ei gymydog, ma fe un ai *wedi*, neu *yn* dioddef o ganser, so ni'n siŵr... so ni 'di cael cyfle i siarad gyda fe 'to."

"Ma' Bybls yn mynd i adael i ni wybod pan fydd ei gar e'n symud eto," esboniodd Sally, gan godi ei llaw at ei cheg. "Sori, syr," ymddiheurodd.

"Dim o gwbl. Chi'n gweithio'n galed. Bach o lwc a bydd yr achos ar agor led y pen."

"Gobeithio wir, syr."

"Cerwch gatre am gwpwl o oriau. Tan y bore hyd yn

oed. Ma Geth a Wolfie o gwmpas, gewn nhw alw chi os o's angen."

Gwelodd Rol wyneb Sally'n syrthio. "DS Morris," dechreuodd, mewn llais awdurdodol. "Fi'n gwbod shwt chi'n teimlo. Ond chi ddim iws i fi fel hyn. Cerwch gatre. Cysgwch. Ac ewch amdani eto yn y bore, pan fyddwch chi'n teimlo'n ffres."

Gadawodd DI Price y swyddfa ar yr union eiliad y cyrhaeddodd neges e-bost wrth Dr Stevens, y patholegydd. Cydiodd rhyw gyffro yn Sally am eiliad, er mai siom oedd yn ei disgwyl ar ôl ei darllen. Yn syml, dim oedd dim, yn dilyn post mortem Iorwerth Tomos. Dim DNA yr ymosodwr. Dim olion bysedd. Dim gwybodaeth am ddefnyddiau. Dim. Diawlodd Sally a'i throi hi am adre, ei blinder fel clogyn haearn am ei hysgwyddau.

*

Roedd hi'n dal yn olau pan aeth Sally i'w gwely, ond ni chafodd gyfle i gwympo i gysgu oherwydd clywodd ddrws ffrynt ei thŷ yn agor yn ddistaw bach. Fel ninja, neidiodd ar ei thraed heb wneud sŵn, ei chalon yn gwibio, gan afael yn y baton telesgopig roedd hi'n ei gadw wrth ochr ei gwely. Ar fodiau ei thraed, yn gwisgo paffwyr a chrys-T Atlanta Eagles enfawr ei chariad, cripiodd i ben y landin a chraffu dros ochr y banister pren. Yng ngolau isel y neuadd, gwelodd ffigwr cycyllog gyda'i gefn ati. Ond yn ei phen, gwelodd ellyll. Y Medelwr Mawr! Ai'r llofrudd oedd yno? Neu affeithiwr? Gwyddai Sally am nifer o lofruddwyr cyfresol oedd yn cydweithio ag unigolyn arall er mwyn cyflawni eu hymosodiadau. Fred a Rosemary West i gychwyn, ac wedyn Paul Bernardo a Karla

Homolka yng Nghanada, a Douglas Clark a Carol Bundy yn Los Angeles, aka y Sunset Strip Killers. Safodd fel delw yn ei wylio. Anadlodd yn dawel ac yn ddwfn; ei meddyliau ar garlam. Disgynnodd y niwl. Llenwodd ei dychymyg â delweddau eithafol. Gwelodd Jac Edwards yn gwenu arni wrth arllwys gwin i'w cheg, a breichiau cyhyrog Max yn ei chodi a'i thaflu i ebargofiant. Clywodd ei hesgyrn yn cracio. Teimlodd y boen yn ei meddiannu. Crynodd ei chorff. Camodd yn ôl a phwyso'n erbyn y wal; y landin yn troelli'n wyllt o'i chwmpas. Caeodd ei llygaid. Anadlodd yn ddwfn. Daeth at ei choed ac edrych dros ochr y banister. Roedd y dyn wedi diflannu o'r golwg ac aeth Sally ar ei ôl yn araf bach; yn barod i ddefnyddio'r baton, pe bai angen gwneud. Hanner ffordd i lawr y grisiau, clywodd y dieithryn yn llenwi'r tegell, cyn estyn mẁg o'r cwpwrdd i wneud disgled. Ymddygiad rhyfedd iawn, meddyliodd, cyn pipo i'r gegin fach a sylweddoli mai Ben oedd yno, wedi dychwelyd o Aberhonddu'n ddirybudd.

"FREEZE!" gwaeddodd Sally, gan gamu i'r ystafell gyda'r baton dros ei phen.

Gyda'i gefn ati, cododd Ben ei ddwylo ar unwaith, a throi yn araf i wynebu ei gariad.

Gwenodd Sally ar ei wyneb fferllyd, cyn bosto chwerthin, gosod y baton ar y bwrdd brecwast a neidio i freichiau cyhyrog ei chariad.

Rhwng cusanau gwlyb a nwydwyllt, esboniodd Ben iddo gael ei ryddhau yn gynnar o'i ddyletswyddau, a'i fod wedi dod adref i roi syrpréis bach iddi.

"Dyma ni, Sally," gwenodd arni. "Diwrnod cyntaf gweddill ein bywydau."

"'Na i faddau'r llinell gawslyd," pyriodd Sally. "Os ti'n dod gyda fi i'r gwely yr eiliad hon."

Doedd dim angen ail wahoddiad ar y cyn-filwr. Dilynodd hi i fyny'r grisiau, yn mwytho'i thin trwy gotwm y siorts. I gychwyn, gorweddodd Sally ar ei chefn ar y gwely gan adael i Ben ei phleseru gyda'i dafod fel y carwr cydwybodol ydoedd. Ac ar ôl y pleser geneuol, marchogodd Sally ei chariad tan fod y ddau ohonynt wedi dod. Ar ôl gorffen, cwympodd Sally i drwmgwsg haeddiannol a hawlio chwe awr di-dor o gwsg. Am unwaith, ni chafodd ei haflonyddu gan freuddwydion na delweddau tywyll. Doedd dim gwadu'r ffaith ei bod yn teimlo'n gwbl ddiogel gyda Ben yn cadw cwmni iddi yn y gwely. Dihunodd ychydig cyn y wawr, gyda golau llwydaidd y bore bach yn ymwthio trwy'r llenni. Chwyrnai Ben wrth ei hochr. Gwenodd. Ymolchodd. Gwisgodd. Aeth i'r gegin i wneud pot o goffi. Roedd hi'n barod i fynd. Yn awchu am ailafael yn yr achos. Canodd ei ffôn. Fflachiodd rhif Dafydd Benson ar y sgrin. "Corff arall," medd ei phartner, heb siarad yn fân y bore hwn. "Wrth y gamlas. Yr un M.O."

19: Sioe

"Gweld ti ar ddiwedd shifft ti, then," medd Ben Marks, gan wenu ar Magi a chodi tri pheint o lagyr oddi ar y bar yn ei ddwylo mawr, milwrol, cyn diflannu i'r dorf, oedd yn ymgodymu gyda'i gilydd mewn ymdrech i archebu diod wrth Magi neu ei mam yn y clwb pêl-droed. Wrth droi at y cwsmer nesaf, oedodd Magi am hanner eiliad i werthfawrogi'r milwr ifanc; un o'r unig bobl nad oedd yn gwisgo ffansi-dres. Fel wedodd e wrthi funud yn ôl, roedd e'n *gorfod* gwisgo iwnifform bob dydd yn yr armi, felly pam fydde fe ishe gwisgo lan ar noson mas. O ganlyniad, roedd Ben yn gwisgo jîns glas tywyll a chrys polo Lacoste lliw coch llachar. Ac er fod ei ddillad yn atgoffa Magi i raddau o ryw olffiwr canol oed, roedd ei aeddfedrwydd amlwg hefyd yn codi chwant arni. Yn anffodus i Magi a'i dyheadau rhamantus, dyma benwythnos olaf Ben yng Nghymru am beth amser, gan ei fod yn teithio i Bosnia ddydd Llun gyda'i gatrawd i gyfrannu at ymdrechion cynnal heddwch y Cenhedloedd Unedig yn y rhanbarth. Wrth fynd ati i dynnu peint y cwsmer nesaf, gwthiodd y gwaethafwr oedd yn llechu ym mherfedd Magi i flaen ei meddyliau, a gofyn: *Os nad heno, pryd?* Yn amlwg, ar ôl ei phrofiadau carwriaethol diweddar, nid oedd Magi'n *disgwyl* dim byd i ddigwydd rhyngddi hi a Ben, ond nid oedd hynny'n ei hatal rhag *gobeithio*, tra bod yr addewid i'w "gweld hi ar ddiwedd ei shifft" yn rhoi hwb bach iddi hefyd.

Roedd hi'n Galan Gaeaf, oedd yn esbonio pam fod y mwyafrif o fynychwyr y clwb mewn gwisg ffansi. Roedd y sgarmes ar ochr arall y bar yn ffinio ar fod yn abswŕd. Rhesi o gyrff anhysbys yn cuddio tu ôl i fygydau Frankenstein, bleiddiaid rheibus, Maggie Thatcher neu o dan hen lieiniau gwyn. Ymdrechion gwael, yn gyffredinol, er bod un cwpwl wedi dod fel Beetlejuice a Barbara, a dau foi wedi gwisgo fel C-3PO a R2-D2. Diolch i'w hwyliau tywyll diweddar, roedd Magi wedi gwisgo fel gwrach; tra bod ei mam mewn cat-suit ddu, gyda chlustiau trionglog yn ymwthio o'i gwallt. Roedd hi'n meddwl ei bod yn edrych yn secsi, ond y gwir oedd ei bod hi'n edrych yn sâl. Ac, ar ben hynny, roedd ei dannedd wedi dechrau edrych yn weird a'i llygaid yn wyllt ac yn wydrog. Eto. Nid oedd Magi wedi maddau iddi am ochri gyda Matthew Ross ar ôl iddo ymosod arni ym maes parcio'r clwb, tra nad oedd yn gallu gwaredu'r delweddau y gwyliodd hi a'i thad ar y VHS yr wythnos gynt. Roedd jyst meddwl am y peth yn codi cyfog arni. Crynodd Magi wrth droi at y cwsmer nesaf – dyn gydag ysgwyddau llydan a mwgwd Jimmy Hill, oedd yn fwy arswydus nag unrhyw fwystfil – gan ei bod yn gwybod bod Matthew Ross yma'n rhywle, wedi'i guddliwio. Y crîp. Yn ôl ei mam, oedd yn honni ei bod wedi cael gair cadarn iawn yn ei glust, roedd e'n difaru'r hyn a wnaeth yn daer, er nad oedd yn cofio'r digwyddiad o gwbl chwaith. Wrth reswm, nid oedd hynny wedi lleddfu pryderon Magi mewn unrhyw ffordd, gan fod yr alcohol yn llifo heno, ar ôl i'r tîm ennill y bedwaredd gêm o'r bron, gyda Ross yn sgorio dwy gôl arall, y tro yma yn erbyn y gelynion lleol, Caerau. O ystyried ei anallu i ddal ei gwrw, beth oedd i'w stopio rhag gwneud yr un peth eto?

Trodd Magi at yr optics a thollti chwisgi dwbl i wydr Peter James, oedd yn cario camera fideo ar ei ysgwydd i ffilmio'r gwallgofrwydd. Dyma un arall oedd heb wneud ymdrech o ran ei wisg, er bod y sibrydion roedd Magi wedi'u clywed amdano yn fwy echrydus nag unrhyw fwgwd neu gymeriad ffuglennol o ffilm neu stori arswyd. Pasiodd Magi'r chwisgi iddo ar draws y bar a chymryd ei arian o gledr chwyslyd ei law. Winciodd yr hen byrf arni ac, yn yr eiliad honno, roedd Magi'n *gwybod* bod ganddo rywbeth i'w wneud gyda'r tâp VHS o'i mam. Ar ôl ei weld yn ffilmio pawb a phopeth yn y clwb, roedd Magi'n ei amau ta beth, ond nawr roedd hi'n sicr o'i gyfranogaeth. Wrth droi at y til, teimlodd Magi'r croen gŵydd yn codi ar hyd ei chorff.

"Iawn?" gofynnodd ei mam, wrth wthio heibio iddi, dau beint yn ei gafael a dim awgrym o gywilydd yn ei llygaid.

"Ydw," oedd ateb swta, surbwch, ei merch.

Nid oedd ei rhieni wedi stopio ymladd ers i Declan a Magi wylio'r fideo. Busnes fel arfer, efallai, er nad oedd syniad gan Milly bod ei merch, a'i gŵr, wedi gweld y delweddau damniol. Penderfyniad Declan oedd peidio â datgelu'r gwir wrth ei wraig, gan ei fod yn teimlo fel rhiant gwael iawn oherwydd yr hyn welodd Magi. Yn rhyfeddol, o dan y fath amgylchiadau, roedd Declan yn dal i feddwl am deimladau Milly. Er gwaethaf y ffaith ei bod hi, yn amlwg, yn cael rhyw fath o affêr gydag Iori Tomos ac, ar ben hynny, yn fodlon cael ei ffilmio yn gwneud pethau amharchus ac amheus, roedd ei gŵr, druan ohono, yn dal i flaenoriaethu ei theimladau hi. Honnai Declan y byddai Milly'n 'marw' petai'n gwybod bod Magi wedi gweld y fideo ac felly nid oedd yn fodlon rhannu'r wybodaeth gyda hi. Nid oedd Magi'n deall ei resymeg. Roedd hi *wedi* gweld y fideo, a doedd dim modd stwffo'r jini yna'n ôl i'r botel. Roedd y sefyllfa sylfaenol a'r holl wrthdaro yn awgrymu'n gryf nad oedd ei rhieni yn hoffi, heb sôn am garu, ei gilydd, ond roedd gweithredoedd ei thad yn brawf bod ei gariad tuag at Milly yn ddyfnach ac yn fwy dwys a chymhleth na'r llwybr llaethog. Er gwaethaf agwedd ei thad, roedd Magi wedi'i ffieiddio gan ei mam. Ac oherwydd nad oedd ei thad wedi datgelu'r cyfan wrthi, roedd Milly'n actio'n hollol normal o flaen ei merch, er na fyddai Magi byth yn gallu edrych arni yn yr un ffordd eto. A hynny am weddill ei hoes. Ar ben hynny, bob tro y caeai ei llygaid gyda'r nos, dyna lle'r oedd Milly, yn llenwi sgrin fawr ei dychymyg. Roedd yr holl beth yn troi ei stumog.

Wrth arllwys peint arall o Carling i ryw fwci-bo amaturaidd yr olwg, trodd meddyliau Magi at Cadella. Oedd hi yma heno? Yn cuddio yng nghanol yr holl wisgoedd ffansi? Yn ogystal â Ben Marks, roedd Magi wedi serfio nifer o'i chyfoedion yn ystod yr oriau diwethaf. Wynebau cyfarwydd o'r ysgol uwchradd ac ambell un o'r coleg chweched. Nid oedd Magi eisiau meddwl am Cadella, gan fod yr atgofion oedd ganddi'n ei gwneud hi mor drist. O gyfeillgarwch digyffelyb i estroniaid chwerw mewn llai na mis. Roedd Cadella wedi ei hosgoi ers y 'digwyddiad', fel petai'n wahanglwyfus, ac wedi ymgolli'n llwyr gyda'i grŵp newydd o ffrindiau erbyn hyn. Unwaith eto yn ei bywyd ifanc, roedd Magi'n teimlo'n ynysig ac yn unig. Heb sôn am grac. Ni allai ddeall pam fod Cadella'n ei thrin fel hyn. Wrth gwrs, deallai fod snogio ffrind yn gallu bod yn lletchwith ac yn rhyfedd, heb sôn am yn ddryslyd, ond credai y byddai modd goresgyn y teimladau hynny'n ddigon hawdd, petaen nhw'n eistedd i lawr am sgwrs gall. Yn anffodus, nid oedd Cadella'n gallu edrych arni mwyach, felly nid oedd hynny'n debygol o ddigwydd. O ystyried popeth – Cadella'n troi ei chefn arni, Milly'n serennu mewn ffilmiau glas a pherthynas chwâl ei rhieni – doedd dim amheuaeth bod Magi'n teimlo fod y byd ar ben. *Achub fi, Ben Marks,* meddyliodd, wrth agor y til a thollti arian mân i'r mannau penodol.

*

Yn groes i'w addewid, doedd dim golwg o Ben ar ddiwedd ei sifft. Gyda'r gwydrau wedi'u golchi a'r hwfro wedi'i wneud, roedd Magi wrthi'n mopio tu ôl y bar, tra bod ei mam wedi mynd i wagio'r bin yn y maes parcio. Wrth i'w hwyliau dywyllu gyda phob strôc, claddodd Magi bedair potel o Hooch yn ei gwarfag a'u gorchuddio gyda hwdi. Roedd hi wedi diosg ei cholur gwrachaidd ond, gyda Ben wedi mynd a dim ffrind arall ganddi, penderfynodd taw'r peth gorau i'w wneud fyddai eistedd yn y dug-outs i foddi ei gofidiau. Nid oedd hi eisiau mynd adref eto. I dŷ gwag gydag ellyll yn cuddio ym mhob cornel. Roedd ei thad wedi mynd i bysgota. All-nighter, er mwyn osgoi'r clwb a hunllef barhaus ei fywyd. Ar ben popeth, roedd Magi'n poeni am ei gyflwr meddyliol hefyd. Gallai weld y bregusrwydd yn ei lygaid ac yng ngogwydd ei ben a'i ysgwyddau. Siarad â'r llawr y byddai Declan yn ei wneud gan fwyaf. A sibrwd, gyda hynny.

"Cer di," medd Milly, pan ddaeth hi'n ôl o'r maes parcio'n waglaw a mynd ati i olchi sudd y bin oddi ar ei dwylo yn y sinc dur gloyw bach ar y bar. "Fi'n mynd i aros fan hyn am sbel. Ma'r pwyllgor ishe cynnal cyfarfod cyflym." Nodiodd ei phen at fwrdd ym mhen pella'r ystafell, lle oedd Peter James, Iori Tomos, Matt Ross a Freddy Atwood yn eistedd; tri ohonynt mewn gwisgoedd ffansi, er bod eu mygydau bellach wedi'u diosg.

Y pwyllgor? As if, meddyliodd Magi. *Y pyrfs a'r speed-freaks, more like.* Edrychodd Magi ar ei mam yn ddirmygus, gan obeithio bod ei llygaid yn adlewyrchu'r ffaith nad oedd yn credu gair oedd yn dod o'i cheg mwyach. Lle oedd ei chywilydd? Ar ôl gweld y fideo, roedd Magi wedi colli pob parch tuag ati. Dim bod llawer yno yn y lle cyntaf. Gwisgodd Magi ei chot a gafael yn ei gwarfag, cyn gadael y bar heb nosdawio â'i mam, na hyd yn oed edrych arni. Gyda'r sêr yn disgleirio fry yn dilyn dilyw y prynhawn, a'r ddaear yn sops o dan draed, sganiodd y maes parcio, yn y gobaith bod Ben yn aros amdani, falle'n pwyso ar ochr ei gar, yn barod i'w chludo i ryw lecyn bach preifat yn y coed, neu i fywyd newydd yn bell i ffwrdd o'r fan hyn. *As if!* Fe wenodd ar hynny, cyn i'r ddelwedd o'i mam ar y sgrin lenwi ei dychymyg unwaith eto, a gwaredu'r wên o'i hwyneb. Yn ôl y disgwyl, roedd Ben wedi diflannu. O'i bywyd am byth, efallai. Er gwaethaf y tymor, roedd hi'n noson fwyn yng Ngerddi Hwyan, oedd yn beth da i Magi yn y dug-out. Roedd y fainc yn oer ar fochau ei thin i gychwyn, ond cyfarwyddodd yn ddigon cyflym, cyn suddo'r botel gyntaf o Hooch mewn dim o amser. Estynnodd yr L&Bs o'i bag. Pecyn deg. Arfer cudd. Arfer newydd, ers colli Cadella. Cyn tanio'r sigarét, agorodd botel arall a chymryd dracht hir; y swigod surfelys yn goglais cefn ei gwddf. Yna, chwythodd fwg i'r nos a gadael i'w meddwl wagio, gan syllu ar y cytserau yn y ffurfafen uwchben. Wrth bwyso ymlaen i weld yr aradr yn ei lawn ogoniant, clywodd Magi leisiau'n sibrwd yn y dug-out arall. Bachgen a merch, eu hanadliadau'n plethu a'r cyffro a'r blys yn dechrau berwi. Pwysodd Magi yn ôl, gan yfed a smocio bob yn ail, wrth geisio anwybyddu'r cyfathrach amlwg oedd yn digwydd fetrau yn unig o'i heisteddle. Meddyliodd am eiliad mai ei mam oedd yno, ond wedyn dechreuodd llais y ferch godi o'r dug-out arall – o ran lefel y sain a dwyster y cyffro. Fel cwningen yng ngolau car, cafodd Magi ei rhewi i'r unfan wrth wrando ar y cwpwl yn cyrraedd cresendo gerllaw. Ar ôl iddynt orffen, clywodd ddillad yn shifflad wrth i'r cariadon ailwisgo. Yna, clywodd Magi nhw'n camu allan o'u cuddfan, a rhewodd yn fwy fyth, os oedd hynny'n bosibl, gan ei bod yn adnabod y lleisiau mwya sydyn.

"Ro'dd hwnna'n *amazing*!" canodd Cadella rwndi.

"*Ti'n* amazing," medd Ben.

Law yn llaw, diflannodd y cariadon i gyfeiriad y maes parcio, gan adael calon Magi'n deilchion yn y dug-out. Gyda'i phen yn chwyrlïo, arllwysodd ddwy botel arall o Hooch lawr ei chorn gwddf. Llifodd y dagrau. Sugnodd ar fwg. Cododd ar ei thraed, braidd yn sigledig. Pwysodd ar ochr y dug-out ac erfyn ar y bydysawd i stopio troelli, cyn dod i'r casgliad bod angen help arni i gyrraedd adref heno.

Anelodd am y clwb, i ffonio tacsi, heb edrych fyny ar y balconi a'r bar. Petai wedi gwneud, byddai wedi gweld bod y llenni ar gau, oedd yn anarferol, ac efallai y byddai hynny wedi atal ei chamau, neu o leiaf wedi gwneud iddi oedi. Yn anffodus, diolch i'r Hooch, roedd Magi'n chwil; ei cherddediad yn gam a'i llygaid wedi'u hoelio ar y llawr. Cyrhaeddodd ddrws y clwb a'i agor, cyn dringo'r grisiau at y bar. Tynnodd Magi ar y drws pren gyda ffenest wydr denau a dal ynddo, cyn penderfynu gwthio, gan nad oedd y drws yn agor. Oedodd. Meddyliodd. Syllodd. Pwysodd ei phen ar y drws. Yna, craffodd trwy'r gwydr, yn y gobaith bod rhywun yn dal yno ac yn fodlon galw tacsi iddi. Daeth y byd i ffocws. Gwelodd Magi ei mam, ond nid oedd Milly mewn unrhyw siâp i helpu ei merch i ddod o hyd i'w ffordd adre heno. Yng nghornel pella'r bar, gwelodd ei mam yn perfformio. Yn dawnsio yn ei dillad isaf lasiog i'r gynulleidfa ddethol, oedd yn eistedd mewn rhes yn ei gwylio. Safai camera Peter James ar dreipod yn recordio'r cyfan. Sobrodd Magi yn syndod o gyflym, cyn gwylio dau aelod o'r dorf fach, ddetholedig – Matthew Ross a Freddy Atwood – yn tynnu eu dillad ac yn ymuno â Milly. Roedd y ddau yn gwisgo'u mygydau Calan Gaeaf unwaith eto. O dan gyfarwyddyd Peter James, plygodd ei mam o'i chanol, tra safodd y dynion bob pen iddi, gan dynnu eu dillad isaf. Saethodd ei llygaid i bob man, ond doedd dim osgoi'r olygfa. Bu bron i Magi gyfogi, ond llwyddodd i beidio â gwneud, am nawr. Yn reddfol, roedd Magi eisiau troi ei chefn a ffoi o'r fan hyn, ond roedd yr olygfa fel magned pwerus. Yn hytrach, trodd at Iori Tomos, oedd yn gwylio'r sioe gan wenu, wrth rwbio powdr gwyn ar ei ddeintgig gyda'i fynegfys, a Peter James wrth ei ochr yn ffilmio'r cyfan ac yn gweiddi cyfarwyddiadau ar y perfformwyr. Y peth olaf mae Magi'n ei gofio cyn chwydu dros y drws a'r carped yw llaw Peter James yn mwytho ei bidlen trwy ei drowsus. Dyna oedd y torbwynt. Hyrddiodd yr hylif allan ohoni; y sŵn yn ddigon i hawlio sylw'r rafwyr.

"Fuckin' hell, Freddy, o'n i'n meddwl bo ti 'di cloi'r drws!" Clywodd Magi lais Iori Tomos yn diawlo, cyn i'w llygaid gwrdd â rhai lloerig ei mam. Lledaenodd llygaid Milly tan fod Magi'n meddwl eu bod nhw am forsto o'i phenglog. Gyda'r arswyd yn ei gorlethu, trodd a rhedeg adref, er na fyddai byth yn gallu dianc oddi wrth yr hyn a welodd heno.

20: Lwc

Gyda haul gwan y bore'n codi dros orwel ôl-ddiwydiannol y dref, safai Sally a Daf ar lan y gamlas, yn rhynnu yn eu cotiau glaw ysgafn, ac yn edrych ar y dioddefwr diweddaraf. Roedd yr ardal wedi'i chau i'r cyhoedd ers i Geth Robbins a Paul de Wolfe gyrraedd, yng nghwmni cwpwl o iwnifforms, ac yna swyddogion y tîm SOCO, rhyw ugain munud cyn arweinydd yr achos a'i phartner. Menyw yn ei chwedegau hwyr, yn mynd â'i chi am dro ben bore, ddaeth o hyd i'r corff, pan welodd fod y pysgotwr yn gorwedd ar y llawr yn ddiymadferth. Nyrs wedi ymddeol oedd hi, felly ni oedodd ac aeth i gynnig cymorth, cyn iddi weld y gwaed a ffonio'r heddlu. Bellach, roedd hi'n rhoi datganiad i Geth a Paul yng nghefn y Skoda, oedd wedi'i barcio yn y lay-by lle canfuwyd corff Iorwerth Tomos rai dyddiau ynghynt. Yn ogystal â Skoda adran dditectifs Gerddi Hwyan, roedd cerbydau Sally a Daf, Mini Cooper Dr Stevens, fan SOCO, car patrôl ac ambiwlans yn segura yn y gilfan. Roedd corff swmpus y dioddefwr yn gorwedd yn y gwlith; y gadair wersylla gynfas roedd e'n eistedd arni'n dal yn sownd am ei ganol.

"Mae pennu pryd gafodd e'i ladd yn anodd, gan fod yr elfennau wedi amharu ar ddirywiad naturiol y corff," medd Dr Stevens, oedd yn ei chwrcwd wrth ochr y gelain, yn archwilio'r corff in situ. "Ond Matthew Ross oedd ei enw," pasiodd drwydded gyrru'r dioddefwr at Daf, eu menig latecs yn gwichio'n dawel wrth gyffwrdd.

"Ffrind Frederick Atwood," medd Daf, wrth graffu ar y ffoto.

"Heb os," ategodd Sally. "Unrhyw beth yn hawlio'ch sylw, Dr Stevens?"

Ysgydwodd y patholegydd ei phen, ei hanadl yn dianc o'i cheg fel mwg. "Yr un hen stori. Dim olion. Bysedd nac esgidiau. Dim arwyddion o ymladd. O amddiffyn. O frwydro. O wrthdaro." Pwyntiodd at wddf triphlyg Matthew Ross, a'r graith waedlyd oedd wedi ei hagor fel tun tiwna. Roedd y gwaed wedi llifo o'r clwyf, gan greu pwll sgarlad ar lan y gamlas. "Yr un M.O. Yn amlwg."

"Ar wahân i'r goliwog," medd Daf, gan gyfeirio at y ddoli glwt broblemus oedd wedi'i gwthio i boced cot dal dŵr y corff.

"Nage," anghytunodd Sally, gan wneud i'w phartner droi ati'n syn. "Fel y clapfwrdd a'r band braich, so ni'n *deall* arwyddocâd y goliwog eto. Ond, ma' fe *yn* ffitio."

"Fi'n cytuno," medd Dr Stevens, gan godi ar ei thraed. "Ma'r llofrudd yn gadael cliws i ni. Neu, dim cliws falle, nid dyna'r gair cywir, ond hints, awgrymiadau."

"Ond ma'n nhw mor amwys," medd Daf.

"Ydyn nhw?" cwestiynodd Sally. "Ma'r clapfwrdd yn pwyntio bys at Peter James a'i arfer o ffilmio popeth. Wel, o ffilmio gemau pêl-droed yn bennaf." Roedd Bybls bellach wedi gwylio pob eiliad o gasgliad VHS Peter James, ac wedi adrodd yn ôl mai'r *unig* beth arnynt oedd delweddau o gemau'r tîm pêl-droed o'r cyfnod o dan ei reolaeth. "Ac mae'r band braich yn amlwg yn cyfeirio at y ffaith mai Iorwerth Tomos oedd capten y clwb yn ystod yr un cyfnod."

"OK," cytunodd Daf. "So, ydy'r goliwog yn awgrymu bod Matthew Ross yn hiliol?"

"Ac os felly, ai dyn du yw ein llofrudd?" meddyliodd Sally ar lafar. "Cyn-chwaraewr gyda'r clwb, efallai, a gafodd ei gamdrin yn hiliol gan Matthew Ross?" Wrth i'r geiriau adael ei cheg, gwyddai Sally mai dyfalu oedd hi o hyd. Doedd dim byd concrit. Ar wahân i un peth. "*Rhaid* i ni ffeindio Frederick Atwood," meddai, gydag awdurdod.

"Un peth cyn i chi fynd," medd Dr Stevens, gan hawlio sylw'r ditectifs. "Fel arfer, ma' ymosodiadau gan lofruddwyr cyfresol yn dwysáu, ond nid yw hynny'n wir yn yr achos yma. Ma' fe'n lladd yn yr un ffordd yn *union*, bob tro."

"So?" medd Daf.

"*So*, rwy'n credu bod rhyw arwyddocâd i'r *ffordd* ma fe'n lladd. Defnyddio cyllell i hollti'r gwddf, hynny yw."

"Mae'r llofrudd yn ddefodol," medd Sally.

Nodiodd Dr Stevens. "Rwy'n credu bod un ai arwyddocâd i arddull yr ymosodiadau, neu fel arall, i'r arf y mae'r llofrudd yn ei ddefnyddio."

*

Ar y ffordd i fyngalo Frederick Atwood, ffoniodd Sally'r orsaf er mwyn siarad gyda Bybls. Wrth ofyn iddo bori'r we am ddelweddau o glwb pêl-droed Gerddi Hwyan, yn y gobaith o ddod o hyd i gyn-chwaraewyr croenddu i'w holi, gwyddai mai crafangu am atebion oedd hi a dweud y gwir. Ac o'r diwedd, roedd ganddynt rywun o dan amheuaeth, sef Frederick Atwood. Neu, ddim o dan amheuaeth falle, ond unigolyn o ddiddordeb, o leiaf. Rhywun allai helpu'r heddlu gyda'u hymholiadau.

"Ma'i gar e dal yn yr ysbyty," medd Bybls, wrth i'r sgwrs ddirwyn i ben. "So fe 'di symud ers i ni gael y ping 'na neithiwr."

"Diolch," medd Sally, gan frwydro i gadw'r siom o'i llais.

Ar ôl cnocio'n ofer ar ddrws ffrynt Frederick Atwood, ac edrych trwy'r ffenestri, aeth y ditectifs drws nesaf i ofyn i'r gymdoges a oedd hi wedi ei weld ers eu hymweliad blaenorol.

"Naddo," atebodd, gan graffu ar Sally a Daf. "Chi'n keen i gael gafael arno fe. Unrhyw beth i neud â'r serial killer 'ma?"

Anwybyddodd Sally'r cwestiwn. "Mae'n hollbwysig ein bod ni'n siarad gyda Mr Atwood, cyn gynted ag y gallwn ni."

"Ffoniwch ni os welwch chi fe," gorchmynnodd Daf. "A pheidiwch agor eich drws iddo fe chwaith."

Cytunodd y gymdoges, ei chwilfrydedd bellach wedi troi'n bryder. Clywodd Sally ei drws yn cloi wrth iddi hi a Daf ddychwelyd at eu ceir.

*

Yn ôl yn yr orsaf heddlu, gyda'r sgarmes o newyddiadurwyr a sylwebyddion oedd yn tyfu bob munud o bob dydd bellach tu allan i'r brif fynedfa, paratôdd Sally ddatganiad byr i'r wasg am farwolaeth Matthew Ross, oedd hefyd yn galw ar Frederick Atwood i gysylltu â'r heddlu er mwyn eu helpu gyda'u hymholiadau. Anfonodd y datganiad mewn neges e-bost at DI Price, a fyddai'n ei wirio cyn ei rannu gyda DCI Colwyn, a fyddai, yn ei dro, yn ei ledaenu i'r wasg a'r byd ehangach yn ei arddull unigryw ei hun.

"Diolch am hwn, DS Morris," medd DI Price, pan roddodd gnoc ar ddrws ei swyddfa rhyw bum munud yn ddiweddarach. "Unrhyw beth arall i'w adrodd?"

Eisteddodd Sally cyn ateb. "Wel, sdim amheuaeth nawr mai llofrudd cyfresol sydd gyda ni. Ma'r M.O. yr un peth yn y tri achos ac ma'r cysylltiad gyda'r clwb pêl-droed bron yn sicr bellach. Peter James oedd yr hyfforddwr, Iorwerth Tomos oedd y capten yn ystod yr un cyfnod, tra'r oedd Matthew Ross, y dioddefwr diweddaraf, a Frederick Atwood, ein person of interest, yn aelodau o'r un tîm, yn yr un cyfnod."

"Wyt ti'n credu mai Atwood yw'r llofrudd?"

"Ddim o reidrwydd, syr," atebodd Sally'n bwyllog. "O ystyried ei gyflwr corfforol, sa i'n siŵr ei fod yn ddigon cryf i ymosod yn y fath ffordd. Ond, eto, ma' fe *wedi* diflannu, sy'n gwneud i fi ei amau ac eisiau ei gwestiynu. Fel wedes i ddoe, syr, roedd e a Matthew Ross yn actio'n amheus iawn yn yr angladd. Roedden nhw'n cuddio rhywbeth, heb os."

"Ti'n gwybod beth i neud, 'te."

"Ydw."

*

Roedd y Skoda ar gael unwaith eto, felly gyrrodd Daf a Sally o Erddi Hwyan i Ysbyty Tywysoges Cymru ym Mhen-y-bont ar Ogwr, ar drywydd yr annaliadwy Mr Atwood. Ar ôl cyrraedd a pharcio'r Skoda tu allan i'r elordy, crwydrodd y ditectifs o amgylch y safle ar droed yn chwilio am Volvo glas golau'r unigolyn o dan amheuaeth, gan ddod o hyd i'r cerbyd mewn cornel anghysbell. Yn ôl y disgwyl, doedd dim sôn am Frederick Atwood. Gwiriodd Daf y tocyn parcio oedd ar ddangos yn ffenest y car.

"Ma' fe'n mynd i gael ffein," meddai.

"Sa i'n credu 'i fod e'n poeni am hynny, ryw ffordd," atebodd Sally.

Gyda'r amser yn tynnu at ganol dydd, aeth y ditectifs i adran oncoleg yr ysbyty, gan fflachio'u bathodynnau er mwyn mynnu sylw'r dderbynwraig surbwch. Ar ôl esbonio'r rheswm dros eu hymweliad, cadarnhaodd y gyfarchwraig fod Mr Atwood wedi mynychu apwyntiad yn yr adran y prynhawn blaenorol.

"Allwch chi rannu ei next of kin gyda ni, plis?" gofynnodd Sally'n gwrtais, ond gwrthododd y dderbynwraig, gan fod hynny yn erbyn protocol yr ysbyty, felly gofynnodd Sally a fyddai modd cael gair gyda phennaeth yr adran.

"Mae Mr Atwood wedi bod ar goll ers ugain awr erbyn hyn," esboniodd Sally wrth Dr Powell, Uwch Oncolegydd Ymgynghorol yr ysbyty, yn ei swyddfa daclus. "Ac yn y cyfnod hwn, mae ffrind da iddo, dyn o'r enw Matthew Ross, wedi cael ei lofruddio."

Nodiodd y meddyg ei ben yn araf ar hynny; ei wallt halen a phupur trwchus yn dechrau cyrlio ger ei dalcen, a'i lygaid tosturiol mor ddwfn â ffos Marianas.

Aeth Sally yn ei blaen. "Nid yw Mr Atwood o dan amheuaeth, ond *rhaid* i ni siarad gyda fe, a hynny ar fyrder."

"Yn anffodus," dechreuodd y doctor, mewn llais tawel. "Mae eich cais yn mynd yn erbyn gweithdrefnau'r ysbyty," esboniodd, er bod Sally'n gallu gweld ei fod eisiau helpu, mewn gwirionedd.

"Rwy'n deall hynny, Dr Powell, ond mae amser yn ein herbyn," plediodd Sally, cyn ychwanegu: "Alla i gael warant wrth y llys er mwyn caffael y wybodaeth, wrthoch chi neu feddyg teulu Mr Atwood, ond bydd hynny'n cymryd cwpwl o oriau, ac mae amser yn y fantol. Rwy'n siŵr eich bod wedi darllen am y llofruddiaethau yng Ngerddi Hwyan dros yr wythnos ddiwethaf."

Nodiodd y meddyg eto, cyn rhannu'r wybodaeth gyda Sally a Daf.

Gydag enw, cyfeiriad a rhif ffôn chwaer Frederick Atwood yn eu meddiant, anelodd Sally a Daf am y Skoda, gyda'r bwriad o fynd yn syth i Faesteg ar ei thrywydd, yn y gobaith bod Mr Atwood yno ac yn barod i'w helpu gyda'u hymholiadau. Annhebygol, wrth gwrs, ond rhaid byw mewn gobaith. Roedd hi'n hanfodol symud ymlaen gyda'r achos, oherwydd nad oedd aros yn llonydd a gwneud dim byd yn opsiwn.

Gyda'i llaw ar garn drws y car, canodd ffôn Sally. "Ben," atebodd, yn fyr ei hamynedd. "Be ti moyn?"

"Fi draw gyda Dad," atebodd ei chariad. "Fi'n credu falle bod ganddo fe wybodaeth bwysig i ti."

"Pa fath o wybodaeth?" Ni allai Sally ddychmygu am eiliad sut allai tad ei chariad helpu gyda'r achos. "So ti'n neud sens."

"Fi'n gwbod. Sori. Ti'n gallu galw draw?"

"Fi'n brysur, Ben!"

"Fi'n gwbod. Ond der draw. Neith e esbonio popeth."

Ugain munud yn ddiweddarach, gyrrodd Daf y Skoda yn ofalus o araf ar hyd dreif cerrig mân cartref Garwyn Marks, yn ardal Pen Talar y dref. Roedd Sally'n mudferwi wrth ei ochr, ac yn teimlo'n ddig gan ei bod hi eisiau siarad gyda chwaer Frederick Atwood, yn hytrach na'i darpar dad-yng-nghyfraith. Cydiodd y rhwystredigaeth yn gadarn ynddi. Roedd unrhyw fomentwm a deimlai'n gynharach wedi diflannu, a bai Ben oedd hynny.

"Neis iawn," chwibanodd Daf, wrth edrych ar y plasty trefol.

Yn wahanol i Ben, oedd wedi cwrdd â mam Sally ar un achlysur yn unig, roedd Sally wedi treulio nifer o brynhawniau Sul yng nghwmni Garwyn Marks. Roedd yr hen ddyn yn ei wythdegau erbyn hyn, ac wedi colli ei wraig ers dros ddegawd. Er hynny, gwrthodai symud i gartref llai o faint, am fod y tŷ yn llawn atgofion, er bod Sally'n amau mai ofni'r holl waith papur a symud corfforol oedd wrth wraidd ei ystyfnigrwydd mewn gwirionedd.

Yn ei ddillad rhedeg chwyslyd, safai Ben wrth ddrws ffrynt cartref ei dad. Gwenodd ar Sally a Daf ond roedd yr olwg ar wep ei gariad yn ddigon i'w ddarbwyllo i fynd yn syth at wraidd yr ymweliad.

"Dewch mewn," medd Ben, gan droi ac arwain y ditectifs at y gegin gefn, lle'r oedd ei dad yn eistedd wrth y bwrdd derw yn cofleidio coffi du.

Ar ôl y ffurfioldebau arferol, cipiodd Ben yr awenau. "O'n i jyst yn sôn wrth Dad am eich achos ac fe gofiodd e rywbeth ddigwyddodd yn naw deg pedwar sydd falle'n berthnasol…"

Ar glywed hynny, edrychodd Sally a Daf ar ei gilydd yn slei, yr amheuaeth yn crogi yn yr aer.

"Ro'n i'n arfer defnyddio boi lleol i neud bach o waith rownd y lle 'ma," dechreuodd yr hen ddyn esbonio. "Cash in hand, chi'n gwbo. Gofyn dim, gwbod dim. Garddio. Twtio. Mowo. Math 'na o bethe i gychwyn, ond wedyn dath e i neud bach o beintio i ni…"

"Ym mis Tachwedd naw deg pedwar, reit, Dad," medd Ben.

"'Na ni. Mis Tachwedd. Fi'n cofio'n iawn achos o'dd mam Ben yn ypsét ar y pryd achos ei fod e'n cael ei anfon i Bosnia gyda'r armi."

Edrychodd Sally ar ei chariad a'i dad yn y gobaith y byddai un ohonynt yn datgelu'r wybodaeth berthnasol, a hynny ar frys. Tawelodd yr hen ddyn ac edrych ar ei fab am arweiniad. "Nath e ddiflannu, reit, Dad?"

"Wel, sa i'n gwbod am hynny, ond fe stopiodd e ddod i'r gwaith, heb ddweud gair wrtha i am y peth. Ac ro'dd e'n neud job da 'fyd. Hall, stairs and landing. A'r stafelloedd lan stâr 'fyd…"

Ochneidiodd Sally'n uchel; y rhwystredigaeth yn tonni drosti. Am wastraff amser llwyr. "Sori, ond shwt yn y byd ma'r wybodaeth yma'n berthnasol i'r achos?"

"Glywes i wedyn iddo fe dreial lladd ei hunan," medd Mr Marks yr hynaf.

"Pwy? Eich peintiwr?"

"Ie."

"Dwedwch wrthyn nhw beth oedd ei enw fe, Dad."

"Declan," medd yr hen ddyn. "Declan Porter," cyn codi ei fŵg ac yfed dracht hir o'i goffi.

21: Amddifad

Dros yr wythnosau'n dilyn y digwyddiad yn y clwb pêl-droed, plymiodd bywyd Magi i'r fath ddyfnderoedd tywyll fel nad oedd modd hyd yn oed eu hamgyffred o'r blaen. I gychwyn, trodd ei mam yn gragen wag, dawedog a thoredig, a hynny dros nos. Lle'r oedd hi'n arfer ei lordio hi rownd y lle; nawr doedd hi'n gwneud dim byd ond eistedd ar y soffa yn y tŷ cyngor, yn syllu i'r gofod, gan osgoi llygaid Magi ac anwybyddu cwestiynau cynyddol bryderus ei gŵr. Nid oedd hi hyd yn oed yn gwylio'r teli. Roedd ei llygaid yn wydrog, yn llaethog ac yn ddifywyd; ei chroen yn gwelwi fwyfwy bob dydd, a'r creithiau ar ei breichiau'n lledaenu wrth iddi grafu ei hun gyda'i hewinedd miniog. Dechreuodd ddadlau gyda hi ei hun, neu efallai gyda rhithiau nad oedd modd i Magi a Declan eu gweld. Stopiodd fwyta. Stopiodd ymolchi. Stopiodd gysgu. Ac er cyfnodau hir o fudandod golau dydd, byddai ei sgrechiadau anifeilaidd yn aml yn dihuno Magi yng nghanol nos. Ar un achlysur, aeth Magi at ei mam yn y lolfa er mwyn ceisio ei chysuro. Trwy ei dagrau, ymddiheurodd Milly drosodd a throsodd i'w merch, gan erfyn arni i faddau iddi, er bod Magi eisoes wedi gwneud hynny mewn gwirionedd. Er gwaethaf ei hanaeddfedrwydd, gwyddai Magi nad ei mam oedd ar fai. Cydiodd y casineb a deimlai tuag at y dynion a fanteisiodd ar fregusrwydd Milly yn gadarn ynddi. Erfyniodd ar ei thad i alw'r meddyg, ond gwrthododd Declan wneud hynny, yn y gobaith y byddai ei wraig yn dod at ei choed. Nid dyma'r tro cyntaf i Milly blymio i drobwll o anobaith, wedi'r cyfan, er nad oedd Declan yn gwybod beth oedd wrth wraidd y bennod ddiweddaraf. Ni allai Magi ddatgelu'r gwir wrth ei thad o ran yr hyn roedd hi wedi ei weld, gan nad oedd hi eisiau ei golli ef hefyd.

Ni allai Milly gofio cytuno i gael ei ffilmio'n perfformio i Iori a'i ffrindiau, ond dyna ddigwyddodd. Roedd Iori mor berswadiol, a Milly mor hawdd ei harwain. Yn enwedig o dan afael dur yr amffetamin. Nid oedd y ffilmiau i fod i weld golau dydd, ar wahân i gael eu rhannu rhwng y grŵp dethol o gyfranogwyr, a'r ffaith bod Magi wedi ei gweld oedd y catalydd i'w chyflwr truenus. Wrth eistedd ar y soffa, ddydd ar ôl dydd, yn soeglyd yn ei suddion ei hun, yr unig beth a welai Milly yn ei meddwl oedd llygaid syfrdan ei merch yn syllu arni trwy'r ffenest yn y drws i far y clwb pêl-droed.

Holltodd perthynas Magi a'i thad, oherwydd ei amharodrwydd i geisio cymorth i'w wraig. Aeth Declan i'w waith fel arfer, yn peintio plasty Mr a Mrs Marks, tra arhosodd Magi adref o'r coleg, er mwyn cadw llygad ar Milly. Ar ben cyflwr ei mam, roedd cyfathrach Cadella a Ben yn ei phrocio a'i phoenydio hefyd. Yn ôl ei thad, roedd Ben wedi mynd gyda'r fyddin i Bosnia, a'i fam yn galaru'n gynamserol amdano; tra nad oedd hi wedi gweld, na chlywed, Cadella ers Calan Gaeaf. Roedd bywyd Magi'n gachfa. Bob tro y caeai ei llygaid, gwelai'r olygfa ym mar y clwb pêl-droed. A bob tro y gwelai'r olygfa, caledodd y casineb a deimlai yn ei bol tuag at boenydwyr ei mam.

Daeth Declan adref un noson a mynd yn syth i'w sied, lle arhosodd am oriau. Dyfalodd Magi iddo glywed am y digwyddiad. Gyda'i mam yn cysgu ar y soffa, aeth Magi i'r ardd cyn mynd i'w gwely a phwyso ei chlust yn erbyn drws y caban bach pren. O'r tu fewn, gallai glywed ei thad yn diawlo a rhegi a chrio, wrth finiogi ei hoff gyllell bysgota ar yr hogfaen hynafol. Ni chnociodd Magi ar y drws.

Un bore Iau, cododd Magi o'i gwely a mynd i'r gegin am fowlen o Crunchy Nuts, ond ar gyrraedd gwaelod y grisiau, sylwodd nad oedd ei mam yn y lolfa, yn ei lle arferol yng nghornel pella'r soffa. Cododd y panig mewn amrant, ac aeth Magi i'r gegin ar drywydd ei mam. Llenwai'r drewdod yr ystafell. Gwelodd lestri brwnt swper neithiwr ar y bwrdd; y sos cyri a'r gronynnau reis yn glynu mor galed â choncrit at y platiau bellach. Rhynnodd yn ei jamanas tenau. Roedd y drws cefn ar agor, led y pen. Rhewodd Magi yn yr unfan. Syllodd allan i'r ardd gefn, gan weld un blodyn melyn yng nghanol y glaswellt gwyrdd. Ni allai esbonio'r peth o gwbl, ond gwyddai ar yr eiliad honno na fyddai byth yn gweld ei mam eto.

*

Wythnos yn ddiweddarach, yn rhes flaen capel amlosgfa Margam, gwyliodd Magi wefusau'r gweinidog yn symud yn y pulpud, heb glywed yr un gair oedd yn dod o'i geg. Ni allai ddychmygu beth roedd e'n ei ddweud, gan nad oedd erioed wedi cwrdd â'i mam. Yr agosaf y daeth Milly at addoldy yn ystod y blynyddoedd diwethaf oedd meddwl am fynychu dosbarth self-defence yn festri Capel Horeb. Gafaelodd yn dynn yn llaw ei thad, wrth i'w gorff cyfan grynu. Roedd Declan yn llanast llwyr ers marwolaeth Milly. Roedd yn llanast cyn hynny, ond roedd e'n llawer gwaeth bellach. Beiodd ei hun am beidio â ffonio doctor; yr euogrwydd yn gloddesta ar ei gydwybod. Nid oedd wedi bod i dŷ Mr a Mrs

Marks ers marwolaeth ei wraig. Nid oedd wedi gadael ei sied. Gadawodd yr holl drefnu i'r ymgymerwyr lleol, gan lofnodi a thalu yn ôl yr angen, a dim mwy na hynny. Nid oedd Declan yn ymdopi. Roedd e'n beio'i hun am yr holl beth, er bod dicter Magi wedi'i anelu at eraill. Fflachiodd delweddau o'r pedwarawd yn ei phen. Yn cyffurio a cham-drin ei mam yn y fath ffordd. Yn ffilmio'r cyfan. Yn gwenu. Yn gwawdio. Yn rhannu. Yn rhwbio. Yn halio. Fel Etch A Sketch, trodd Magi ei phen yn gyflym i gyfeiriad arch ei mam, mewn ymdrech i waredu'r erchylltra. Bocs syml. Dim ffrils. Pren golau. Pinwydd. Y rhataf ar y farchnad. O gornel ei llygad, gwelodd wynebau prin y gynulleidfa yn ei gwylio. Dim ond llond llaw o bobl oedd yno. Ambell gymydog. Neb o'r clwb pêl-droed. Collodd Milly ei rhieni yn ifanc, a doedd dim teulu o bwys ganddi hi na'i thad. Unig blant, y ddau ohonynt. Jyst fel Magi. Gyda'r pwyslais ar yr *unig*. Wrth wylio'r arch yn symud yn araf ar y cludfelt tuag at y llenni, meddyliodd Magi am ddiwedd bywyd ei mam. Beth aeth trwy ei meddwl yn yr eiliadau cyn iddi gamu ar y rheilffordd ger Maesteg, o flaen trên oedd ar y ffordd i Ben-y-bont, a Chaerdydd ymhell draw? A feddyliodd hi am Magi o gwbl, neu a oedd ei meddwl wedi datglymu'n llwyr? Daethpwyd o hyd i'w chorff wedi'i daenu dros y traciau dur, gan iddo gael ei sugno o dan y trên a'i lusgo am chwarter milltir. Ar ddiwedd y gwasanaeth, aeth Declan a Magi adref. Doedd dim gwylnos na the a chacs yn y festri. Ar ôl cyrraedd, cofleidiodd Declan ei ferch yn gythreulig o dynn.

"Caru ti, Mags," meddai.

"Caru ti, Dad," atebodd Magi.

Yna, aeth Declan i'r sied yn gafael mewn potel ffres o Teacher's, gan adael Magi yn y lolfa, yn syllu ar ôl ei mam yn y soffa. Tonnodd y galar drosti, gan blethu gyda'r gwagedd gorychfygol yr oedd hi'n ei deimlo. Nid oedd Magi erioed wedi teimlo mor unig yn ei byw. Aeth i'w hystafell wely, lle cyrliodd yn bêl o dan y dwfe ac wylo tan iddi gwympo i gysgu.

*

Dihunodd Magi yng nghanol y nos, ei greddfau'n ei goglais a'r chwys fel gwlith ar hyd ei chorff. Roedd ei gobennydd yn sops. Canodd Kylie yn ei phen. *Tears on my pillow. Pain in my heart. Caused by yoo-oo-oo-oo-oo-oo-oo-ou.* Siglodd ei phen i waredu'r dôn. Cododd a gwisgo'i gŵn gwlanog. Roedd y tŷ fel oergell a drws ystafell wely ei rhieni... ei thad... ar agor. Craffodd Magi ar y gwely, a gâi ei oleuo gan lamp ar y stryd tu fas, ond nid oedd Declan yn ei wâl. Ffrwtiodd rhyw wefr iasoer yn ddwfn ynddi. Yna, rhuodd y pryder drwyddi, fel swnami. Hedfanodd i lawr y grisiau a chamu'n droednoeth i'r ardd, trwy ddrws y bac. Roedd y gwair yn wlyb rhwng ei bodiau, ond yr awyr yn drwch o sêr. Cofiodd Milly'n dweud wrthi mai i'r ffurfafen roedd pobl yn mynd ar ôl iddyn nhw farw. Ond ni edrychodd lan i weld a oedd seren newydd yno heno. Camodd at ddrws y sied. Atseiniai'r un teimlad yn ei bol ag y teimlodd ar y diwrnod y diflannodd ei mam. Y sicrwydd, y reddf, bod rhywbeth mawr o'i le. Gafaelodd yn y bwlyn rhydlyd a sadio'i hun am yr hyn oedd yn aros amdani ar y tu fewn. Agorodd y drws. Rhewodd. Syllodd. Ar y corff llipa ac ar y gyllell oedd yn dal yng ngafael Declan. Yna, udodd fel bleiddes, cyn cwympo i'w phengliniau ar y llawr, a gafael yn dynn yn ei thad. Llifai y gwaed o'i glwyf, gan gronni o gwmpas ei gorff. Ceisiodd Magi atal y llif, ond ofer oedd ei hymdrechion. Roedd y sied fel golygfa o ffilm arswyd. Sgrechiodd am help.

Rhegodd. Gweddïodd. Plediodd. Gwaeddodd tan fod ei llwnc yn grinsych. Yna, gwaeddodd eto, yn uwch, tan y gwelodd gysgodion yn symud yn y gwyll. Cymdogion i gychwyn; eu llygaid yn llydan agored, yr olygfa'n llosgi i'r cof. Yna, ychydig ar eu holau, golau glas yr ambiwlans a'r car heddlu yn dawnsio yn y nos, a heddweision gofidus a pharafeddygon digyffro yn rhuthro i'r sied er mwyn ceisio achub bywyd Declan, ac un Magi ar yr un pryd.

22: Clements

"Sa i'n meddwl bod hi gytre," medd Daf, yn ei gwrcwd ar y rhiniog, yn syllu trwy slot post drws ffrynt Margaret Porter. "Helô!" gwaeddodd i'r gofod. "Miss Porter!" Ond ni chafodd ateb.

Ar flaenau ei thraed, safodd Sally ar y palmant yn craffu trwy ffenest flaen y tŷ teras; ei dwylo'n creu cwpan o amgylch ei llygaid. Roedd y gwydr yn sops a'r glaw mân yn disgyn fel niwl, gan adael gwlith ar ei gwallt. Glaw gwlyb go iawn. Er y gwlypter, roedd hi'n annhymhorol o gynnes, ac felly roedd dewis y got iawn yn hanfodol, ac eto'n amhosib. Gyda datguddiad ei darpar dad-yng-nghyfraith am "ddiflaniad" Declan Porter ym mis Tachwedd mil naw naw pedwar, roedd hi'n hollbwysig bod Sally a Daf yn dod o hyd i'r lanhawraig, a hynny ar frys. Un ai i'w herlyn, neu i'w chwestiynu a'i rhyddhau o ymholiadau'r heddlu. Beth bynnag oedd y canlyniad, roedd dod o hyd iddi'n hanfodol. Roedd Ben bron yn sicr bod gan Declan Porter ferch o'r enw Magi, er nad oedd wedi meddwl amdani am dri deg mlynedd, tan i enw'r lanhawraig ganu cloch yn dilyn sgwrs ddiweddar gyda Sally, ac yna wrth falu cachu gyda'i dad. Roedd atgofion Ben am y cyfnod yn amwys, a dweud y lleiaf, gan mai dyma'r union adeg pan aeth i'r Balkans gyda'r fyddin; cyfnod tywyll iawn yr oedd wedi ceisio'i orau i'w waredu o'i atgofion, heb lwyddiant. Roedd y delweddau o'r cyfnod yn dal i'w aflonyddu hyd heddiw, ar ffurf breuddwydion erchyll yn bennaf. Dyma oedd glud ei berthynas gyda Sally.

Gwelodd Sally symudiad yng nghefn yr ystafell, ar y llawr wrth y drws i'r gegin.

"Daf!" ebychodd.

Sychodd y ffenest gyda chefn ei llaw. Syllodd i'r lolfa lychlyd.

"Beth?" gofynnodd.

"Shit!" atebodd Sally. "Llygoden."

Dyma un o'r pethau rhyfeddaf am blismona: doedd dim un person o dan amheuaeth ganddynt ar ddechrau'r diwrnod, ac nawr roedd ganddynt ddau. Mewn gwirionedd, roedd Sally'n ei chael hi'n anodd gwneud y cysylltiad rhwng Margaret Porter, Frederick Atwood a'r llofruddiaethau o hyd, a dyna pam roedd dod o hyd i'r ddau ohonynt mor allweddol. Yn anffodus, fel Mr Atwood, roedd Miss Porter wedi diflannu oddi ar wyneb y ddaear, a gwnaeth hynny iddi amau bod y ddau yn cydweithio rywffordd, neu fod rhywun arall, anhysbys, yn gyfrifol am yr ymosodiadau ac mai dim ond mater o amser fyddai hi cyn dod o hyd i gyrff Porter ac Atwood.

Roedd y ditectifs wedi ymweld â chwaer Mr Atwood ym Maesteg, yn syth ar ôl siarad gyda Mr Marks yr hynaf. Taith aflwyddiannus ar y cyfan, er i'r chwaer rannu rhif ffôn symudol Mr Atwood gyda nhw. Ffoniodd Sally'r rhif, wrth i Daf yrru'r Skoda i gyfeiriad Gerddi Hwyan a chartref Miss Porter ar Stryd y Capel, ond ni atebwyd yr alwad. Nid oedd hynny'n synnu Sally o gwbl, gan nad oedd unrhyw un yn ateb rhifau anhysbys y dyddiau hyn. Bwriadai Sally ofyn i Bybls ddefnyddio'r rhif ffôn i binbwyntio lleoliad Mr Atwood, neu o leiaf y mast ffonau symudol agosaf ato, ac roedd hi'n gobeithio'n arw na fyddai hynny'n eu harwain at gelain arall.

Gwpwl o oriau yn ôl, Frederick Atwood oedd yr unig berson o ddiddordeb yn yr achos, ond nawr roedd Margaret Porter yn rhan o'r pos. Roedd Sally wedi caffael rhif ffôn symudol Miss Porter wrth y Parchedig Douglas Morgan, a gallai ei chlywed yn canu yn lolfa'r tŷ teras wrth i Daf gnocio ar y drws.

"Dewn ni nôl wedyn," medd Sally, ar ôl pum munud arall o gnocio. "Gyda warant."

'Nôl yn yr orsaf, ar ôl picio i weld Bybls er mwyn gofyn iddo archwilio i gefndir y lanhawraig osgoilyd, aeth Sally a Daf i weld DI Price. Er gwaethaf rhwystredigaeth y partneriaid am ddiffyg cynnydd yr achos, a'r ffaith nad oeddent wedi cael gafael ar Frederick Atwood a Margaret Porter, roedd dirprwy yr adran yn ddigon hapus gyda datblygiadau'r diwrnod.

"Amynedd," gwenodd arnynt, gan bwyso'n ôl yn ei gadair ledr. "Chi mewn safle lot gwell nawr nag o'ch chi ddoe, reit?"

"Ydyn, syr," cydadroddodd Sally a Daf.

"Felly mae'r achos yn symud yn y cyfeiriad cywir."

"Ond beth os fydd y Medelwr Mawr yn taro eto?"

"Pwy?" Edrychodd DI Price yn syn ar DS Benson.

"Y llofrudd. 'Na beth ni'n galw fe."

Trodd Sally at ei phartner. "'Na beth *ti'n* galw fe!"

Anwybyddodd yr uwchswyddog yr anghydfod dibwys. "Oes yna batrwm amlwg o ran yr ymosodiadau?"

"Ar wahân i'r *modd* mae'r llofrudd yn lladd?"

"Ie."

Meddyliodd Sally am y cwestiwn, ond daeth Daf i'r casgliad gyntaf.

"Ma'r ymosodiadau wedi digwydd dri diwrnod ar wahân."

Trodd Sally ato, gan nodio arno'n llawn edmygedd.

"Nos Sadwrn. Nos Fawrth. Nos Wener. Sef neithiwr."

"Gwych," medd DI Price. "Ma hynny'n rhoi deuddydd i chi

ddod o hyd i Atwood a Porter, 'te, cyn y bydd e'n ymosod eto. *Os* fydd e'n ymosod eto, hynny yw."

"Ma Bybls yn ceisio dod o hyd i Mr Atwood trwy leoli ei ffôn symudol, ac ma' fe'n mynd i dwrio i gefndir Margaret Porter hefyd," medd Sally.

"A ni'n mynd i chwilio am Declan Porter, ei thad, yn y system," ychwanegodd Daf.

"Syniad da," cytunodd DI Price. "Sneb yn diflannu fel ma' Mr Marks yn ei honni."

"Nac oes, syr."

"Pam na wnaeth e ddweud wrth yr heddlu, 'nôl yn naw deg pedwar?"

Gofynnodd Sally'r un peth yn gwmws iddo'r prynhawn hwnnw, felly roedd yr ateb yn barod ganddi. "Doedd dim rheswm i wneud ar y pryd, syr. Yn ôl Mr Marks, roedd rhywbeth tebyg wedi digwydd iddo o'r blaen, gyda gweithwyr eraill roedd e'n eu cyflogi, cash in hand. O bryd i'w gilydd, bydde unigolyn neu unigolion oedd yn gwneud jobs o gwmpas y tŷ jyst yn stopio dod i'r gwaith. Heb esboniad. Cael cynnig gwaith gwell, mwya tebyg. Yn y cyfnod cyn ffonau symudol, roedd cael gafael ar bobl yn fwy anodd nag yw e heddiw. Ac roedd wastad digon o lafur tsiep ar gael, i gymryd eu lle nhw. 'Na beth wedodd e, ta beth."

Nodiodd DI Price ar hynny. "Digon teg."

*

Cedwid cofnodion cyn-ddigidol Heddlu Gerddi Hwyan mewn archifdy ar safle pencadlys Heddlu De Cymru ar gyrion Pen-y-bont ar Ogwr. Warws mawr wedi'i adeiladu ar ddechrau'r ganrif yn arbennig ar gyfer y diben hwn, gyda waliau brisbloc noeth a tho wedi'i wneud o shîts metel. Er gwaethaf cyntefigrwydd allanol yr adeilad, roedd hi'n stori wahanol ar y tu fewn. System reoli hinsawdd soffistigedig, er mwyn sicrhau cyflwr y cofnodion, oedd yn ymestyn yn ôl dros ganrif. System ddiogelwch o'r radd flaenaf. Camerâu cylch cyfyng yn cadw llygad ar bob centimetr o'r cyfleuster. Swyddfa'r Swyddog Archifau. Ystafelloedd gwaith ac ymchwil. A rhesi di-rif o gabinetau ffeilio, dros ddau lawr. Roedd yr heddlu wrthi'n digideiddio'r holl gofnodion, ond gyda'r toriadau cyson i'w cyllid, nid oedd y gwaith yn cael ei flaenoriaethu. Agorwyd yr archif yn arbennig ar eu cyfer, gan nad oedd y Swyddog Archifau yn gweithio ar ddydd Sadwrn, ac ni chymerodd hi'n hir i Sally a Daf ddod o hyd i enw Declan Porter, er na chafodd ei gofnodi mewn perthynas â'i "ddiflaniad" honedig. Yn hytrach, cofnodwyd ei enw fel 'next of kin' ei wraig, Milly, a laddodd ei hun ar y pumed ar hugain o Dachwedd mil naw naw pedwar. Cofiodd Sally i Margaret Porter ddweud bod ei mam wedi marw pan roedd hi'n ifanc, ond roedd darllen y manylion yn ddigon i dorri ei chalon. Yn syml, camodd Milly Porter o flaen trên ar gyrion Maesteg, er i'w chorff gael ei daenu dros y cledrau am chwarter milltir, cyn i'r trên ddod i stop. Pa fath o effaith fyddai hynny wedi ei gael ar y ferch ifanc? Ac a oedd gan hunanladdiad ei mam rywbeth i'w wneud â 'diflaniad' ei thad a'r llofruddiaethau diweddar?

"Beth nawr?" gofynnodd Daf yn surbwch. "So hwn o unrhyw help i ni, ydy fe?"

"'Drych," atebodd Sally, gan bwyntio at yr enw ar waelod yr adroddiad.

Cododd Daf ei ysgwyddau mewn penbleth.

"Paid dweud bo ti ddim yn cofio DI Clements."

*

Roedd un alwad ffôn at DI Price yn ddigon i gyrchu cyfeiriad cyn-ddirprwy adran dditectifs Heddlu Gerddi Hwyan ac, o fewn tri chwarter awr, roedd Sally a Daf yn eistedd mewn heulfan hyfryd yn edrych dros draeth Ogwr, yng nghwmni'r dyn ei hun. Er bod y nos yn cau, roedd hi'n dal yn bosib gweld y ceffylau gwynion yn torri ar y tywod, a thwyni eang Merthyr Mawr ar ochr arall yr afon. Eisteddodd Sally a Daf ar soffa ratan anghyfforddus, gyda DI Clements ar y La-Z-Boy gyferbyn, er nad oedd yn lledorwedd ar y gadair ar hyn o bryd. Roedd pentwr o lyfrau ar y bwrdd coffi, o fewn hyd braich i'r gadair gyfforddus. Casgliad eclectig oedd yn cynnwys bywgraffiad Glen Webbe a nofelau gan Jon Gower, Lee Child a Stephen King. Wrth weld y casgliad, hiraethodd Sally am Stephanie Plum.

Yn wahanol i Daf, gallai Sally gofio DI Clements ar ddiwedd ei yrfa, er nad oeddent wedi cyfarfod yn iawn cyn heno. Gadawodd ei swydd oherwydd salwch difrifol, ond roedd e'n edrych yn iachach na llawer o dditectifs ifanc. Gwisgai lifrai'r golffiwr. Chinos llac, lliw hufen. Crys polo coch. Sanau streipiog. Roedd e'n atgoffa Sally o'i diweddar dad. Yn ogystal â diddordeb mewn golff, roedd ganddynt wên debyg i'w gilydd.

Eisteddodd y tri mewn tawelwch, y glaw mân yn disgyn ar do gwydr yr heulfan, wrth i DI Clements ddarllen yr adroddiad am Milly Porter. Roedd Sally wedi gwneud llungopi ohono cyn gadael yr archifdy.

Nodiodd DI Clements ei ben. "Fi'n cofio'r achos yma'n iawn." Trodd y nod yn ysgytwad. "Mor drist."

"Ydych chi'n cofio'i gŵr hi?" gofynnodd Sally. "Declan Porter. Fe sydd o ddiddordeb i ni, yn hytrach na Milly."

Edrychodd y cyn-dditectif ar Sally a Daf. Nodiodd ei ben.

Llyncodd yn galed. "Ma'r hyn ddigwyddodd iddo fe yn waeth, mewn ffordd, na'r hyn ddigwyddodd i'w wraig."

"Ni 'di clywed iddo ddiflannu," ychwanegodd Sally, gan gyffroi rhyw fymryn. "Ydy hynny'n gwneud synnwyr i chi?"

"Na. Dim a dweud y gwir," atebodd DI Clements, gan dynnu'r gwynt o'i hwyliau.

"Beth ddigwyddodd, 'te?" gofynnodd Daf.

Meddyliodd DI Clements cyn cychwyn. Caeodd ei lygaid am eiliad. "Rhyw wythnos ar ôl i Milly Porter farw," dechreuodd yr hen ddyn. "Ar ddiwrnod ei hangladd, os dwi'n cofio'n iawn, ceisiodd Declan Porter ladd ei hun hefyd."

"Ceisio?" gofynnodd Sally.

"Ie. Roedd e mewn rhyw fath o goma y tro diwethaf i fi ei weld e. Er, *rhaid* bod e wedi marw bellach. Roedd hynny dri deg mlynedd yn ôl. Mor drist. Torcalonnus. Yn enwedig i'w merch."

"Margaret Porter?"

Crychodd ei wyneb cyfan wrth iddo geisio cofio'i henw. "Alla i ddim bod yn sicr o'i henw, sori," cyfaddefodd DI Clements. "So'r cof mor siarp ag oedd e."

Gwenodd pawb yn boléit ar hynny.

Trodd Daf at ei bartner. "Ma' hynny'n ffitio gyda'r hyn ddwedodd Mr Marks, yn dyw e?"

Meddyliodd Sally am eiliad, cyn ateb. "Mae'n esbonio'i 'ddiflaniad' ta beth, ond so fe'n helpu lot gyda'r achos yma."

"Ydych chi'n cofio *pam* nath Milly Porter ladd ei hun?" gofynnodd Sally, gan chwilio o hyd am gymhelliad i'r llofrudd cyfresol cyfredol. "Oedd rhywbeth, neu rywun arall yn rhan o'r holl beth?"

"Na, sori," medd DI Clements. "Roedd yr holl beth mor drist, ac mor eithafol. Fi a fy mhartner, DCI Crandon – falle'ch bod chi'n ei gofio fe, ond PC Crandon ar y pryd – oedd y cyntaf ar y sin y noson geisiodd Declan Porter ladd ei hun."

Ysgydwodd DI Clements ei ben ar yr atgof. Roedd hi'n amlwg bod y delweddau yn dal i'w aflonyddu yntau, ddegawdau ar ôl y digwyddiad. "A sa i'n cofio unrhyw un yn cyhuddo neb o ddrwgweithredu neu o fod yn rhan o rhyw gynllwyn na dim byd fel 'na. Dim hyd yn oed y ferch, pan siarades i gyda hi'n hwyrach."

"Beth oedd mor eithafol am yr achos?" gofynnodd Daf, ar ôl i'r gair brocio ei chwilfrydedd.

"Fi'n cofio'r gwaed. A'r aroglau hefyd. Pridd. Mawn. A haearn. Roedd y sied, lle des i o hyd i'r ferch a'i thad, yn morio mewn gwaed. Roedd e dros y waliau a'r llawr i gyd."

"O ble ddaeth yr holl waed?" ychwanegodd Daf.

Cododd DI Clements fynegfys ei law dde at ochr chwith ei wddf, jyst o dan ei glusten, cyn ei dynnu dros yr afal Adda yr holl ffordd i'r ochr arall, o glust i glust.

Syllodd y ditectifs arno wrth i'r gwir wawrio arnynt. Sally oedd y cyntaf i siarad. "Jyst i gadarnhau," dechreuodd. "Nath Declan Porter geisio lladd ei hun trwy dorri ei wddwg ei hun?"

Nodiodd DI Clements. "Fi'n gwbod bod hynny'n swnio'n absŵrd, ond dyna beth ddigwyddodd. Roedd y gyllell bysgota'n dal yn ei afael pan gyrhaeddon ni…"

*

Roedd Sally a Daf yn y Skoda, ar eu ffordd i Stryd y Capel unwaith eto, heb warant ond ar drywydd Margaret Porter. Roedd y ffordd y ceisiodd Declan Porter ladd ei hun yn ormod o gyd-ddigwyddiad. Soniodd DI Clements am gyllell bysgota ac ni allai Sally waredu delwedd o'i phen: y cylchgrawn *Angling Times* yn gorwedd ar fwrdd coffi yn lolfa'r lanhawraig. *Rhaid ei bod hi'n gwybod rhywbeth*, er bod Sally'n dal i stryglo i'w gweld hi yn rôl y llofrudd. Beth oedd y cymhelliad? Beth oedden nhw'n ei fethu? Lle ddylen nhw edrych nesaf?

Wrth i'r Skoda hedfan trwy Goetre-hen ar yr A4063, gyda Daf yn becso dim am y terfyn cyflymder, canodd ffôn symudol Sally, a newid cwrs yr archwiliad unwaith eto.

"DS Morris," atebodd yn swta, gan nad oedd yn adnabod y rhif.

Katie Jordan oedd yno, cymdoges Frederick Atwood.

"Ma' fe newydd gyrraedd adre."

23: Rhwyd

Ar ôl diflannu am ddeuddydd, mae'r unigolyn olaf sydd ar fy nghach-restr wedi dychwelyd i'w fyngalo heno. Gallaf ei weld yn cerdded yn fân yn lolfa gefn ei gartref; golau'r lamp gornel yn troi'r ffenest lydan yn sgrin sinema. O'r gwrych, o'r gwyll, gwyliaf; y gyllell yn gorffwys yn ei gwain, wedi'i hogi ac yn barod i hollti. Am y tro olaf. Ar ôl heno, bydd hi ar ben. Bydd y ddyled wedi'i had-dalu, a'r euog yn mynychu aduniad yn uffern. Mae'r gamlas yn llonydd y tu ôl i mi, tra bod corws anifeilaidd yn canu mewn cytgord o'm cwmpas. Wiwerod yn clebran yn y coed. Llwynogod yn galw ar ei gilydd wrth adael eu ffeuau fin nos. Brain yn crawcian wrth ddychwelyd i glwydo yn eu nythod anniben. Ieir bach y dŵr yn bugeilio'i cywion cynnar yn ôl i'w tomenni llaith. Gwylanod yn clegar wrth drwynblymio dros y dŵr. Cuddiaf yn y brwyn. Cuddliwiaf yn yr hesg. Diflannaf i'r düwch cynyddol. Rhaid i mi fod yn ofalus, gan fod yr heddlu yn dal yn y cyffinie, ar ôl canfod corff y pysgotwr boliog, Matthew Ross, lai na hanner milltir o'r fan hyn. *Rhaid* bod y rhwyd yn cau amdanaf bellach. *Rhaid* bod y ditectifs wedi datrys y jig-so. Cysylltu'r smotiau a datgelu'r darlun cyfan. Mae fy nghynllun yn syml. Aros. Tan i Freddy Atwood ddod i'r ardd am awyr iach. Smôc, hynny yw. Ac yna, ymosod. Ymddial. Yn rhyfeddol, er gwaethaf y canser sydd wedi rheibio ei gorff, gan adael ei groen yn llac am ei esgyrn, mae e'n dal i ysmygu. Ond, gyda'i amser ar y blaned hon yn gyflym ddod i ben, pwy ydw i i'w farnu a'i feirniadu? Am hynny, ta beth. Arhosaf am awr arall; fy nghoesau wedi hen fynd i gysgu a gwaelod fy nghefn yn gwegian. Mae'r merwindod yn f'atgoffa o fy amser yn y fyddin. Oriau maith yn gwylio. Oriau maith o fudandod. Oriau maith o wrando. Cyn i bopeth newid mewn hanner eiliad. Gweithredu. Ymosod. Lladd. Mae'r adar wedi tawelu a'r tywyllwch fel triog. Mae Freddy Atwood yn eistedd mewn cadair gyfforddus, ei ben am 'nôl a'i wddf fel gôl agored. Dwi bron â mynd amdani. Torri'r drws cefn yn deilchion a'i ysbaddu o flaen y teledu. Ond, na. Nid dyna'r ffordd. Rhaid pwyllo. Rhaid aros. Rhaid bod yn amyneddgar. Ar ôl tri deg mlynedd o aros, pa wahaniaeth fydd hanner awr arall yn ei wneud? Rhaid gadael iddo fe ddod ata i. Fel llech-heliwr yn y gwyllt. Llew ar y paith yn gorwedd yn y gwair, yn gwylio'r antelop yn pori, gan adael i'r prae wneud yr holl waith. Yn gwbl ddiarwybod o'i anffawd. Er hynny, *rhaid* bod Freddy Atwood yn amau mai fe fydd nesaf. Efallai nad yw'r heddlu wedi datrys y pos eto, ond mae Freddy'n meddu ar yr holl wybodaeth. Roedd Freddy yno, wedi'r cyfan. Un o sêr y sioe. Neu falle dim seren, ond yn sicr roedd e'n un o'r cast ategol. O'r diwedd, mae Freddy'n dechrau rholio sigarét. O'm cuddfan, gallaf ei weld yn agor y blwch metel ac yn codi pecyn o Rizlas gwyrdd ohono. Wedyn, y baco ac, yn olaf, ffilter. Dechreuaf wneud fy ffordd at ffin ei eiddo. Yn araf bach, gan fod rhaid i mi wthio trwy'r prysgwydd trwchus. Oedaf wrth y ffens isel sy'n gwahanu ei ardd wrth y tir comin sy'n amgylchynu'r gamlas. Gwyliaf Freddy Atwood yn llyfu'r papur ac yn gorffen ei rôl, cyn codi ac anelu am y gegin fach a'r drws cefn yn yr iwtiliti tu hwnt. Pan mae'n diflannu o'r golwg i'r gegin, rwy'n neidio dros y ffens, yn rhedeg ar draws y lawnt, ac yn aros amdano yn y tywyllwch, tu ôl i'r bins, reit wrth ochr y drws sy'n arwain i'r ardd. Fel hyn, bwriadaf hollti ei wddf heb unrhyw rybudd. Cyn i'r treisiwr hyd yn oed roi tân i'w fwgyn. Ond, nid yw'r drws cefn yn agor. Wrth sefyll yno'n aros, fy nghalon ar ras a'm dwylo'n chwysu o dan y menig latecs, clywaf gnoc ar ddrws ffrynt yr eiddo. Cnoc awdurdodol. Cnoc yn llawn anghenraid. Arhosaf am Freddy, ond nid yw'n dod. Ac wedyn, trwy'r ffenest gefn, gwelaf e'n dychwelyd i'r lolfa gyda dau dditectif yn gwmni iddo. Un dyn. Un ddynes. Ni allaf gofio'u henwau, ond gallaf gofio'u hwynebau. Ceisiaf graffu a gwrando ar y sgwrs, ond mae'r gwydr dwbl yn gwneud ei waith yn effeithiol. Ar ôl siarad yn daer am bum munud, mae Freddy Atwood yn tanio'r teledu. Yna, gwyliaf nhw'n gwylio'r delweddau. Delweddau cyfarwydd. Delweddau sydd wedi fy aflonyddu'n barhaus ers tri deg mlynedd. Mam. Yn noeth. Dyn bob pen iddi. Llawr gludiog bar y clwb pêl-droed. Llygaid llaethog, lloerig. Enaid coll. Caethiwus. Artaith yn atseinio ar hyd y degawdau. Cyfiawnhad o'r hyn rydw i wedi ei wneud dros yr wythnos ddiwethaf. Ac o'r hyn rwyf ar fin ei wneud yn awr...

24: Cach-restr

Wythnos ar ôl i Declan Porter geisio lladd ei hun yn ei sied, gorweddai mewn gwely glân yn Ysbyty Tywysoges Cymru, Pen-y-bont ar Ogwr, mewn coma; y graith ffilm arswyd ar ei wddf wedi'i gorchuddio gan ddresin gwyn, gan fynnu sylw bron pawb a ddeuai i'w ystafell. Gweithwyr iechyd yn bennaf. Nyrsys, meddygon, llawfeddygon ac ambell lanhawr, gan mai'r unig ymwelydd a ddaeth yma o wirfodd yn ystod y cyfnod hwn oedd ei ferch. Ni symudodd Magi o ochr gwely ei thad, ar wahân i'r ymweliadau angenrheidiol â'r toiled. Fel mynach wedi tyngu llw o fudandod, treuliai ei hamser yn eistedd mewn cadair gyfforddus ar erchwyn y gwely, un ai'n gafael yn dyner yn llaw'r claf, neu'n syllu trwy ddagrau ar y llongddrylliad dynol o'i blaen. Ond, o dan ei harwyneb galarus, roedd Magi'n gandryll. Gyda'i rhieni, heb os, am fod mor hunanol a gwneud hyn iddi, ond hefyd gyda'r pedwar dyn yr oedd hi'n eu beio am ei hamddifadu. Roedd hi eisoes wedi creu cach-restr yn ei phen, gydag enwau Peter James, Iorwerth Tomos, Matthew Ross a Freddy Atwood arni. Roedd y gwasanaethau cymdeithasol wedi bod yn sniffian hefyd, gan fod Magi o dan ddeunaw oed. Yn ôl y sôn, byddai'n cael ei hanfon i gartref gofal, unwaith y byddai ffawd ei thad yn sicr, ond roedd Magi wedi penderfynu ar lwybr amgen, diolch i Ben Marks. Byddai'n ymuno â'r fyddin ar y cyfle cyntaf, a chael ei thalu i ddysgu sut i ladd. Marwolaeth, coma hirdymor neu adferiad gwyrthiol oedd y tri phosibilrwydd i Declan, er mai'r ddau gyntaf oedd y mwyaf tebygol. Eisoes, roedd cynllun, neu gynllwyn, yn dechrau ffurfio ym mhen ei ferch. Cynllun hirdymor. Cynllwyn oedd yn galw am amynedd sant. Diflannu. Dychwelyd. Dial. Yn y drefn yna. Diolch i'w phrofiadau yn yr ysgol ac adref wrth dyfu lan, roedd Magi wedi hen arfer â'i hunigrwydd, ond bellach roedd hi wir ar ei phen ei hun. Roedd ei mam wedi marw a'i thad yn gabetsen mewn gwely. Nid oedd unrhyw ffrindiau ganddi, ond roedd hynny'n beth da, o ystyried y cynllun oedd yn tyfu yn ei phen. Gwreiddiodd yr ysfa i ymddial yn ddwfn ynddi, er y byddai'n rhaid aros am flynyddoedd i'w gweld yn blaguro. Ond roedd Magi'n fodlon aros. Meddyliodd am Cadella, ac yna Ben. Er gwaethaf y chwerwedd a deimlai tuag atynt, a Cadella'n benodol, roedd rhan ohoni'n dal i obeithio y byddai'r ddau yn blasu hapusrwydd yn ystod eu bywydau.

"Miss Porter?"

Daeth y llais o gyfeiriad y drws. Trodd Magi a gweld dau heddwas lled-gyfarwydd mewn lifrai'n sefyll yno; eu helmedau yn eu dwylo a'r tosturi wedi'i daenu'n drwchus ar eu hwynebau.

"Sarjant Clements ydw i," medd un ohonynt, yr un heb farf. "Heddlu Gerddi Hwyan."

"Sarjant Crandon," ychwanegodd y llall. "Gawn ni air cyflym? Os yw hi'n gyfleus, wrth gwrs."

Nodiodd Magi, gan gofio ble'r oedd hi wedi eu gweld nhw o'r blaen. Yn sied ei thad, yn brwydro i atal llif y gwaed o'i glwyf. Ynghyd â'r parafeddygon, roedd y ddau ddyn yma'n gyfrifol am achub bywyd Declan, er nad oedd Magi'n siŵr a oedd hynny wedi bod yn syniad da, o ystyried ei gyflwr. Trodd ei chefn ar y swyddogion, gan afael yn llaw chwith ei thad unwaith yn rhagor. Mwythodd y wythïen amlycaf ar gefn ei law, oedd yn ymwthio trwy'r croen fel cyfuchlin ar fap. O gornel ei llygad, gwelodd y plismyn yn shifflad mewn i'r ystafell, gan ddod i stop ar ochr arall y gwely. Anwybyddodd nhw, gan esgus nad oeddent yno.

"Allwn ni ofyn cwpwl o gwestiynau i chi, Miss Porter?" gofynnodd y plismon barfog.

Cododd Magi ei hysgwyddau'n ddi-hid.

Yn ffodus i'r plismyn, ni chododd Magi ei llygaid i edrych arnynt, gan ei bod hi bron yn amhosib iddynt beidio ag edrych ar wddf y claf. Roedd y gwaed o'r graith yn dechrau treiddio trwy'r gorchudd, a oedd yn ymestyn, yn llythrennol, o glust i glust. Roedd hi'n wyrth ei fod e'n dal yn fyw, er nad oedd dyfodol disglair iawn yn aros amdano nawr.

"Miss Porter," dechreuodd yr un barfog yn betrus. "Rhaid i ni ofyn shwt berthynas oedd gan eich rhieni?"

Caeodd Magi ei llygaid. Llenwodd ei phen ag atgofion anghyfforddus. Gweiddi dyddiol. Gwrthdaro parhaus. Sgrechen beunyddiol. Cyfnodau o fudandod creulon. Crio. Anffyddlondeb. Anhapusrwydd.

"Iawn," atebodd Magi, gan sychu deigryn o'i boch gyda llewys ei hwdi.

"Unrhyw broblemau adref o gwbl? Unrhyw beth allai fod wedi arwain at farwolaeth eich mam a… hyn."

Ysgydwodd ei phen. Am hanner eiliad, claddodd ei hwyneb yn llieiniau gwyn y gwely. Fflachiodd wynebau'r pedwar dyn o'r clwb pêl-droed yn ei phen. Eu dannedd. Eu gwenau. Eu miri. Ac yna ei mam. Cododd ei phen ac edrych ar yr heddweision, oedd mor lletchwith ac anghyfforddus wrth sefyll yno o'i blaen. "Na," sibrydodd.

Yn unol â'i gobaith, gadawodd y plismyn yn reit fuan ar ôl

hynny ac, er iddynt addo galw eto i ofyn mwy o gwestiynau, ni welodd Magi'r un ohonynt byth wedyn. Ond roedd hynny'n iawn gyda hi, gan nad oedd hi'n ymddiried yn yr heddlu na'r system gyfiawnder i ddelio â'r diawled oedd yn gyfrifol am y gachfa hon. Dim ond un person allai wneud hynny, a hi oedd honno.

Dychwelodd Crandon a Clements i orsaf heddlu Gerddi Hwyan, yn amau'n gryf bod mwy i stori'r Porters, ond yn barod i gau pen y mwdwl ar yr achos hefyd. Roedd achosion eraill yn dechrau pentyrru, a byddai cau yr un yma'n cadw'r uwchswyddogion yn hapus, am y tro o leiaf. Clements ysgrifennodd yr adroddiad, gan ddod i'r casgliad canlynol: "Digwyddiad trychinebus o hunanladdiad ac ymgais o hunanladdiad".

Caewyd yr achos.

25: Yr Ergyd Olaf

Crebachodd gobeithion Sally pan welodd nad oedd Volvo Frederick Atwood wedi'i barcio ar y dreif o flaen ei fyngalo ar Heol y Gamlas.

"Shit! Lle mae'i gar e?"

Sgrialodd y Skoda i stop ar y stryd a throdd Daf i syllu ar yr eiddo.

"Ma' gole mlân yn y cyntedd, 'drych."

"Falle bod ei gar e dal yn yr ysbyty," awgrymodd Sally. "'Na pam so ni 'di cael neges wrth Bybls."

"Dim ping, dim ring," medd Daf, gan wneud i'w bartner wingo.

Camodd y ditectifs o'r car a loncian at ddrws ffrynt Mr Atwood. Gwyddai Sally fod pethau'n dechrau symud i'r cyfeiriad cywir o ran yr achos, er nad oedd modd iddi ddarogan beth fyddai'n digwydd nesaf. O brofiad, gwyddai mai disgwyl yr annisgwyl oedd y peth gorau i'w wneud. Gyda hynny, cyflymodd curiadau ei chalon, gan bwmpio'r adrenalin yn gyflymach trwy ei gwythiennau. Cnociodd Daf yn galed, cyn camu'n ôl at ochr Sally ac aros. Trwy wydr barugog y porth, gwelodd Sally ffigwr yn agosáu, er iddo oedi cyn agor y drws.

"Pwy sy 'na?" gofynnodd y llais.

"Heddlu," atebodd Sally. "Allwn ni gael gair, Mr Atwood?"

Ar hynny, agorwyd y drws i ddatgelu perchennog clwc

y tŷ. Os rhywbeth, roedd Frederick Atwood hyd yn oed yn deneuach heddiw, o gymharu â'r tro diwethaf i'r ditectifs ei weld, yn angladd Peter James. Roedd ei lygaid wedi palu'n ddwfn i'w benglog a'i groen cyn wynned â phlu crëyr copog lleiaf. Rhaeadrodd ei ddillad oddi ar ei sgerbwd a gwisgai grocs lliw melyn llachar am ei draed. Er gwaethaf ei olwg truenus, doedd dim gwadu'r rhyddhad pur a welodd Sally yn goleuo ei wyneb.

"Diolch byth," medd Mr Atwood, gan arwain y ditectifs i'r lolfa yng nghefn yr eiddo. "Ro'n i ar fin 'ych ffonio chi nawr."

"Ni 'di bod yn edrych amdanoch chi," medd Sally. "Lle chi 'di bod, Mr Atwood? A ble ma'ch car chi?"

"Ma fy nghar i yn yr ysbyty a dwi 'di bod yn aros gyda ffrind. Fi 'di bod yn cuddio."

"Allwch chi ddweud wrthon ni pam?" gofynnodd Daf.

Eisteddodd gŵr y tŷ mewn cadair gyffordus, gan wahodd Sally a Daf i gymryd y soffa. Roedd golau'r ystafell yn rhy lachar o lawer, a'r ffenest lydan yn adlewyrchu'r olygfa yn ôl arni ei hun. Gwyddai Sally fod gardd gefn yr eiddo yn arwain at y gamlas. Fflachiodd delweddau amrywiol yn llygaid ei meddwl: celain Matthew Ross yn gorwedd ar lan y ddyfrffordd. Gwaed cochddu'n diferu o'r graith lydan ar ei wddf. Goliwog.

"Am mai fi sy nesa, yn dyfe?" atebodd Mr Atwood, gan godi ar ei draed a cherdded yn fân o flaen y tân.

"Allwch chi ymhelaethu?" gofynnodd Sally. Roedd hi'n reit siŵr ei fod yn cyfeirio at y llofruddiaethau, ond nid oedd hi eisiau gofyn cwestiwn arweiniol.

Stopiodd Frederick Atwood symud. Trodd ac edrych ar y ditectifs yn syn.

"Y ffycin serial killer 'ma!" ebychodd, gan chwifio'i freichiau i gyfeiriad y ffenest. "So chi 'di gweithio 'ny mas 'to?"

Anwybyddodd Sally a Daf y cwestiwn.

"Pam y'ch chi'n credu mai chi fydd nesaf?" gofynnodd Sally. Mewn amrant, diflannodd unrhyw amheuon amdano o'i meddwl, a gwelodd Sally mai darpar-ddioddefwr oedd Mr Atwood, nid llofrudd posib. Roedd yr ofn pur yn ei lygaid pantiog yn pwysleisio hynny hefyd.

Eisteddodd Mr Atwood unwaith eto. Anadlodd yn ddwfn i wrthsefyll y cyffro. Cododd remôt o fraich y gadair a'i anelu at y teledu. "Dylse hwn esbonio popeth," meddai, cyn gwasgu botwm a thanio'r peiriant. Clywodd Sally glanc y mecanwaith hynafol, wrth i'r tâp VHS ddechrau troi. Cyn i'r ditectifs gael cyfle i ofyn cwestiwn, mynnodd y sgrin eu sylw. Yn gyntaf, wyneb dyn, lled-gyfarwydd, yn ei bedwardegau. Bochau coch. Gwydraid o chwisgi yn ei law. Gwên ar ei wyneb.

"Iorwerth Tomos yw hwnna," esboniodd Frederick Atwood. "Nôl yn ninety four."

"Fi'n cymryd o'r rhifau yn y cornel ucha mai ym mis Hydref naw deg pedwar saethwyd y ffilm 'ma?" medd Daf.

Nodiodd Mr Atwood. "Calan Gaeaf."

"Joio'r show?" Daeth y llais o du ôl i'r camera, gan wneud i Iori Tomos wenu'n llydan a chodi ei wydr mewn llwncdestun.

"Llais pwy yw hwnna?" gofynnodd Sally.

"Peter James," cadarnhaodd y claf.

Gwyliodd Sally a Daf wrth i'r camera symud o gwmpas yr ystafell, oedd yn edrych fel bar dienaid mewn canolfan hamdden, i ddatgelu'r 'sioe', sef dau ddyn porcyn, ond yn gwisgo mygydau, yn rhost-wanu menyw noethlymun; un o'r cefn ac un yn ei cheg.

"Matt yw'r boi ar y dde," esboniodd Mr Atwood, gan gyfeirio at ddyn tenau, ond boliog, gyda choesau bwa. "A fi yw'r llall."

"A dyma pam chi'n meddwl mai chi fydd yn marw nesaf?" gofynnodd Daf.

"Ie."

"Pwy yw'r fenyw?"

"Milly Porter," atebodd Mr Atwood yn brudd. "Laddodd hi ei hunan wap ar ôl..." pwyntiodd at y teledu, er na orffennodd y frawddeg. Doedd dim angen.

Yn ddisymwth, tarfwyd ar y sioe ar y sgrin. Clywyd llais Iori Tomos yn diawlo: "Fuckin' hell, Freddy, o'n i'n meddwl nest di gloi'r drws!" Trodd y camera a dod i stop ar ddrws pren gyda ffenest hirsgwar ynddo. Trwy'r gwydr, gwelodd Sally a Daf ferch ifanc yn ei harddegau yn syllu ar yr olygfa.

"Pwy yw hi?" gofynnodd Sally, er y gwyddai'r ateb yn barod.

"Magi Porter," cadarnhaodd Freddy Atwood. "Merch Milly."

Cododd Sally ar ei thraed, gan gymryd rheolaeth o'r sefyllfa. "Mr Atwood, chi'n dod gyda ni."

"I ble?"

"I'r orsaf heddlu. Byddwch chi'n saff f'yna, tan i ni ddod o hyd i Margaret Porter."

Ar ôl i Mr Atwood estyn ei got ac ambell beth hanfodol arall – ffôn, tabledi, llyfr – camodd y tri trwy ddrws ffrynt y byngalo ac anelu am y Skoda. Cipiwyd sylw Sally gan lenni'r byngalo drws nesaf yn plycio, felly ni welodd yr ymosodiad yn dod, wrth i Magi Porter ffrwydro o'r cysgodion ar ochr y tŷ, claddu ei chyllell finiog yn ddwfn yng ngwddf Frederick Atwood, a'i heglu hi o 'na i gyfeiriad y llwybr cyhoeddus ar waelod y stryd, a fyddai'n ei galluogi i ddianc i gysegr tywyll y gamlas. Cwympodd Mr Atwood i'r llawr; ei ddwylaw yn gafael yng ngharn y gyllell a'i lygaid ar agor led y pen.

Sgrechiodd. Arthiodd. Gwingodd. Byrlymodd y gwaed o'i geg ac o'r hollt. Daeth Katie Jordan, y gymdoges, allan o'i chartref, y syfrdandod fel slap i'w hwyneb.

"Ffoniwch ambiwlans!" gwaeddodd Sally.

"A'r heddlu!" ychwanegodd Daf, cyn i'r ditectifs droi a gwibio ar ôl y llofrudd.

Lawr y stryd a thrwy iet ddur i'r llwybr cyhoeddus. Fforc yn y ffordd. Yn llythrennol. Llwybr i'r dde, ac un arall i'r chwith. Doedd dim bylb yn y lamp stryd agosaf, ac roedd hi'n anodd gweld unrhyw beth yn y tywyllwch.

"Dyna hi!" medd Daf, gan bwyntio i'r chwith, a gwelodd Sally silwét aneglur yn sboncio ar y gorwel, yn y gwyll, rhyw gan llath o'u blaenau. I ffwrdd â nhw ar ei hôl, eu hanadliadau'n fyddarol yn nhawelwch cymharol y nos. Dawnsiodd adlewyrchiadau'r awyr gymylog ar arwyneb y gamlas, oedd yn gydymaith parhaus yn ystod yr erlidfa. Baglodd Sally ddwywaith ar lwybrau caregog ac anwastad yr ardal, ond roedd ffocws Daf yn ddiwyro. Roedd ei gamau yn sicrach a'i goesau yn hirach. Mewn hanner milltir, gadawodd Sally'r gamlas a chael ei chwydu'n ôl i strydoedd Gerddi Hwyan. Clywodd seirenau yn y pellter, ar eu ffordd i Heol y Gamlas. Gwelodd Daf yn diflannu rownd cornel y stryd o dai teras, ac i ffwrdd â hi unwaith eto; ei 'sgyfaint yn agosáu at y torbwynt, ond ei phenderfyniad yn drech na hynny hyd yn oed. Ar ôl troi'r cornel, ar drywydd Daf, gwelodd Sally ei phartner yn sefyll ar ochr y stryd, rhyw hanner can llath o'i blaen; yn ei ddwbl ac yn anadlu'n drwm, fel megin ddiwydiannol. Wrth i Sally agosáu, pwyntiodd Daf at yr adeilad y tu ôl iddo. Cartref preswyl Gwêl y Don.

"A'th hi mewn f'yna," esboniodd.

"Dyna lle ma Gina James yn byw," medd Sally, mas o bwff

ac wedi drysu braidd. Doedd bosib bod chwaer Peter James yn rhan o'r gachfa hefyd.

"Ti'n iawn," atebodd Daf. "Ond sa i'n credu mai dyna pam ddaeth hi 'ma."

Cofiodd Sally eu hymweliad â chartref Margaret Porter, ar gychwyn yr archwiliad, oedd yn teimlo fel canrif yn ôl erbyn hyn. Atseiniodd ei geiriau yn ei phen: *Marwodd Mam pan o'n i'n fach... Ma Dad mewn cartre erbyn hyn.* "Declan Porter?"

"Sen i'n rhoi can punt ar hynny," medd Daf, gan sythu ei gefn ac edrych ar ei bartner. "Ti'n credu bod arf arall ganddi?"

Ystyriodd Sally'r cwestiwn. Yn llygad ei meddwl, gwelodd y gyllell wedi'i hangori yng ngwddf Frederick Atwood, ac yna cynnwys y fideo a gweddill yr achos yn gyffredinol; fel bodlyfr byw, llawn delweddau erchyll. Ysgydwodd ei phen. "Na. Mae 'di gorffen y job. Roedd Mr Atwood yn iawn."

Ar ôl adfer eu patrymau anadlu, aeth y ditectifs i dderbynfa'r cartref preswyl. Roedd y nyrs ar ddyletswydd yn amheus ohonynt i gychwyn, ond yn fwy na pharod i'w helpu ar ôl gweld eu cardiau adnabod. "Beth sy 'di digwydd?" gofynnodd, wrth arwain y ffordd i ystafell Declan Porter. "Rhedodd Miss Porter mewn, heb stopo yn reception. Ydy ddi'n OK? Pam bod yr heddlu ar ei hôl hi?"

Anwybyddodd Sally a Daf ei chwestiynau tan iddyn nhw gyrraedd y coridor cywir.

"Well i chi aros fan hyn," medd Sally wrth y nyrs, gan estyn ei llaw ac atal ei cham.

Dechreuodd y nyrs brotestio, cyn i ddifrifoldeb y sefyllfa wawrio arni, diolch i'r taerineb oedd wedi palu'n ddwfn i wynebau'r ditectifs, a'r gynnau taser oedd yn eu gafael. Yn betrus, camodd Sally a Daf ar hyd y coridor carpedog. Estynnodd Sally'r chwistrell poethlys o'i phoced, a sleifio at ddrws yr ystafell. Roedd y porth ar gau ond heb ei gloi. Wedi troi'r bwlyn, gwthiodd Sally ef ar agor fymryn, a gweld Margaret Porter yn penlinio ar y llawr wrth ochr gwely ei thad, yn mwytho'i law yn dyner ac yn sibrwd yn ei glust. Ni allai'r ditectifs glywed ei geiriau, ond cafodd Sally ei hudo gan yr olygfa gariadus. Anodd iawn, os nad amhosib, oedd derbyn mai Margaret Porter oedd y llofrudd cyfresol, er nad oedd unrhyw amheuaeth am hynny bellach. Craffodd Sally ar wyneb y lanhawraig, gan weld tristwch y degawdau wedi'i ysgythru yn y rhychau o amgylch ei llygaid. Boliai ei helinoedd o dan lewys ei siwmper ac ymwthiai'r gwythiennau fel carneddau o gefn ei dwylo, yn brawf o'i chryfder corfforol. Gyda hanes torcalonnus ei rhieni yn dechrau cael ei ddatgelu, a'r delweddau o VHS Freddy Atwood yn ffres yn ei chof, yn ogystal â'r unigedd a'r dicter dilynol a brofodd Margaret Porter pan roedd hi'n ifanc, tonnodd y tosturi dros ysgwyddau Sally. Wrth gwrs, fel cynhaliwr y gyfraith, ni allai Sally gytuno â'i gweithredoedd dialgar, dri degawd yn ddiweddarach, ond doedd dim amheuaeth ei bod yn dechrau deall ei chymhelliant. Ni symudodd y ditectifs am beth amser ac, yn y pen draw, trodd y lanhawraig at y drws cilagored, cyn codi ar ei thraed a throi i'w hwynebu. Roedd dagrau yn disgleirio ar ei bochau, ond roedd rhyw lonyddwch yn perthyn i'w hosgo. Camodd Daf ati, gan estyn cyffion o boced ei got. Gwthiodd y llofrudd ei dwylo o'i blaen a gadael i Daf ei gefynnu. Cyn gadael, trodd Margaret Porter ac edrych ar ei thad am y tro olaf. Dri deg mlynedd ar ôl ei golli, roedd y graith ar ei wddf yr un mor amlwg ag erioed, yn binc ar gefndir gwelw ei groen; ac er na fyddai ei chreithiau mewnol hithau byth yn gwella'n gyfan gwbl, roedd yr wythnos ddiwethaf wedi'u lleddfu rywfaint.

26: Dioddefwyr

"**O**nd wyt ti 'di aros am eiliad i feddwl a yw hi *eisiau* i ti adrodd y stori?" gofynnodd Sally, wrth i Ben yrru'r Kona'n araf dros Bont Menai, o'r tir mawr i'r fêl ynys.

Meddyliodd yn ddwys am y cwestiwn, wrth chwilio am le parcio yn Waitrose, oedd fel ffair heddiw. Fel arfer. Ar ôl dod o hyd i un, roedd e'n barod i ateb. "Yn gyntaf, mae'r stori *wedi* cael ei hadrodd yn y wasg yn barod, jyst bod hi'n hollol unochrog, yn gamarweiniol ac yn llawn celwyddau a chamgymeriadau am yr hyn ddigwyddodd, reit. Ac yn ail, sa i'n credu bod Margaret Porter yn becso beth sy'n digwydd erbyn hyn. Fel milwr da, mae 'di gorffen ei mission. Ac mae 'di cyfaddef i'r cyfan a derbyn ei chosb. So hi byth yn mynd i adael y carchar eto, yw hi, ac ma hi'n hollol cŵl gyda hynny."

Roedd hynny i gyd yn wir, cydnabyddodd Sally, cyn i'r cwpwl fynd i'r siop i brynu ambell rodd bach i'w mam, gan adael y sgwrs ar ei hanner. Ar ôl casglu a thalu am fwnshyn o flodau hyfryd, pedair potel o win, siocledi a danteithion drud, a photel o Coole Swan, sef hoff dipl Kitty, dychwelodd y cariadon at y car ar gyfer cymal olaf y daith i Amlwch.

Yn ôl yn y car, ar y ffordd i Bentraeth, ailgydiodd Ben yn y sgwrs. "Dyma'r stori berffaith, Sal. Ma 'na farchnad barod ar ei chyfer a phopeth. Ma' true crime yn boblogaidd iawn, fel ti'n gwbod. Ac ma' fy nghysylltiad personol â'r stori yn adio bach o gravitas i'r holl beth. Bydd cyhoeddwyr yn leino lan am fy llofnod."

Piffiodd Sally ar eiriau mawreddog ei chariad.

"Beth?"

"Wel, yn un peth, so ti erioed wedi cyhoeddi dim byd yn dy fyw, so fi'n amau'n fawr bydd unrhyw un yn leino lan am dy lofnod. Ac, ar ben hynny, o't ti ddim hyd yn oed yn cofio Magi Porter i gychwyn!"

"So!" ebychodd Ben yn angerddol, ei fochau'n cochi fymryn. "Fi'n cofio hi nawr, yn dydw i?" Roedd hynny *yn* wir, er nad oedd Ben yn gallu gweld unrhyw gysylltiad rhwng Margaret Porter yr oedolyn a Magi Porter ei blentyndod. Ond ni fyddai byth yn cyfaddef hynny i Sally. "Ac ar ben hynny, ti – fy nghariad – oedd y lead investigator ar yr achos a fy nhad nath bwyntio chi yn y cyfeiriad cywir."

"OK, OK, sdim ishe gwylltio."

Tawelodd y ddau am gwpwl o filltiroedd, tan pasio tafarn y Pilot Boat ger Brynrefail. Yna, rhoddodd Sally law ar goes Ben. Ymddiheuriad o fath, ond heb yr ymrwymiad. Doedd hi ddim wedi gwneud unrhyw beth o'i le, wedi'r cyfan.

"Ti'n OK?" gofynnodd.

"Ydw. Ond bydde bach o gefnogaeth yn neis, ti'n gwbo. Bach o anogaeth, hyd yn oed."

"Fi on board, Ben," atebodd Sally. "Wir nawr. Fi'n meddwl bod e'n syniad gwych. Jyst meddwl am Magi ydw i. Mae 'di cael bywyd mor shit…"

"Bydd y llyfr yn dangos hynny, Sal. Fi ar ei hochr hi. I mean, sa i'n cytuno cant y cant gyda beth nath hi, ond fi'n deall ei chymhelliant a fi'n parchu ei phenderfyniad. Ei hamynedd. Ma tri deg mlynedd yn amser hir i aros."

Tawelodd y sgwrs unwaith eto. Yna, dechreuodd Ben

fyfyrio yn uchel. "Bydde'r stori'n gwneud nofel dda 'fyd. Beth ti'n meddwl?"

"Heb os," oedd ateb anogol Sally.

"Ie. Ma'r deunydd crai gyda fi'n barod. A fi'n byw gyda seren y sioe." Trodd a gwenu fel giât ar ei gariad. "Maverick cop ar drywydd serial killer."

Cododd Sally un ael arno. "Paid siarad bollocks, Ben!"

Fel prif archwilydd yr achos, treuliodd Sally ddwy wythnos gyfan yn cwestiynu Margaret Porter. Eisteddodd yn ei chwmni yn ystafell gyfweld gorsaf heddlu Gerddi Hwyan, yn nodi pob manylyn; ei chalon yn torri wrth i'r hanes gael ei ddatgelu. Cydymdeimlai yn llwyr gyda Margaret Porter. Er gwaethaf cadernid ei chragen allanol – yn gorfforol ac yn emosiynol – roedd craidd meddal yn perthyn iddi. Neu efallai rhyw wactod, rhyw absenoldeb torcalonnus, oedd yn ganlyniad i'w magwraeth ac anffawd ei rhieni, yn ogystal â dwy flynedd ar hugain yn y fyddin. A thra roedd y wasg a'r rhyngrwyd yn glafoerio ac yn boddi mewn gormodiaith ac anwireddau, penawdau anwaraidd a chynnwys syfrdanol oedd yn portreadu Magi fel rhyw fwgan bwystfilaidd a heliwr digyfaddawd, rhannodd y cyn-filwr y gwirionedd gyda'r ditectif. Mewn llais isel, llonydd, disgrifiodd dristwch ac unigedd llethol ei phlentyndod. Salwch meddwl a bregusrwydd nas triniwyd ei rhieni. Yr hunan-niweidio. Yr euogrwydd llethol am beidio â helpu ei mam. Yr ymladd a'r gwrthdaro. Y chwerwder. Y sgrechen parhaus. Ymosodiad Matthew Ross arni. Gwrthodiad Cadella ohoni. Rheolaeth Iorwerth Tomos dros Milly. Y cyffuriau roedd e'n bwydo iddi. Y fideos. Y cywilydd. Y gwarth. Y tlodi. Cyd-gaethiwed trist y teulu. Marwolaeth ei mam. Ffawd greulon ei thad.

"Ac ma'r ffordd mae'r papure wedi adrodd yr hanes yn

chwerthinllyd, os ti'n gofyn i fi. Portreadu Magi fel rhyw fath o fwystfil a'r dynion mewn ffordd gadarnhaol. Braidd dim smic am hanes dodgy Peter James a'r ffaith iddo gael y sac o'r ysgol am gam-drin disgyblion. Cyflwyno Iorwerth Tomos fel dyn busnes llwyddiannus, yn lle predator a chamdriniwr. Frederick Atwood fel dioddefwr canser diymadferth a Matthew Ross fel rhyw Florence Nightingale yn gofalu am ei ffrind."

Roedd Margaret Porter bellach yn clwydo yng ngharchar Bronzefield yn Surrey ac wedi cael pedwar dedfryd oes am yr hyn a wnaeth hi. Roedd Sally a Daf yno ar y diwrnod y cafodd ei charcharu a nodiodd Magi ar Sally ar ôl i'r barnwr ei dedfrydu, cyn cael ei harwain o'r llys mewn gefynnau. Roedd yr edrychiad bach cynnil yna wedi aflonyddu ar Sally am wythnosau, gan hawlio ei le yn oriel dihirod ei hisymwybod, er mai tristwch oedd yr emosiwn a deimlai pan fyddai Margaret Porter yn fflachio yn ei phen, nid ofn. Nid arswyd.

"Fi'n gwbod bod y pedwar ohonyn nhw'n ddioddefwyr," parhaodd Ben, ar gyrion y deyrnas gopr. "I mean, sdim amheuaeth o hynny. Ma'n nhw gyd yn farw, wedi'r cyfan. Ond ma'n nhw hefyd yn euog."

"Ma saith dioddefwr yn y stori," medd Sally.

Trodd Ben i edrych arni, ei ben yn nodio a'i lygaid yn pefrio.

"Beth?" gofynnodd Sally, mewn penbleth.

"Dim byd. Jyst strwythur posib i'r llyfr. Cefndir y saith. Bywgraffiadau efallai. Cefndir teuluol. Cymdeithasol. Economaidd. Cyd-destun yw popeth. Bydd rhaid i fi gynnal cyfweliadau gyda rhai o'r bobl oedd yn involved. Gwraig Iorwerth Tomos i gychwyn. DI Clements."

"Cadella Williams."

Cafodd Ben ôl-fflach ar glywed yr enw. Un noson nwydus

yn dug-out y clwb pêl-droed, cyn iddo fynd i'r Balkans. Cyn i'w fyd newid am byth. Nid oedd wedi meddwl amdani ers blynyddoedd, tan iddo glywed Sally'n crybwyll ei henw mewn cysylltiad ag achos Magi Porter.

"Heb os," atebodd, gan obeithio na sylwodd Sally ar ei fochau rhudd. "Bydd rhaid i fi neud nodiadau pan gyrhaeddwn ni dŷ dy fam."

"Ni bron yna nawr."

"Fi hyd yn oed yn gwybod beth fydd brawddeg gyntaf y llyfr. Daeth hi i fi mewn breuddwyd. Rhywbeth fel hyn. Dwy fil a phedair. Camp Condor. Iraq. Rhanbarth Maysan. Nepell o ddinas Amarah, ar lannau Afon Tigris. Haul tanbaid. Tywod sych…"

"Y?!" ebychodd Sally, wrth agosáu at gartref ei mam. "Be ti'n mwydro nawr?"

"Dim."

"So beth ti'n mynd i alw dy lyfr?"

Gwenodd Ben yn falch arni. "Gen i'r teitl perffaith," meddai, wrth droi'r car arno i stryd cartref Kitty, lle'r oedd ei ddarpar fam-yng-nghyfraith yn aros amdanynt, gan sefyll ar y dreif yn chwifio.

"Beth?" gofynnodd Sally, gan chwifio'n ôl ar ei mam.

"O Glust i Glust," atebodd Ben yn llawn balchder.

DIOLCHIADAU

Lisa, Elian a Syfi.

Pops.

Russ, Liz, Alaw a DJ.

Al Te.

Alun Davies am ei eiriau caredig.

Sion Ilar am y clawr cofiadwy.

Meleri Wyn James, fy ngolygydd gwych.

Lefi a phawb arall yn y Lolfa.

Hoffwn hefyd gydnabod cymorth ariannol
Cyngor Llyfrau Cymru.

AM YR AWDUR

Brodor o Gaerdydd yw Llwyd Owen.
Mae'n dal i fyw yn y brifddinas, gyda'i wraig Lisa
a'u merched, Elian a Syfi.

Pan nad yw'n ysgrifennu nofelau,
mae'n gweithio fel cyfieithydd.

Gwefan: www.llwydowen.blogspot.com

Twitter: @Llwyd_Owen

NOFELAU ERAILL GAN YR UN AWDUR

Ffawd, Cywilydd a Chelwyddau (2006)
Ffydd Gobaith Cariad (2006)
Yr Ergyd Olaf (2007)
Mr Blaidd (2009)
Faith Hope & Love (2010)
Un Ddinas, Dau Fyd (2011)
Heulfan (2012)
The Last Hit (2013)
Y Ddyled (2014)
Taffia (2016)
Pyrth Uffern (2018)
Iaith y Nefoedd (2019)
Rhedeg i Parys (2020)

'Chwip o nofel sy'n mynd â'r darllenydd
ar daith igam-ogam ar draws Cymru.'
IFAN MORGAN JONES

LLWYD OWEN

RHEDEG
I PARYS

y Lolfa

£8.99

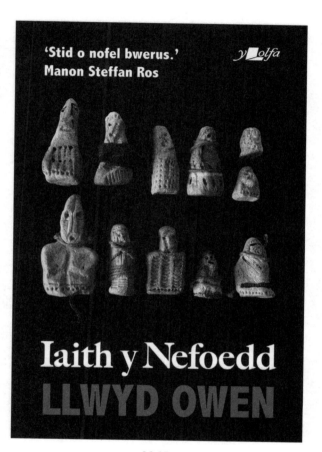

'Stid o nofel bwerus.'
Manon Steffan Ros

y Lolfa

Iaith y Nefoedd

LLWYD OWEN

£6.99

'Fy hoff nofel eto gan Llwyd Owen. Dychrynllyd, real, gwych.'
MANON STEFFAN ROS

PYRTH UFFERN

LLWYD OWEN

y Lolfa

£9.99

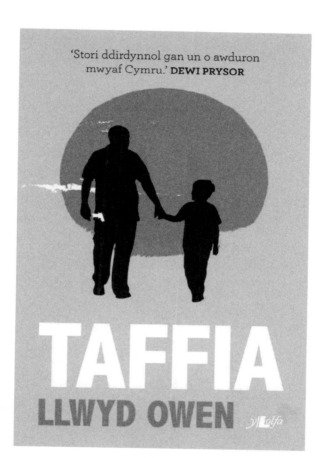

'Stori ddirdynnol gan un o awduron mwyaf Cymru.' **DEWI PRYSOR**

TAFFIA

LLWYD OWEN

y Lolfa

£8.99

Holwch am bris argraffu!
www.ylolfa.com